Savoir relaxer

pour combattre le stress

Couverture
- Maquette et illustration:
  MICHEL BÉRARD

Maquette intérieure
- Conception graphique:
  JEAN-GUY FOURNIER

DISTRIBUTEURS EXCLUSIFS:

- Pour le Canada:
  AGENCE DE DISTRIBUTION POPULAIRE INC.*
  955, rue Amherst, Montréal H2L 3K4 (tél.: 514-523-1182)
  * Filiale de Sogides Ltée

- Pour la France et l'Afrique:
  INTER FORUM
  13, rue de la Glacière, 75013 Paris (tél.: (1) 43-37-11-80)

- Pour la Belgique, le Portugal et les pays de l'Est:
  S. A. VANDER
  Avenue des Volontaires, 321, 1150 Bruxelles
  (tél.: (32-2) 762.98.04)

- Pour la Suisse:
  TRANSAT S.A.
  Route des Jeunes, 19, C.P. 125, 1211 Genève 26
  (tél.: (22) 42.77.40)

Dr Edmund Jacobson

Savoir relaxer
pour combattre le stress

Traduit de l'américain
par Yvan Steenhout

Centre interdisciplinaire de Montréal Inc.
5055, avenue Gatineau Montréal H3V 1E4 (514) 735-6595

Les Éditions de l'Homme*

CANADA: 955, rue Amherst, Montréal H2L 3K4

*Division de Sogides Ltée

Ce livre est paru en anglais sous le titre
You must relax

Bibliothèque nationale du Québec
Dépôt légal — 2e trimestre 1980

ISBN 2-7619-0080-4

À ma mère

Remerciements

Je suis reconnaissant envers les membres des laboratoires de la compagnie Bell Téléphone pour l'aide technique et le soutien qu'ils m'ont apportés aussi longtemps que j'en ai eu besoin; je remercie surtout le directeur de la recherche, Harold DeForest Arnold, le président, Olivier Buckley, et son successeur, Mervin J. Kelly, ainsi que les ingénieurs électrotechniciens, H.A. Frederick et D.B. Blattner.

Préface

Nous vivons dans un monde hypertendu. Nous parlons de "tensions"; nous lisons des choses sur le sujet; il en est question dans les journaux, les magazines et les livres. De toute évidence, les gens se rendent compte de plus en plus que leur façon de vivre comporte quelque chose d'excessif qui peut conduire au désordre et à la maladie. On cherche des remèdes. Les médecins contemporains nous conseillent de "relaxer", mais ce ne fut pas toujours le cas.

Dans le livre sur le repos qu'écrivit le fameux médecin traitant du président Wilson, le mot "relaxation" ne figurait même pas. On ne parlait pas de tension à cette époque. Les personnages des films ne se disaient pas les uns aux autres de "relaxer", comme ils le font de nos jours. Le mot n'était pas encore passé dans l'usage courant. Je le sais, parce que dix ans plus tôt, j'avais commencé à développer les principes et l'étude scientifique de la tension et de la relaxation, tels que nous les connaissons maintenant.

Le poids de mes responsabilités me pesait. D'une part, je devais expérimenter avec objectivité chaque progrès dans le domaine et éviter tout enthousiasme susceptible de brouiller mon jugement. Je ne pouvais par ailleurs, dans ma froide analyse scientifique, fermer les yeux à toute lueur qui avait quelque chance de faire progresser l'humanité.

Mes recherches commencèrent en 1908 au laboratoire de l'université Harvard. Plus tard, jusqu'en 1936, je les poursuivis à Cornell et à l'université de Chicago. Depuis lors, je les ai menées dans un laboratoire auquel j'ai voué toutes mes pensées et tout mon temps: le

Laboratoire de physiologie clinique, à Chicago. Ces recherches aboutirent à des résultats concrets, susceptibles d'améliorer l'état de santé des êtres humains. Plus tard, au fil des ans, des cliniques associées à mes travaux testèrent et développèrent les mesures pratiques que j'avais mises au point.

Mes recherches ont permis de comprendre ce qu'est précisément la tension, c'est-à-dire l'effort fourni en contractant les fibres musculaires. Les physiologues désignent ce phénomène par l'expression "tension musculaire". Ils étudient ce processus sur des animaux depuis plus d'un siècle. J'ai essayé de commencer là où ils s'étaient arrêtés. Je voulais appliquer à l'homme une partie du vaste savoir fondamental qu'ils avaient accumulé et l'en faire profiter.

Au fur et à mesure du progrès de mes travaux, je couchai par écrit certains de mes résultats que publièrent des revues scientifiques. Je croyais que les pressions constantes que subissent les esprits et les corps hyperactifs pouvaient produire certaines maladies. J'écrivis en 1929 un livre intitulé *Progressive Relaxation,* destiné aux médecins et à la communauté scientifique. Certains me dirent que mon ouvrage était extrêmement technique. On me suggéra donc, à l'université, d'en écrire un autre plus simple et à la portée du grand public. C'est celui que vous lisez présentement. Depuis sa publication, de nombreux praticiens conseillent à leurs malades de le lire.

Tout au long de mes travaux, j'eus à faire face à d'innombrables difficultés, et tout d'abord au fait que, pour le médecin et pour l'homme de la rue, le mot "relaxation" équivaut souvent à amusement, récréation ou passe-temps. J'avais donc à choisir. Ou bien inventer un néologisme pour désigner la relaxation neuro-musculaire, ou bien essayer d'amener le public à utiliser une expression déjà familière, qui au départ signifiait récréation ou passe-temps. J'ai choisi la seconde solution. Les années ont passé et je ne regrette pas mon choix. Dans l'ensemble, le public a "marché". Aujourd'hui, le mot "relaxer" fait partie intégrante du vocabulaire courant dans le sens de "laisser faire" ou de "prendre les choses calmement".

L'hypertension nerveuse est de nos jours monnaie courante en Amérique du Nord. Elle provoque divers troubles de tension dont je traiterai de façon élémentaire dans cet ouvrage.

Un principe simple et essentiel résume ce que l'on connaît du cerveau et du système nerveux, ce que nous en ont appris les méthodes électriques d'investigation: la relaxation est l'inverse de l'excitation nerveuse. C'est l'absence d'impulsion nerf-muscle. De façon plus simple, *relaxer est l'opposé physiologique direct de s'exciter ou d'être troublé.*

Est-ce évident? Je l'espère, parce qu'il m'a fallu travailler des années pour que ça le devienne. Si cette notion commence à faire partie du mode naturel de penser des étudiants en médecine, j'en suis très content, mais laissons-les en arriver eux-mêmes à cette conclusion: le désordre nerveux est aussi un désordre mental. La névrose et la psychonévrose sont également des désordres physiologiques parce qu'elles sont des manifestations de troubles de tension. Donc, quoi que puisse réussir un psychiatre, cette réussite consiste nécessairement en une diminution de l'excitabilité neuro-musculaire de son patient. Quelle que soit la méthode qu'il utilise, son succès, à la longue, se mesure en fonction du degré de relaxation habituelle qu'il a réussi à faire acquérir à son patient.

La tension est une manifestation objective de ce qui se passe en nous lorsque nous fournissons un effort. Le même mot désigne l'effort normal nécessaire pour poser chacun de nos gestes, mais aussi l'excès d'effort. Donc, selon le contexte, "tension" signifie soit un effort raisonnable, soit un effort excessif.

Dans les chapitres que j'ai ajoutés récemment à ce livre, j'ai essayé de montrer plus clairement comment les efforts que nous faisons pour atteindre certains de nos objectifs restreints, de même que nos plus grands succès, mènent parfois à des désordres quand ces efforts deviennent plus importants que ce que notre corps est capable de supporter. L'objectif de mon ouvrage est de préserver et de développer le côté positif de nos efforts grâce à une meilleure organisation interne. En apprenant à nous préserver physiologiquement, nous pouvons graduellement en arriver à prévenir les désordres de tension.

Les désordres de tension comprennent divers troubles nerveux communs, dont l'état de peur et d'angoisse. Ils interviennent également très souvent dans d'autres maladies, comme dans les cas d'ulcères gastroduodénaux, d'indigestions nerveuses, de colites spasmodiques, d'hypertension artérielle et de crises cardiaques d'origine coronarienne. Les faits indiquent que nos prédispositions à ces maladies sont fonction de notre hérédité mais aussi de notre environnement, y compris les pressions auxquelles nous sommes soumis. Nos connaissances actuelles sur l'incidence des maladies coronariennes ne nous permettent pas d'établir une règle générale concernant l'influence de l'hérédité. Chez l'homme, en effet, les parois des artères coronaires sont beaucoup plus épaisses à la naissance que chez la femme qui souffre beaucoup moins fréquemment de troubles coronariens. On croit qu'un régime riche en cholestérol augmente les dépôts de graisse sur les parois des artères. On conseille aux individus chez qui un examen médical révèle un taux élevé de cholestérol sanguin de suivre un régime alimentaire pauvre en produits laitiers et autres matières grasses saturées.

En gros, les "crises cardiaques" d'origine coronarienne se produisent lorsqu'il y a sclérose coronarienne et tension. Plus la tension est grande ou plus la sclérose est avancée, plus il y a risque de complications. Nous ne connaissons pas toutes les causes de la sclérose, mais certains faits tendent à prouver que la tension en favorise le développement.

J'ai donc écrit ce livre pour enseigner aux gens la façon de conserver leur énergie afin d'éviter les tensions inutiles, et même nocives, dans la poursuite des objectifs qu'ils se sont fixés. Mon but est d'encourager mes lecteurs à tirer profit du "tranquillisant interne" que nous avons tous en nous. Oscar B. Mayer, mon ami de toujours (qui incidemment a inventé l'expression que je viens d'utiliser), demandait: pourquoi utiliser des sédatifs et des tranquillisants, avec leurs nombreux effets secondaires, quand la nature a prévu un mécanisme interne qui n'implique aucun de ces désagréments?

Pour aller dans le sens de la médecine préventive, mais aussi pour initier les médecins et les éducateurs aux applications pratiques de la relaxation à leur champ d'action respectif, il s'est formé récemment une fondation pour la relaxation scientifique (*Foundation for Scientific Relaxation*). Cette fondation est un organisme philanthropique sans but lucratif. Son équipe de direction, composée d'hommes d'affaires, de médecins et d'autres scientifiques, estime qu'elle peut jouer un rôle important pour le mieux-être du public.

Je me rends bien compte qu'un livre de vulgarisation qui traite de maladies largement répandues risque d'inciter plusieurs personnes à s'en servir comme manuel d'autotraitement alors qu'elles auraient en fait besoin d'un vrai diagnostic, d'un médecin qui les dirige lorsqu'elles pratiquent la relaxation, ou de quelque autre forme de soin médical. J'espère qu'à la longue, les patients des différentes régions du pays auront à leur disposition des médecins formés dans cette spécialité.

Cependant, la relaxation scientifique n'est pas uniquement une branche de la médecine. C'est un mode de vie. À l'heure actuelle, elle est enseignée dans les départements d'éducation physique de la plupart des universités américaines. Elle fait aussi partie du programme des différents baccalauréats. En outre, les étudiants qui veulent se perfectionner en psychologie doivent en général étudier les fondements scientifiques de la relaxation.

Edmund Jacobson, médecin
Laboratoire de physiologie
clinique, Chicago

Avant-propos

J'ai conçu ce livre pour aider les gens à surmonter les difficultés et les malaises de la vie quotidienne. Il se divise en deux grandes parties bien distinctes. La première décrit la tension et les désordres organiques qu'elle provoque, auxquels chacun de nous peut être soumis. Le lecteur y apprendra que ses efforts pour surmonter la tension sont, en fait, des façons de gaspiller son énergie (son combustible personnel: son acide adénosine triphosphorique), cette substance qui lui permet de vivre, de bouger, d'être ce qu'il est. Il apprendra pourquoi la réussite dans la vie, exactement comme le succès dans la conduite d'une entreprise, dépend d'une bonne organisation de ses ressources fondée sur les notions d'épargne et de connaissance des coûts.

Nous reconnaissons que la Nature a doté l'être humain d'un merveilleux instrument dont il doit pourtant apprendre à se servir pour mener une vie réussie. Il nous est impossible de changer notre hérédité, qui malheureusement prédispose plusieurs d'entre nous à certaines maladies courantes comme l'hypertension artérielle et la crise cardiaque, mais nous pouvons apprendre à en minimiser l'effet, ainsi d'ailleurs que l'effet des diverses maladies qui naissent principalement du "stress" quotidien que nous subissons tous sous différentes formes.

La première partie de ce livre, comme celle qui la suit, n'est pas vraiment théorique. Elle s'appuie sur soixante ans de recherche en laboratoire et de travail clinique, alliés à l'expérience d'un praticien en physiologie et en diagnostic médical.

La seconde partie de mon ouvrage enseigne au lecteur certaines méthodes pratiques éprouvées qui lui permettront de se comporter efficacement non seulement dans les moments difficiles, mais aussi pendant les périodes heureuses de sa vie. Il faut apprendre comment bien se conduire, exactement comme il faut apprendre à conduire un véhicule automobile, et pratiquer quotidiennement pour obtenir de meilleurs résultats. Mon livre indique quoi faire jour après jour. Le lecteur découvrira que le contrôle de la tension nerveuse n'est pas un exercice, puisque tout exercice représente un effort. Il apprendra comment corriger l'habitude coûteuse que nous avons de fournir des "efforts-tension" inutiles et sa vie de tous les jours s'en trouvera facilitée. Il saura comment ménager ses investissements d'énergie en accomplissant seulement ce qu'il a réellement besoin de faire. Il apprendra à relaxer et rejettera donc les tranquillisants, les sédatifs et les médicaments hypnotiques. La relaxation différentielle lui indiquera comment ménager son énergie dans ses activités quotidiennes, ses loisirs, ses sports habituels et ses exercices physiques réguliers pour vivre plus intensément, plus agréablement et sans doute plus longtemps.

L'auteur est un homme de science respectueux de sa profession. Comme tout médecin, il sait que le public non averti de la chose médicale a tendance à chercher des traitements rapides et des potions-miracles. Apprendre à relaxer, les médecins en sont conscients, ne se fait pas en deux leçons. Penser le contraire relève du voeu pieux! La relaxation progressive est un produit de la science américaine. Elle prône l'indépendance et l'autonomie, sans aucun recours aux techniques d'autosuggestion ni aux méthodes de renforcement.

Première partie

Connais-toi toi-même pour te préserver toi-même

Chapitre 1

Les troubles de tension sont plus répandus que le rhume

Dans notre société où la compétition est excessive, les maladies dues aux troubles de tension tendent à devenir les plus répandues. Pendant les périodes difficiles, en ces temps d'inflation et de chômage, la tension réduit de beaucoup l'efficacité personnelle des individus. Personne aujourd'hui n'a raison de croire qu'il ne souffre pas de tension, à moins que des tests et des examens menés selon les techniques modernes ne soient venus le lui confirmer.

Pour employer un vocabulaire qui n'a rien de médical, disons que l'effort excessif provoque la tension. Certains schémas complexes de détermination émotive caractérisent les efforts que nous faisons pour vaincre et réussir. Chaque individu développe ses propres schémas d'effort. Quels que soient ces schémas, un surcroît de tension produit immanquablement des symptômes et des malaises que tout médecin connaît bien, même s'ils ne sont pas toujours bien diagnostiqués.

Qui peut, dans ce pays, contester le bien-fondé de ce qu'on appelle "la course au succès"? Au cours du dernier demi-siècle, des membres de chaque profession, des représentants de chaque genre d'entreprise sont venus me voir à ma clinique. Leurs malaises à tous étaient caractéristiques. J'ai traité des avocats, des médecins, des dentistes, des ingénieurs, des cadres, des reporters, des éditorialistes, des journalistes, des banquiers et des éditeurs. Au moment de l'impression de mon premier livre *Progressive Relaxation* en 1929, les imprimeurs et les travailleurs de l'université de Chicago clamèrent que la tension excessive s'appliquait *spécialement* à eux. Des années plus tard, j'eus l'occasion de rencontrer des membres du syndicat du vêtement et d'autres industries. Ils montraient clairement tous les symptômes provoqués par un excès de tension. C'était vrai également pour d'autres travailleurs. Le travail à la chaîne ne favorise ni le confort ni la relaxation. Tout travail, qu'il soit manuel ou administratif, entraîne des tensions excessives.

La plupart des hommes et des femmes, qu'ils soient employés ou qu'ils dirigent leur propre entreprise, ont de nombreux problèmes. Les gens ont souvent de la difficulté à s'entendre les uns avec les autres. Les époux et les épouses ne sont pas toujours d'accord. Ils rencontrent des difficultés dans l'éducation des enfants. De nos jours, à l'école comme à la maison, les enfants ont déjà commencé à vivre une vie remplie de tensions.

Bref, que l'on travaille en usine ou à la maison, ou même que l'on mène une vie oisive, les problèmes et les difficultés entravent continuellement le bien-être auquel chacun aspire. Même de longues vacances n'offrent pas d'échappatoire réelle. Les soucis et les peurs obscurcissent un avenir qui sinon serait radieux. La tension fait partie intégrante de la vie. Face aux problèmes de tous les jours les gens se sentent facilement découragés et parfois dépassés. Malgré leurs efforts de planification, chaque journée est envisagée avec crainte et angoisse.

Les malaises de ceux qui ont vécu de fortes tensions sont nombreux et divers. J'en donnerai quelques exemples dans les paragraphes qui suivent. Parmi ces malaises, il y a parfois la fatigue et l'impossibilité de dormir. La télévision, la radio et les autres media offrent des drogues qui combattent l'insomnie. La publicité pour les déodorants est encore plus répandue. Beaucoup de gens trop tendus transpirent anormalement; leurs paumes, la plante de leurs pieds et leurs aisselles sont souvent moites. Malheureusement, les déodorants n'éliminent pas les causes de la transpiration, ils ne font qu'en enrayer les désagréments.

L'individu tendu éprouve souvent une sensation de tension physique généralisée. Elle peut apparaître dans la poitrine, le dos et/ou les bras. Les maux de nuque provoqués par un surcroît de tension sont fréquents, ainsi que les maux de tête. Il peut y avoir aussi des "sensations de malaise", peut-être de peur, lorsqu'on rencontre des inconnus ou lorsqu'il s'agit de prendre la parole en public.

L'expérience a démontré qu'un mode de vie sous tension constante provoque des symptômes et des malaises dus à une hyperactivité de chacun des systèmes organiques. Le public devrait savoir que la constipation et la diarrhée sont souvent les indices d'une existence hypertendue. Cette constipation et/ou les accès de diarrhée sont soit intermittents soit chroniques. On ne possède pas de statistiques précises, mais, d'après moi, plus de quatre-vingt-dix pour cent des désordres alimentaires sont dus à l'hypertension du système neuromusculaire. Tout médecin le sait: les infections gastro-intestinales ou autres, dont la grippe, les effets secondaires de certains médicaments et certains types de désordres abdominaux provoquent souvent un dérangement des intestins. Je veux souligner ici que les diarrhées chroniques ou intermittentes sont le plus souvent dues à un surcroît de tension imposé au système neuro-musculaire.

Ce que l'on appelle "indigestion chronique" provient souvent d'une hypertension généralisée du système musculaire. Elle s'accompagne sans doute de renvois fréquents et d'accès de nausée. On a souvent plus ou moins mal au ventre; parfois la douleur est prononcée. Le médecin, lorsqu'il découvre des douleurs abdominales spasmodiques peut les attribuer à juste titre à un mode de vie hypertendu. Il peut parler de "stress", terme que pour ma part je préfère ne pas employer. Ce mot possède en effet deux significations différentes, dont l'une n'a rien à voir avec la tension musculaire. On ressent parfois des brûlements dans le haut de l'abdomen. Une diète légère et divers types d'antiacides gastriques (Mucosil, Meta-mucil, Maalox et autres préparations) soulagent parfois ce malaise. Si on néglige de le traiter, des ulcères d'estomac ou du duodénum (maladies dont nous reparlerons plus loin) peuvent se développer.

Quiconque souffre d'ulcères peut être sûr qu'il a été et continue d'être tendu. De la même façon, quiconque prend de temps à autre ou habituellement des tranquillisants peut être sûr qu'il vit de façon hypertendue. L'homme et la femme qui fument plus d'un paquet de cigarettes par jour sont loin, eux aussi, d'être des gens relaxés. La même remarque vaut pour ceux qui ont besoin de force cocktails pour se sentir bien. L'alcool est un tranquillisant efficace. Les alcooliques souffrent invariablement d'un excès de tension. Cependant, comme on peut le constater en France, les buveurs modérés ne sont pas nécessairement plus tendus que les autres qui ne boivent pas. C'est le plaisir plutôt que le besoin de se calmer qui les amène à prendre un verre. Plusieurs personnes consultent leur médecin parce qu'elles se sentent la poitrine oppressée. Leurs battements cardiaques sont trop rapides ou irréguliers. Ils souffrent de troubles de respiration légers ou prononcés, parfois d'hyperventilation. Lorsqu'on fait un électrocardiogramme, les résultats peuvent être considérés "dans la norme". Le patient reprend confiance et "essaye d'oublier tout cela". Mais qu'il se rassure ou non, ses symptômes à la poitrine et au coeur dénotent souvent un surcroît de tension de ses nerfs et de ses muscles, même si le médecin est satisfait et classe le patient "dans la norme".

Si l'électrocardiogramme indique quelque anormalité, un début d'insuffisance coronarienne ou quelque état pathologique plus grave par exemple, le patient en déduira vraisemblablement qu'il est trop tendu. Loin d'écarter les désordres de la tension musculaire, les découvertes récentes sur le coeur y réfèrent de façon non équivoque. L'hypertension musculaire est, au moins partiellement, responsable de certains désordres cardiaques organiques. J'en discuterai plus tard.

Les asthmatiques connaissent bien "l'oppression" dans la poitrine, associée à une difficulté de respirer. Certains inhalants et d'autres médicaments permettent heureusement d'atténuer ces symptômes, mais ce ne fut pas toujours le cas. Pour lui sauver la vie, je fus un jour obligé de passer toute la nuit à apprendre à un patient comment relaxer ses muscles respiratoires. Même aujourd'hui, les asthmatiques et les emphyzémateux plus âgés peuvent gagner beaucoup à pratiquer cette technique. Je dois rappeler que, dans le traitement de la tuberculose pulmonaire chronique, outre les traitements spécifiques, les médecins des hôpitaux du ministère des Anciens combattants ont fait pratiquer la relaxation progressive à leurs malades qui entraient en convalescence.

Beaucoup de gens se plaignent d'hypertension artérielle fréquente. Parfois, le trouble n'est qu'occasionnel. Il arrive que les patients admettent qu'ils se sentent inquiets au moment où on prend leur tension. Parfois ils font état de maux de tête ou même de vertiges. Comme nous le verrons, ces personnes auraient toutes les raisons d'intégrer la relaxation à leur vie quotidienne. Si l'hypertension devient chronique, il est absolument nécessaire d'apprendre les techniques de contrôle de la tension neuro-musculaire. Au début de l'hypertension artérielle, le contrôle de la tension neuro-musculaire est une mesure de prévention. Dans les cas d'hypertension artérielle avancée, quand la chirurgie ne s'applique pas, nous verrons pourquoi et comment les méthodes de contrôle de la tension neuro-musculaire peuvent et doivent être appliquées, avec ou sans usage concomitant de médicaments antihypertenseurs. Ces médicaments malheureusement n'entraînent pas la guérison.

Il existe de nombreux autres symptômes et comportements liés aux états d'hypertension neuro-musculaire. Certaines personnes parlent de vagues sensations de malaise dans certaines parties du corps, à l'arrière de la nuque, dans certaines régions du dos ou même dans tout le dos. Certains pensent qu'il s'agit d'arthrite et vont consulter un rhumatologue. Selon le docteur Edward Compère, orthopédiste célèbre, plus de la moitié des patients qui sont allés dans sa clinique de Chicago et qui se plaignaient d'arthrite n'en étaient pas réellement atteints. Ils éprouvaient certaines douleurs qui les dérangaient (le docteur Compère me communiqua cette information lors d'une conversation privée). En conséquence, son traitement consistait à informer ces patients que leur maladie principale venait de ce qu'ils étaient trop tendus. Il leur demandait de lire certains extraits du livre que vous êtes en train de lire. Ces malades devaient faire les exercices qui y sont recommandés pendant deux semaines. Ensuite, ils retournaient voir le docteur Compère qui leur prodiguait d'autres conseils en vue de les détendre. Il me dit qu'en général cette façon de procéder produisait d'excellents résultats. Peu après cette discussion avec le docteur Compère, j'eus la chance de rencontrer le directeur de la clinique chirurgicale d'un des principaux hôpitaux de Chicago. Je lui rapportai la conversation dont je viens de faire état. Il me répondit que, dans le cas des patients qui fréquentaient sa clinique, la proportion était encore plus élevée. À ma grande surprise, il était d'opinion que plus de cinquante pour cent de ses malades avaient des problèmes parce qu'ils étaient trop tendus.

Les femmes tendues souffrent parfois de façon excessive avant et pendant leurs périodes de menstruation. Mon expérience gynécologique, quoique limitée, m'a suggéré que certains désordres d'origine endocrienne pour lesquels d'habitude (et à juste titre) on prescrit des hormones, peuvent se traiter parfois par un contrôle physiologique de la tension. Il en est de même pour l'hyperthyroïdie, quand on ne la traite pas chirurgicalement. Ce champ reste à étudier.

Les symptômes de maladies psychotiques comme la schizophrénie ou des états maniaco-dépressifs (cyclothymie) ne proviennent pas d'une existence hypertendue mais indubitablement de dérèglements héréditaires. Les causes fondamentales en sont pour le moment inconnues. Il n'y a pas moyen de les corriger actuellement. Néanmoins, même si l'hypertension neuro-musculaire n'est, de toute évidence, pas la cause première de ces psychoses, elle peut jouer un rôle dans les symptômes, les malaises et le traitement. De nombreux indices tendent à prouver que la réussite de toute forme de traitement psychiatrique actuel peut se mesurer par une baisse du niveau de tension dans le système neuro-musculaire. Dans les cas de dépression psychotique, le médecin passe souvent des heures à essayer de découvrir la nature du mal; il finit parfois par apprendre que son malade visualise, au moins de façon intermittente, quelque chose qui le trouble et l'effraie. C'est un exemple de tension oculaire difficile à déceler pour le médecin. Il existe un traitement. J'en parlerai dans un chapitre ultérieur.

Les lecteurs intéressés par les symptômes et les signes de tension nerveuse pendant la grossesse, au moment de la naissance et après l'accouchement, en trouveront une étude exhaustive dans le livre de l'auteur, *How to Relax and Have Your Baby* (Comment relaxer et avoir un enfant) publié chez McGraw-Hill. Comme je l'explique dans cet ouvrage, le premier accouchement naturel se fit en 1930 à l'hôpital de l'université de Chicago. Feu le docteur Grantly Dick Reed lut une des premières éditions du livre que vous lisez présentement et passa des années à entraîner ses patientes à relaxer pendant leur accouchement pour atténuer les douleurs.

Et que dire des symptômes et des malaises "nerveux" ou névrotiques qui ont un rapport direct avec une existence trop tendue? Selon mon expérience, tous ces états sont caractérisés par un surcroît de tension neuro-musculaire mesurable. Dans certaines maladies névrotiques, surtout l'hypocondrie, les malaises sont permanents. Quand le malade apprend à cesser de se plaindre, l'hypocondrie disparaît. Pourtant cette pénible maladie est, à des degrés divers, largement répandue dans le public!

"La nervosité" est un terme populaire. Ce mot recouvre toute une gamme de malaises: le souci, l'anxiété, l'angoisse, les phobies. Au cours des précédentes décades, le corps médical a choisi de classer ces maladies dans la catégorie des "maladies fonctionnelles", c'est-à-dire qui ne s'accompagnent d'aucune lésion organique. Dans une classification plus récente, on les retrouve dans les maladies "psychosomatiques". Je doute de la pertinence de cette terminologie. Je l'ai déjà prouvé: il n'existe pas chez l'homme d'occurence psychique qui soit non somatique.[1]

Toutes les maladies dites "fonctionnelles" ont une physiologie neuro-musculaire caractéristique. En d'autres mots, quelle que soit la forme des symptômes du trouble, ils se traduisent tous par des états de tension. Tout ce qui réduit la tension tend donc à réduire les symptômes, y compris les comportements anormaux. Je réfère les lecteurs qui souhaiteraient mieux comprendre ce point à mes livres techniques destinés au corps médical.

---

1. Dans la partie du programme consacré à la neurologie, lors du congrès de l'Association médicale américaine de 1921, j'ai lu une communication intitulée *L'utilisation de la psychologie expérimentale dans la pratique de la médecine.* Cette communication fut bien reçue. Elle ouvrait un champ d'étude baptisé plus tard par quelqu'un d'autre médecine psychosomatique.

Bien que le fait ne soit pas scientifiquement prouvé, tout porte à croire aujourd'hui que *les désordres de tension, tels que décrits plus haut, sont plus répandus que le rhume.*

Les rhumes ne durent qu'une huitaine de jours et, en règle générale, on n'en souffre pas beaucoup plus de deux fois l'an. Les désordres de tension, eux, subsistent toute l'année, surtout après l'adolescence. Selon les statistiques, les tranquillisants sont les médicaments les plus utilisés. Cela prouve bien à quel point les troubles dus à la tension sont répandus. Aux tranquillisants, il faut encore ajouter l'utilisation et l'abus du plus grand tranquillisant de tous: l'alcool.

On le verra dans les chapitres ultérieurs, les désordres dus à la tension se manifestent de façons fort diverses. Il s'agit souvent de tension lorsqu'un malade se plaint de troubles de digestion, de douleurs arthritiques ou cardiaques. La tension affecte à peu près tous les systèmes de l'organisme, y compris les systèmes nerveux et mental. Il n'est nullement exagéré d'affirmer que les troubles dus à la tension sont la plaie des temps modernes. Associés aux prédispositions héréditaires de certains individus pour certaines maladies spécifiques, comme l'insuffisance coronarienne ou l'hypertension artérielle, les troubles de tension sont responsables du taux de mortalité actuel élevé, comme l'étaient jadis le choléra et les autres fléaux des temps anciens.

Chapitre 2

Les personnes tendues dépensent trop d'énergie

Les personnes tendues se brûlent. Leurs efforts sont excessifs au lieu d'être mesurés et efficaces. Ces personnes peuvent réussir mais le prix qu'elles paient est par trop élevé. Quand vous faites un effort, quel qu'il soit, vous contractez une certaine combinaison de fibres musculaires. L'effort se caractérise par divers types de contractions des muscles squelettiques. Généralement, votre objectif est toujours d'obtenir certaines récompenses ou d'éviter certaines punitions. C'est la façon dont vous, lecteur, comme tout autre être humain vivant, vous vous comportez et agissez pendant toute votre vie consciente.

Il est sidérant en ces temps modernes de constater l'ignorance de l'humanité et la négligence dont font preuve les spécialistes des sciences de la vie à propos de l'interrelation de nos objectifs (motivations) et des mécanismes par lesquels ils se concrétisent.

Comment un objectif donné se concrétise-t-il en une action individuelle? Quelle relation y a-t-il entre nos objectifs et nos mécanismes organiques? J'emploie ici le terme "mécanisme" dans le sens où l'employaient Galilée et Newton, en incluant les mécanismes de la physique contemporaine et du génie. Il est surprenant que les étudiants, de quelque discipline qu'ils proviennent (physique, psychologie, philosophie ou sciences humaines), aient négligé cette question. Pourtant, à moins de la poser et d'y répondre clairement, l'esprit et le comportement humain continuent d'être un mystère.

Nous atteignons nos objectifs en contractant et en détendant, selon divers modèles préétablis, les cent trente muscles squelettiques qui comptent pour près de la moitié du poids du corps humain. À part l'exercice physique, les hommes de science ont accordé peu d'attention à l'étude de l'ensemble du système musculaire. Quand vous contractez vos muscles pendant un effort, quel que soit votre objectif, vous dépensez une certaine quantité d'énergie personnelle. La tension (qui désigne, je le rappelle, certaines impulsions nerveuses qui ont pour effet de raccourcir vos fibres musculaires) est l'énergie personnelle que vous dépensez pour atteindre vos objectifs.

Pour rouler, le moteur de votre voiture doit consommer de l'essence, sinon les roues ne tournent pas. De la même façon, un avion à réaction ne vole que si le carburant brûle et fournit aux moteurs l'énergie dont ils ont besoin. Il en va de même pour votre comportement et votre pensée. Pour agir et penser, le corps doit recevoir du carburant que brûleront les nerfs et les muscles.

Quel est le nom du carburant que vous brûlez dans vos muscles, vos nerfs et votre cerveau chaque fois que vous réfléchissez ou agissez? Il s'appelle adénosine triphosphorique ou ATP pour être plus bref. Vous devriez le savoir! Ce terme devrait vous être plus familier que le mot essence. En effet, chaque instant de votre vie, rempli de toutes sortes d'efforts, dépend et résulte de votre combustion d'adnéosine triphosphorique.

Le génie des physiologues qui ont étudié la cellule a permis de découvrir que toutes les cellules musculaires et nerveuses dépendent de cette substance chimique fondamentale. Ce sont eux qui ont étudié les cellules musculaires individuelles, leur contraction et leur relaxation. Ce sont des spécialistes de la chimie organique. Entre autres outils, ils ont recours aux microscopes électroniques. Je leur dois énormément. Je leur en suis très reconnaissant, comme aussi devraient l'être mes lecteurs.

Pourtant, aucun de ces hommes de science, pas plus que les autres chimistes, ne s'est intéressé à l'homme dans sa totalité. Jusqu'à présent vous, oui, vous qui me lisez, avez malheureusement été négligé. On a omis d'étudier vos dépenses d'énergie, sauf quand vous vous mettiez à faire de l'exercice physique.

Je suis donc obligé de me baser largement sur ce que mon propre laboratoire de physiologie et mes propres recherches cliniques m'ont permis de découvrir à votre propos et à propos des efforts quotidiens que vous fournissez au travail, tout autant que dans vos moments de loisir et de repos. Vous dépendez à chaque instant de vos dépenses personnelles d'énergie, c'est-à-dire plus précisément, de l'adénosine triphosphorique que vous brûlez dans vos fibres musculaires, dans vos cellules et vos fibres nerveuses de même que dans les cellules et les fibres de votre cerveau. Cette combustion de carburant ressemble à ce qui se passe dans le cas d'une automobile ou d'un avion. Seul le carburant diffère.

Il existe une autre différence. Le combustible que vous utilisez ne s'achète pas. Vous devez le fabriquer à partir de la nourriture que vous consommez. Tout le processus se passe sans que vous en ayez conscience et sans que vous interveniez dans les "laboratoires" de votre corps. La nature a prévu ce genre de "laboratoire" chez tous les êtres humains et chez tous les animaux supérieurs.

Quiconque se lance en affaires sait, ou apprend vite, qu'il doit restreindre ses dépenses au minimum, sinon il est obligé de fermer boutique. Lorsqu'on oublie cette règle fondamentale, comme ce fut le cas pour les compagnies Rolls-Royce et Penn Central, on fait inévitablement faillite. Les hommes d'affaires comprennent ce principe: une marge de profit confortable est le fondement même de la sécurité financière.

Pourtant, ces mêmes hommes d'affaires nord-américains, fort avisés quand il s'agit d'affaires, échouent généralement quand il s'agit d'envisager la nécessité d'économiser leur énergie personnelle. Ils gaspillent leur ATP comme s'il s'agissait d'une ressource inépuisable. Par ignorance, parce que les médecins ne le leur ont pas appris, ils suivent la route qui les mène en droite ligne à l'épuisement. Je le sais. J'en ai vu des exemples auprès des principaux administrateurs de certaines des plus grosses et des plus prospères corporations nationales. Ceux qui conduisaient leurs entreprises avec une remarquable efficacité dépensaient leur énergie personnelle de manière tout à fait extravagante. Je fus choqué de découvrir que quarante pour cent des cadres supérieurs d'une très importante société avaient des vaisseaux sanguins en tellement mauvais état qu'il n'était plus possible de les traiter. Ils payaient de leur vie les années où ils ne s'étaient pas souciés d'économiser *leur* énergie.

En général, les femmes qui travaillent à la maison n'ont pas reçu d'initiation particulière à la gestion des affaires. Cependant, l'inflation actuelle les amène à devenir économes. Il n'en va pas de même pour leurs dépenses d'énergie personnelle. Selon mon expérience, les ménagères américaines ne sont habituellement pas très conscientes de la nécessité de préserver leur énergie. En conséquence, elles manifestent souvent un ou plusieurs des symptômes que j'ai énoncés au premier chapitre. Ces symptômes sont liés à leur gaspillage extravagant d'énergie.

Il est évident qu'un des principes directeurs, dans la conduite des affaires est et doit être l'économie. Ce principe s'applique au budget familial comme à tout autre budget. La même nécessité s'impose quand il s'agit de notre organisme. Il faut appliquer les principes et les pratiques d'économie à l'énergie que nous dépensons dans notre vie quotidienne.

C'est la leçon de ce livre. Elle s'adresse à tous. Je me rends compte qu'il faudra des décades encore avant que les gens ne prennent l'habitude de conserver leur énergie, ne fut-ce qu'au point où ils ont pris l'habitude d'épargner leur argent. Nous avons cependant fait certains progrès notables au cours des dix dernières années, surtout dans les universités et les collèges américains où ces principes sont maintenant largement étudiés et enseignés. Les facultés de sciences de l'éducation, et surtout les départements d'éducation physique, les enseignent et les appliquent. De même, les départements de psychologie fondamentale, autant que ceux de psychologie clinique, enseignent habituellement à leurs étudiants ces principes psychologiques et physiologiques.

J'ose espérer que ces enseignements, doucement et peut-être inéluctablement, se répandront dans d'autres pays.

Chapitre 3

Une vie réussie

Si vous ouvrez un commerce et dépensez votre capital sans faire attention, qu'arrivera-t-il? La réponse est claire: vous ferez faillite! Conclusion: contrôlez vos dépenses!

Pourquoi faudrait-il s'attendre que l'inverse se produise quand il s'agit des dépenses d'énergie personnelle? Le gros bon sens me fait dire: "Votre énergie personnelle représente votre capital le plus précieux? Prenez-en soin! Dépensez-le avec sagesse!" Mais comme nous allons le voir, les gens se servent beaucoup plus de leur gros bon sens quand il s'agit de conduire leurs affaires que dans leurs habitudes de vie. Beaucoup de personnes, par exemple, connaissent l'importance de l'exercice physique et d'un régime équilibré, mais leurs mauvaises habitudes continuent souvent de l'emporter.

La plupart des gens n'ont jamais entendu parler de la relaxation progressive. Ils ne se sont jamais rendus compte qu'ils dépensent une partie de leur énergie personnelle à chaque moment de leur existence. C'est sidérant, mais c'est le cas pour des millions d'hommes et de femmes qui possèdent par ailleurs une excellente instruction!

Beaucoup ne savent pas que les dépenses d'énergie personnelle peuvent maintenant se mesurer de façon très précise grâce à certains instruments de laboratoire.

Il arrive que des médecins, même dévoués, soient trop occupés pour parvenir à lire tous les articles scientifiques qui portent sur les dépenses d'énergie et encore davantage pour renseigner leurs patients.

De nombreuses personnes ignorent les progrès scientifiques. Elles se disent qu'elles "relaxent" en écoutant de la musique, en regardant la télévision, en lisant ou en jouant au golf. Ces occupations-là sont plutôt des passe-temps ou une façon de faire de l'exercice. Pour être précis, ce sont de bons exemples de "détente", non de relaxation musculaire. J'utilise le mot "relaxation" dans ce livre comme l'utilisent les scientifiques, c'est-à-dire pour signifier l'interruption des contractions musculaires.

Apprendre à relaxer dans la vie plutôt que de se sentir toujours tendu ne signifie pas devenir paresseux, pas plus que le mot "économie" en affaires ne signifie "investissement insuffisant". Cela me rappelle un incident qui m'est arrivé lors d'un dîner très agréable auquel m'avait invité un courtier très à l'aise financièrement. Il voulait que j'apprenne à un des membres de sa famille à relaxer. Au lieu de me poser des questions, il me donna un cours sur la façon de pratiquer la relaxation. Avec un air d'autorité, il déclara que relaxer équivalait à être capable de paresser. Une table bien mise n'est pas un endroit propice à la polémique. Je le laissai pérorer. Les millions qu'il avait gagnés en bourse l'amenaient à croire qu'il faisait autorité même dans des domaines complètement extérieurs au sien. J'ai eu l'occasion de constater des attitudes identiques chez d'autres "self-made men" tout aussi sûrs d'eux-mêmes.

Comment dépense-t-on son énergie personnelle? On la dépense quand on tend ses muscles. Les muscles ressemblent en tous points à un morceau de viande crue. Ils sont formés essentiellement de longues fibres si minces qu'il faut un microscope pour les distinguer. Dans la vie, ces fibres se contractent chaque fois qu'on utilise le muscle en tout ou en partie, lors de n'importe quel comportement ou à l'occasion de n'importe quelle pensée. Cela s'appelle "contraction" ou, si vous préférez, "tension". Après la contraction, le muscle reprend sa longueur normale. Cela s'appelle "relaxation". J'aime appeler cet allongement naturel "mouvement négatif" parce qu'aucun effort n'est requis pour le réaliser. *En fait, tout effort que l'on fait pour relaxer provoque toujours l'échec de la relaxation.*

Alors, pourquoi se préoccuper d'apprendre quoi que ce soit au sujet de ses fibres musculaires? Cette question mérite une réponse non équivoque. Pensez à ce que serait conduire un véhicule automobile sans savoir qu'il avance parce que ses roues tournent! Pensez à ce que serait piloter un avion sans savoir comment il est propulsé! Semblable ignorance ne serait pas "normale". Elle serait "dangereuse". Eh bien maintenant, pensez à ce qu'est vivre toute une vie sans savoir comment on vit, comment on bouge, comment il se fait que l'on soit ce que l'on est. Une telle ignorance, dans notre société par ailleurs évoluée et en plein vingtième siècle, ne serait-elle pas sidérante?

Dans ce petit ouvrage de vulgarisation, je peux faire un peu plus que me servir de la science commune pour vous expliquer comment vous agissez et vous pensez. Je puis dévoiler les découvertes que j'ai moi-même faites en laboratoire. Je l'ai déjà mentionné plus haut, mon objectif est de fournir au lecteur toute l'information requise pour lui permettre de mener son existence en toute connaissance de cause et le plus habilement possible, exactement comme les millions de personnes qui conduisent bien leur automobile ont dû apprendre à le faire et à connaître leur véhicule.

En termes simples, la Nature, à travers l'évolution, nous a donné tout ce qu'il fallait pour survivre aux défis et aux tribulations de notre environnement quotidien toujours changeant. À chaque instant, pour notre propre bénéfice, celui de notre famille, de nos amis ou de notre communauté au sens plus vaste, nous faisons des efforts. Ces efforts sont les tensions et les relaxations de nos muscles. Nos nerfs les contrôlent. À chaque instant de notre vie consciente, notre objectif (tel que je l'ai défini plus haut, c'est-à-dire au sens le plus large) est de chercher quelque forme de gratification et/ou d'éviter toute espèce d'échec ou de punition.

Nos objectifs du moment équivalent évidemment à ce que nous nous proposons de faire. Toute pensée et toute planification d'une action donnée impliquent une activité musculaire, mais elle est si réduite qu'elle est invisible à l'oeil nu. Mon neurovoltmètre intégré peut néanmoins en enregistrer précisément les mécanismes. Cet appareil mesure les tensions musculaires et nerveuses, si minimes soient-elles. Il mesure donc l'activité mentale avec précision, à un dix-millionième de volt près. Cet appareil m'a permis de prouver que la pensée ne se produit pas dans le cerveau de façon indépendante. Elle est liée à des phénomènes qui se passent simultanément dans nos nerfs et dans nos muscles. C'est facile à comprendre. Il suffit de comparer ce processus avec le téléphone. Toutes les connexions téléphoniques ne se font pas au central, qui correspond au cerveau. Nous utilisons en même temps nos téléphones qui se trouvent en périphérie, de la même façon que nous utilisons nos nerfs et nos muscles quand nous pensons. La pensée et la planification d'une action deviennent des comportements quand la tension musculaire augmente et est ainsi visible. Il n'y a donc pas de grand fossé entre ce que vous pensez faire et les mouvements musculaires subséquents pour le faire. En d'autres mots, votre action n'est rien d'autre qu'un mouvement musculaire né des modèles qui caractérisent votre pensée.

La Nature a résolu le problème pour les créatures vivantes dotées d'un cerveau. Elle a lié étroitement leurs objectifs aux forces internes libérées pour les effectuer, comme je l'ai montré plus haut. Votre système cervico-neuro-musculaire est donc un système intégré électrochimique et mécanique extrêmement complexe. Il fonctionne à partir de ce que vous vous représentez comme la meilleure conduite possible pour vous. Aucun avion, aucune automobile ne sont dotés d'objectifs; des contrôles mécaniques déterminent le mouvement de ces appareils. Votre corps, par contre, n'agit qu'en fonction d'objectifs bien déterminés.

La Nature a doté l'homme de tous les moyens de contrôle nécessaires, mais elle n'a pas prévu de l'éduquer pour qu'il puisse les utiliser en toute connaissance de cause. Dans la majorité des cas, la Nature laisse l'être humain apprendre par lui-même. Nos sociétés nous fournissent des écoles et d'autres occasions d'apprendre. Si l'homme doit apprendre seul le contrôle de soi, nous avons la responsabilité de transmettre nos connaissances et notre savoir-faire. Nous devons montrer la voie. C'est le but de ce livre.

Chapitre 4

La tension neuro-musculaire et l'hypertension artérielle

En 1943, les cadres médicaux de la Compagnie d'assurances Metropolitan Life me consultèrent pour que je les aide à trouver le moyen de déterminer de façon précise la tension artérielle de leurs clients. Leurs polices d'assurance-vie se basaient sur les données que fournissaient aux quartiers généraux leurs innombrables médecins. Ces derniers examinaient les candidats à leur domicile et au travail. Leurs rapports comportaient des données sur la tension artérielle des clients. Ils utilisaient le Baumanomètre, un instrument satisfaisant. On me demanda mon avis sur d'éventuelles améliorations aux instruments de mesure et aux méthodes de notation de l'hypertension artérielle.

Au cours de cette consultation, j'initiai les médecins de la compagnie à la relaxation progressive et à ses applications possibles aux désordres dus à l'hypertension artérielle et aux crises cardiaques d'origine coronarienne. Après avoir pris connaissance de mes travaux, le docteur Charles L. Christiernen, directeur du département médical de la compagnie, en vint à la conclusion qu'il existait enfin une approche médicale pour prévenir et traiter les troubles cardiovasculaires responsables, plus que toute autre maladie, du plus haut pourcentage de décès aux États-Unis. Il regroupa les employés qui souffraient de ces désordres pour qu'ils soient traités par un médecin qu'il envoya étudier à Chicago. Le docteur Christiernen espérait susciter l'intérêt et le soutien des autres compagnies d'assurances. Malheureusement, sa mort inopinée et la Seconde Guerre mondiale mirent un terme à ses efforts, mais son intuition reste valide. Les statistiques, obtenues après cinquante ans d'application des méthodes de relaxation progressive à des patients atteints d'hypertension artérielle grave le confirment. Ces statistiques portent sur deux catégories de malades: ceux qui ont pratiqué la relaxation sans prendre en même temps d'hypotenseurs et ceux qui, en plus de pratiquer la relaxation, en ont pris. On a utilisé des instruments de mesure modernes, dont les appareils à ultra-sons et mon neurovoltmètre intégré. Notre ordinateur numérique a enregistré toutes les données. L'analyse de ces données nous a permis d'arriver à des résultats extrêmement utiles. Dans la première catégorie, cinquante-six patients reçurent un entraînement et pratiquèrent quotidiennement le contrôle de la tension. Dans leur cas, le graphique établi par l'ordinateur indiqua une chute notable de l'hypertension artérielle pendant le premier mois. Les mois suivants, les données systoliques et diastoliques moyennes continuèrent de baisser mais beaucoup plus graduellement. Dans la deuxième catégorie, les résultats furent également encourageants, surtout parce que dans beaucoup de cas il fut possible à ces malades de se passer à la longue d'hypotenseurs. J'ai de bonnes raisons d'espérer qu'avec le temps les médecins se diront qu'il est de leur devoir, en plus de leurs nombreuses autres responsabilités, d'enseigner la relaxation progressive à leurs malades atteints d'hypertension artérielle, en la combinant ou non, selon chaque cas, avec certains médicaments utiles.

Pourquoi la tension neuro-musculaire, pourquoi une combustion plus grande d'adénosine triphosphorique, pourquoi les efforts excessifs font-ils grimper la tension artérielle? Comment espérer le contraire? Des efforts accrus entraînent immanquablement un surplus de travail pour le système neuro-musculaire. Les connexions centrales stimulent le coeur pour qu'il accroisse son débit sanguin à la minute. L'approvisionnement en sang que reçoivent les muscles suractivés augmente automatiquement. Donc, l'approvisionnement en oxygène augmente, tandis que la tension artérielle s'accroît de façon réflexe pour transporter les déchets que le corps devra éliminer.

J'ai simplifié ma description à l'extrême. Les physiologues connaissent les mécanismes fondamentaux de l'accroissement de la tension artérielle. Mon laboratoire de physiologie clinique prend actuellement presque quotidiennement des mesures de l'accroissement de la tension artérielle provoquée par un surcroît de tension musculaire chez les malades tendus. Nous mesurons également cet accroissement à l'occasion de certains contrôles de routine. Beaucoup d'années se sont écoulées depuis qu'on fit état de cette découverte pour la première fois. Depuis lors, nos tests l'ont confirmée à d'innombrables reprises.

Pour plus de clarté, j'aimerais ici répondre à deux questions: "L'hypertension artérielle chronique (hypertension essentielle) est-elle héréditaire?" Je le crois et de nombreuses données tendent effectivement à le prouver."Alors, pourquoi dites-vous que les efforts inutiles et accrus provoquent l'hypertension artérielle chronique?" Je n'ai jamais dit ça! Je prends pour acquis que la tendance à développer l'hypertension artérielle chronique est héréditaire, mais que l'occurence de niveaux dangereux peut être et est généralement stimulée par une tension musculaire excessive et un surcroît d'efforts. En conséquence, la médecine préventive est particulièrement indiquée pour les personnes qui ont un mauvais héritage génétique. Elles devraient apprendre à se protéger elles-mêmes.

L'hypertension artérielle chronique peut être due à certaines anormalités dans les reins ou d'autres parties de l'organisme que l'on peut soigner par la chirurgie. Cependant, dans près de quatre-vingt-dix pour cent des cas, tout au moins au sein de notre population, aucune de ces lésions sous-jacentes n'est présente. Comme sa cause n'est pas connue, les médecins ont nommé ce type assez courant d'hypertension "hypertension essentielle". Aux premiers stades de la maladie, la tension artérielle, même si elle est à l'occasion élevée, n'affecte pas notablement le coeur, les reins ou les yeux. En conséquence, j'ai annoncé voilà de nombreuses années que, dans le cas de dix-sept de mes patients qui souffraient d'un début d'hypertension artérielle, les résultats des tests indiquaient que l'on pouvait stopper l'évolution de la maladie et que les individus pouvaient apprendre à vivre en bonne santé.

Je continuerai ce chapitre d'un point de vue tout à fait différent, c'est-à-dire en parlant franchement et ouvertement à ceux de mes lecteurs qui auraient appris qu'en certaines occasions leur pression artérielle est trop élevée et dont un parent, ou les deux, souffre d'hypertension. Dans ma clinique, nous ne tâchons pas de rassurer les malades, nous avons mieux à faire. Le malade y apprend à compter sur lui-même. Quelques pages peuvent néanmoins servir à aider ceux qui ont peur et que leur avenir déprime peut-être.

Toute personne qui vient d'apprendre qu'elle souffre d'hypertension artérielle a bien sûr raison de s'inquiéter, mais qui n'a pas de sujets d'inquiétude? Nos aïeux vivaient à une époque où l'humanité n'avait pas à se soucier de quelque cataclysme nucléaire. Leur poète favori chantait pourtant:

> *Reste calme, ô mon coeur si triste, et cesse de te plaindre!*
> *Derrière les nuages, le soleil luit toujours.*
> *Ton sort est le sort de tous.*
> *Chaque vie comporte des averses.*
> *Certains jours doivent être amers et noirs.*

La poésie rassure parfois, même si ce n'est que de façon temporaire. Le poète du temps faisait de son mieux pour soulager la tristesse, la dépression, la peur, ces sentiments qu'à l'époque personne ne comprenait de façon scientifique. Ce poème, même s'il est joli, dénote une compréhension très rudimentaire de l'organisme humain.

La tristesse de l'homme n'est pas en soi un moment poétique. Ses manifestations sont nombreuses. Pour être capable de comprendre quelque émotion humaine que ce soit, il faut d'abord comprendre la nature complexe de l'homme, y compris la façon dont fonctionne son esprit.

Je dirais en gros qu'à chaque instant de veille vous, lecteur, poursuivez certains objectifs, exactement comme tout être humain. Vous vous faites une image mentale de ce qui vous semble essentiel dans la réalité qui vous entoure en fonction de vos propres intérêts. Cette image concerne non seulement votre environnement extérieur mais aussi votre organisme. Vous le faites machinalement, naturellement, sans même vous en rendre compte.

Vos représentations incluent généralement des images visuelles associées à d'autres images et combinées à des actes musculaires si faibles qu'ils sont quasiment invisibles. J'ai pu les enregistrer avec mes instruments. En réalité, à chaque instant de votre vie vous évaluez les conséquences pour vous de ce qui se passe autour de vous. Ce processus joue dans le sens de l'autoprotection mais aussi pour atteindre les objectifs que vous vous assignez. Vous utilisez vos muscles volontaires pour réagir adéquatement. Simultanément, vos muscles intestinaux et autres muscles involontaires jouent de façon réflexe leur accompagnement organique avec autant d'intensité que la musique qui ponctue l'action d'un film. Vous mettez de l'émotion dans chaque pensée. Au nombre de ces accompagnements d'ordre émotionnel, figure le rétrécissement du diamètre de l'oesophage. L'oesophage est l'organe majeur de nos peurs, même s'il possède en plus une fonction digestive qui consiste à permettre le passage des solides et des liquides de la bouche à l'estomac. Lorsqu'on vit un état d'hypertension nerveuse constante au niveau des muscles volontaires, non seulement on souffre de l'émotion excessive qui témoigne d'un état de chagrin, mais aussi de colite, de diarrhée et de constipation qui deviennent de plus en plus gênantes.

La réponse à une émotion excessive est un contrôle adéquat de la tension neuro-musculaire. La psychiatrie ne s'applique pas à la colite, à la diarrhée, à la constipation et aux désordres digestifs, même s'ils sont d'origine émotionnelle. De la même façon, les psychiatres ne traitent pas l'hypertension artérielle. Le contrôle de la tension nerveuse ne relève pas de psychiatrie mais de l'autorégulation physiologique dans laquelle le malade, non le psychiatre, est le personnage dominant. Le malade apprend à devenir son propre maître.

J'espère donc que tous les lecteurs, pas seulement ceux qui sont inquiets parce qu'ils souffrent d'hypertension artérielle, se familiariseront avec les paragraphes qui précèdent, de façon à comprendre comment fonctionne leur esprit.

Dans la seconde partie de ce livre, je donnerai des indications pour parvenir à un contrôle de soi direct et efficace, un contrôle de soi qui porte à la fois sur l'esprit et sur les émotions.

Chapitre 5

La tension et les crises cardiaques

Un homme de cinquante ans avait des douleurs dans la région du coeur. Il souffrait "d'oppression", disait-il. Ses crises, en général, duraient environ une heure. Parfois elles naissaient quand il marchait face au vent ou après un repas copieux, parfois la douleur le tirait du sommeil la nuit. Il vendait de la peinture au détail dans un magasin qu'il louait. Il n'était pas déprimé. Il était heureux en mariage et ses deux enfants étaient grands. Son père était décédé à soixante-trois ans d'une maladie coronarienne.

La plupart de ses cardiogrammes des dix dernières années attestaient de changements par rapport à la norme. Après un examen médical, il se rendit compte que sa tension artérielle était un peu plus élevée qu'il n'est normal à son âge. Il souffrait également de quelques autres maladies mineures dont je ne parlerai pas car le présent compte rendu se veut un résumé global de ce qui lui est arrivé en rapport avec son coeur. Ce n'est donc pas un rapport de cas exhaustif.

Après l'examen médical, il reçut une initiation à la relaxation progressive, à raison d'une heure tous les vingt-huit jours. Nous lui remîmes des cartes d'instruction imprimées de façon à ce qu'il puisse pratiquer seul ses exercices une heure par jour. Il décrivit ses douleurs en disant qu'elles étaient graves et paralysantes. Je lui prescrivis donc des comprimés de nitroglycérine qu'il devait placer sous la langue trois fois par jour. Le médicament le soulagea.

L'amélioration de son état, par suite de son apprentissage de la relaxation, fut très lente et marquée de rechutes, mais sa vie devint plus supportable. Il cessa d'être obligé de s'absenter de son magasin et il devint possible graduellement de diminuer sa dose de médicaments. Après deux ans, on put réduire la nitroglycérine de soixante à vingt comprimés environ par mois. Outre la nitroglycérine, je ne prescrivis ni sédatif, ni tranquillisant, ni aucun autre médicament. Il lui fallut des années pour apprendre à se sentir complètement décontracté en affaires ou face à ses problèmes familiaux, mais il ne fit jamais de crise cardiaque (thrombose) et ses douleurs à la poitrine disparurent presque complètement. La dernière fois qu'il se fit examiner, après dix ans d'observation et de surveillance, je pus réduire les comprimés de nitroglycérine à un ou deux tous les vingt-huit jours.

"Henri, mon voisin est à l'hôpital! Ils disent qu'il a fait une crise cardiaque!"

Henri est peut-être un homme d'affaires très apprécié de ceux qui le connaissent, mais il pourrait tout aussi bien n'être pas aimé. Il pourrait être ouvrier dans une usine, avocat, médecin, ingénieur, amiral ou que sais-je encore. Il a sans doute quarante-cinq ou cinquante ans ou un peu plus, mais il pourrait également n'en avoir que trente-cinq. Il existe d'innombrables Henri dans chaque classe d'âge. C'est la raison pour laquelle j'ai écrit ce livre.

Que vient faire la tension neuro-musculaire dans la crise cardiaque d'Henri? Commençons par examiner le problème par la négative: supposons que la tension n'a que très peu ou même rien à voir avec le déclenchement de la crise. Beaucoup de gens, dont certains docteurs et même certains spécialistes du coeur, sont encore de cet avis. Un certain nombre d'entre eux prétendent que la crise cardiaque d'Henri dépend de l'état de ses artères coronaires, du fait qu'elles sont durcies ou sclérosées. Il y a des dépôts de graisse, expliquent-ils dans les artères du coeur. Cette graisse en affaiblit les parois. Elles se fissurent ou bien il s'y développe une stase de telle sorte que certaines zones des parois du muscle cardiaque cessent d'être approvisionnées en sang. C'est ce que les gens connaissent sous le nom de crise cardiaque. L'artériosclérose, ajoutent ces médecins, est la cause des maladies cardiaques coronariennes. La tension n'y joue qu'un rôle mineur, ou même n'a rien à y voir du tout. Tout au plus la tension aggrave-t-elle les symptômes, clament ces polémistes. Elle provoque la crise au moment où les tensions émotives sont les plus fortes, mais cette crise aurait eu lieu de toute façon tôt ou tard.

Ces arguments paraissent solides, scientifiques, faisant à ce point autorité que nous allons nous y arrêter pour voir si ceux qui les soutiennent n'auraient pas complètement raison. Il ne fait aucun doute que des dépôts de graisse se retrouvent dans les artères coronaires malades. Dès lors, quel est le rôle de la tension dans la crise cardiaque?

Il fut un temps où les soldats américains mouraient en Corée pendant la guerre. On examina avec le plus grand soin le coeur de trois cents d'entre eux morts au champ de bataille. Le major William F. Enos et ses assistants pratiquèrent les autopsies. L'âge moyen de ces soldats se situait autour de la vingtaine. Pourtant, soixante-dix-sept pour cent d'entre eux souffraient d'insuffisance coronarienne à un certain degré. Dans certains cas, le coeur était à ce point malade que l'équipe médicale avait peine à le croire. Les chercheurs avaient du mal à comprendre comment de tels coeurs avaient pu tenir le coup sur le champ de bataille jusqu'au moment où ces soldats avaient reçu la balle fatale ou l'éclat d'obus qui les avait tués.

Je ne connais aucune façon logique d'interpréter ce que découvrit le Major Enos chez ces pauvres soldats, sinon en expliquant que les tensions et les pressions de la guerre s'étaient avérées trop violentes pour leurs artères. Était-ce leur régime alimentaire? Leur coeur était-il en si mauvais état parce qu'ils avaient mangé trop de matières grasses transformant en cholestérol?

Jamais rien ne fut trouvé ni publié qui puisse corroborer ce fait. Le régime alimentaire en vigueur dans l'armée ne comporte pas trop de matières grasses; personne d'ailleurs ne le prétend. Nous pouvons supposer que la teneur en graisse des aliments que fournit l'armée américaine est à peu près équivalente à celle du régime que ces garçons auraient suivi dans leur famille en temps de paix. Ces jeunes gens avaient mangé ce que mange la moyenne des Américains, tout au moins la même quantité de graisses.

Pourtant, le nombre de cas d'insuffisance coronarienne grave chez ces jeunes était de loin plus élevé que chez les Américains du même âge qui, eux, n'avaient pas vécu les tensions et les pressions de la guerre et du champ de bataille. On dit qu'environ un Américain de sexe masculin sur deux montre un début de durcissement des artères coronaires vers trente-cinq ou quarante ans, mais ces hommes au tout début de leur âge mûr n'ont qu'un commencement de maladie. Cela n'a rien à voir avec le stade de développement avancé que découvrit le Major Enos chez la plupart des trois cents soldats morts qu'il a examinés. L'insuffisance coronarienne grave ne se retrouva pas seulement dans un cas ou deux, mais dans la majorité des cas ou, pour être plus précis, dans soixante-dix-sept pour cent des cas environ.

Ceux qui voudraient engager la discussion auront du mal à prouver que les insuffisances cardiaques d'origine coronarienne découvertes chez ces soldats après leur mort étaient dues essentiellement à leur régime alimentaire trop riche en matières grasses.

Il semble probable que les produits dérivés du lait et que les graisses animales contribuent souvent au durcissement des artères coronaires. Les opinions et les pratiques diffèrent à ce sujet. Il n'entre d'ailleurs pas dans mon propos de donner des preuves ici en faveur de l'une ou de l'autre thèse, mais j'aimerais quand même donner mon opinion, ne fut-ce que pour ôter l'impression que je suis partial. Je n'ai rien contre certaines restrictions apportées au régime alimentaire à des fins médicales. Ce que l'on connaît sous le nom de régime alimentaire sans sel ou pauvre en sel, c'est un de mes articles sur le sujet qui l'a introduit dans la pratique médicale.

Cet article fut publié dans le *Journal de l'Association médicale américaine* en 1917. J'ai moi-même, dans mon propre régime, réduit le taux de matières grasses de 1912 à 1956. Bien entendu, je n'ai pas conseillé la même restriction à ma famille ou à mes malades, sauf pour ceux chez qui je trouvais un haut pourcentage de cholestérol sanguin. Mon propre taux de cholestérol sanguin n'a jamais été élevé. J'ai réduit ma consommation de matières grasses par simple mesure de prophylaxie et sur une base expérimentale, pour vérifier la différence avec un régime composé d'aliments qui ont la réputation d'avoir quelque effet sur le développement de l'artériosclérose et de l'épithélioma. Soit dit en passant, les nutritionnistes omettent de dire que certaines personnes, et beaucoup de chiens, développent des maladies cutanées quand elles suivent un régime alimentaire pauvre en produits laitiers et en graisses animales. Cela peut devenir grave, comme dans mon cas. Je mentionnai le fait lors d'une conférence donnée devant des médecins de la marine américaine il y a plusieurs années. Leur remarquable cardiologue me fit part de son intérêt. Lui aussi avait développé des symptômes cutanés que les dermatologues locaux n'avaient pas été capables de diagnostiquer.

Revenons donc au Major Enos. Je suis d'accord quand il écrit: *Il est fort peu probable qu'un seul facteur soit responsable de la sclérose des artères coronaires.* Je suis tout à fait d'accord et je ferai remarquer, en toute impartialité, que n'importe quel étudiant en médecine, s'il n'attribue pas l'origine des maladies coronariennes à un seul facteur à l'exclusion de tous les autres, par exemple les matières grasses ou le régime alimentaire, verra de toute évidence que les états de tension jouent un rôle important dans la naissance de la maladie.

Le Major Enos conclut que les combattants souffraient d'*usure,* de *fissures* des parois internes des artères coronaires et de *stress* à leur point de jonction. Bien qu'il ne fasse pas ressortir le fait que les tensions de la vie sur les champs de bataille aient pu provoquer cette usure, ces fissures et ce stress, les résultats de sa recherche offrent un frappant contraste avec ce que nous savons de l'état du coeur normal et sain de jeunes civils américains qui n'ont pas subi de telles pressions. Il semble assez plausible de penser que la vie de combattant avec ses tensions extrêmes, ses émotions fortes et ses fatigues, peut être largement responsable de l'insuffisance cardiaque des soldats. Cependant, nous n'avons pas encore cerné la question. Il existe d'autres raisons de croire que les étudiants en médecine ne devraient pas omettre la tension neuro-musculaire dans leurs explications sur l'origine et le développement de l'insuffisance coronarienne.

Supposons que ce soit la première crise cardiaque d'Henri. Ses examens cardiaques précédents n'ont pas alerté son médecin. Rien ne semblait défectueux. Mais les mêmes examens indiquent à présent que la paroi du coeur est endommagée. Henri a bien pu avoir des douleurs cardiaques avant l'examen, mais elles auraient été mal interprétées. Le médecin a pu les attribuer à des malaises digestifs ou les diagnostiquer comme de l'angine.

Les médecins aiment établir la distinction entre l'angine de poitrine et l'insuffisance coronarienne. Quand on pense à l'angine, on pense le plus souvent à des spasmes des artères coronaires (les artères coronaires sont celles qui conduisent le sang qui alimente les parois du coeur). L'insuffisance coronarienne, quant à elle, correspond à un durcissement de ces artères et à certains changements du taux de matières grasses, avec toutes les lésions subséquentes qui affectent certaines parties de la paroi du muscle cardiaque si l'approvisionnement en sang vient à faire défaut.

L'angine désigne généralement une douleur constrictive d'un type bien particulier. Dans un chapitre ultérieur, je reviendrai sur ce sujet un peu macabre mais intéressant. L'angine peut précéder ou marquer le développement de l'insuffisance coronarienne. Elle prend la forme de crises graves ou légères. Dans les cas d'insuffisance coronarienne, la douleur peut être absente ou passer inaperçue. C'est la raison pour laquelle les gens peuvent en mourir subitement sans aucun singe précurseur.

Le spasme des artères coronaires (ou de toute autre artère) *est en soi* une tension. Les fibres circulaires des muscles se rétrécissent de façon constante et excessive. *C'est cela* le spasme. Tout au long de cet ouvrage, j'emploie toujours le terme "tension" dans un sens précis, qui peut différer de l'utilisation plutôt vague qu'en fait la littérature courante. La tension signifie donc ici le rétrécissement des fibres musculaires. Ce rétrécissement peut être inversé. Lorsqu'on l'inverse, les fibres s'allongent. C'est ce que j'appelle ici "relaxation". Tous les physiologues utilisent les termes "tension" et "relaxation" comme je viens de les définir, tout au moins dans leurs travaux scientifiques.

Les spécialistes du coeur, même nos antagonistes, ont tendance à admettre que les moments d'émotion intense figurent parmi les causes de l'angine. Personne ne serait surpris que la crise "organique" d'Henri ne se soit produite après une discussion orageuse avec son patron, menaçant la poursuite heureuse de sa carrière. Mais ceux qui prétendent que la tension n'a que peu ou rien à voir avec la cause réelle des lésions artérielles d'Henri affirment que les fondements de sa maladie existaient déjà avant ses problèmes avec son patron. En cela ils ont sans doute raison. Lorsque j'insiste sur la relation évidente entre la tension neuro-musculaire et le développement de l'insuffisance coronarienne, je ne présume pas que la tension soit la seule et unique cause de sa maladie, mais seulement qu'elle y joue un rôle évident et trop longtemps négligé. La vision habituelle de ceux qui font autorité en la matière a généralement été que l'insuffisance coronarienne, comme l'artériosclérose en général, est d'origine inconnue. Pour cette raison, disent-ils, dans l'état actuel des connaissances, il n'y a pas moyen de faire grand chose pour la prévenir. Je me dissocie complètement de cette façon de voir. Je crois qu'en comprenant mieux le rôle de la tension, il y a moyen de prévenir, dans une large mesure, l'incidence des crises cardiaques d'origine coronarienne ou, tout au moins, de les retarder.

Le docteur Christiernen, médecin chef de la Compagnie d'assurances Metropolitan Life, partageait cette opinion au moment où cet organisme commença à s'intéresser, voici près de quarante ans, à la tension et aux méthodes de relaxation. Il se convainquit peu à peu de l'importance de la tension dans le développement de l'insuffisance cardiaque d'origine coronarienne qui, parmi toutes les maladies cardio-vasculaires, est la principale cause de décès dans notre population. Au fur et à mesure qu'il en apprit davantage, il en vint à partager mes vues: pour diminuer le nombre élevé de décès, il faut répandre dans le grand public les méthodes et les techniques de relaxation. Pourquoi? Parce que la relaxation constitue un moyen d'action efficace contre les inévitables facteurs héréditaires impliqués dans ces maladies.

En effet, les caractéristiques organiques d'un individu déterminent son degré de susceptibilité à quelque maladie que ce soit, y compris les maladies cardiaques d'origine coronarienne. Si vous êtes le rejeton de deux lapins, il ne peut y avoir aucun doute sur ce que vous êtes. Votre hérédité vous identifie inévitablement, vous marque pour la vie et vous différencie de tous les êtres vivants. Vous héritez de millions, de milliards de caractéristiques qui, entre autres choses, déterminent votre résistance aux crises cardiaques, mais ces composantes héréditaires sont-elles seules responsables de la maladie? Nous ne connaissons pas entièrement ce qui provoque la maladie, mais nous pouvons toutefois apporter quelques éclaircissements.

Comparons l'organisme humain à un appareil ou à une machine construite par l'homme. Toute machine est sujette à l'usure et aux bris. L'automobile est la machine que la plupart d'entre nous connaissent le mieux. La force et la résistance des différentes pièces de voitures fabriquées en usine diffèrent selon les modèles. C'est la raison pour laquelle certaines marques sont plus abîmées que d'autres lorsqu'une collision se produit. Cependant, dans tout accident, la véritable cause des dommages, leur nature et leur étendue ne peuvent jamais être attribuées uniquement aux matériaux. Pour expliquer ces dommages, il faut aussi tenir compte de la façon de conduire du propriétaire et de l'utilisation bonne ou mauvaise qu'il fait de sa voiture. La principale cause de dégâts est parfois la façon de conduire. Parfois, ce sont les matériaux, la manière dont la voiture est construite, un pare-choc peu résistant, par exemple, ou qui s'arrache facilement au moindre accrochage.

Si nous voulons réduire au minimum les risques de collision et toutes leurs conséquences désagréables, nous devons apprendre à tenir compte des matériaux qui constituent nos voitures mais aussi de la façon dont nous les traitons. De la même façon, pour quelque maladie que ce soit, y compris les maladies cardiaques, les médecins modernes ne devraient plus concentrer leur attention exclusivement sur la constitution organique de leurs malades. Cette constitution dérive de leur hérédité, de leur régime alimentaire et de bien d'autres facteurs. Les médecins doivent aussi tenir compte de la façon dont leurs malades agissent. Ils en auront d'autant plus raison et leur réussite en sera accrue. Comme nous le verrons, la bonne façon de se comporter consiste à éviter les tensions inutiles qui empêchent de vivre une vie normale.

En évitant ces tensions, nous faisons tout ce qui est en notre pouvoir pour prévenir l'insuffisance cardiaque d'origine coronarienne, ou tout au moins pour ralentir sa progression. En préservant nos énergies musculaires, nous sommes capables de sauver notre coeur. Voilà pourquoi il nous faut apprendre à relaxer.

Chapitre 6

Le stress

J'ai été l'un des premiers chercheurs à travailler dans ce domaine que la plupart appellent "stress". Il me semble donc aller de soi que j'en parle ici, d'autant plus que le sujet demande quelque clarification.

Les premières recherches en laboratoire sur le stress furent effectuées au Laboratoire de physiologie d'Harvard en 1908 et apparurent dans ma thèse de doctorat sur l'inhibition (Cambridge, 1910). Au cours de ces recherches, je soumettais un certain nombre de sujets à un stress momentané. Le sujet était assis calmement dans une pièce tranquille. Il lisait ou concentrait son attention sur un objet, une pièce de monnaie par exemple. Le stress se produisait subitement: nous frappions très fort une latte de bois sur une table. Le bruit faisait sursauter le sujet. Nous nous aperçûmes que, chaque fois, il bougeait violemment et que le phénomène pouvait être répété très souvent, jusqu'à huit fois par heure. Après avoir appris à relaxer, le sujet sursautait beaucoup moins ou même ne réagissait plus du tout. Il n'est évidemment pas agréable de sursauter ainsi.

En 1952, Margaret Miller poursuivit sous ma direction, à l'université de Chicago, ses premières recherches et mesures du "stress" momentané dans ses études pour l'obtention de son doctorat. Pour produire le "stress", elle tirait des coups de fusil de façon aussi inattendue que possible dans des conditions de laboratoire.

À cette époque, le terme "stress" n'était que peu ou pas utilisé. Nous pourrions le définir rétrospectivement en disant qu'il désignait toute espèce de stimuli ou d'irritations suivis d'une perturbation nerveuse et/ou mentale. Aujourd'hui, le sens du mot "stress" a été élargi et inclut les atteintes aux autres systèmes organiques, y compris le système endocrinien.

Au cours des dix dernières années, malheureusement, comme pour brouiller les pistes, *un autre genre de perturbation physique très différente* a également été appelée "stress". La confusion s'est ajoutée à la confusion, d'autant plus que les chercheurs qui travaillaient dans le domaine ont souvent négligé de préciser qu'il y avait deux acceptions différentes du mot "stress". Ils ne l'ont précisé ni dans les articles et les livres destinés aux étudiants spécialisés, ni dans leurs autres publications destinées au grand public. Les magazines populaires et les quotidiens ont diffusé ces articles de vulgarisation. La confusion du public à propos du "stress" n'en est que plus grande.

Le second sens du mot stress, très différent du sens original, se définit facilement. En voici des exemples: brûlures graves, gelures graves, hémorragies graves, interventions chirurgicales importantes, blessures corporelles graves, changements physiologiques majeurs.Dans cette seconde acception du terme, le mot "stress" désigne parfois certaines blessures locales.

Dès à présent, le lecteur devrait donc être conscient que le mot "stress" possède deux significations complètement différentes. En autant que je sache, cette différence, cette ambiguïté du terme n'a jamais été soulignée sauf dans mes propres publications. Il est temps que les rédacteurs et les médecins qui publient dans les magazines et les journaux prennent conscience des deux sens du mot "stress" et en tiennent compte dans leurs publications.

J'aimerais clarifier davantage encore la question. D'éminents hommes de science, dont les professeurs Dwight Ingle et W.E. Sawyer, ont apporté leur contribution à l'étude du "stress" pris dans son second sens. Leur apport a été significatif, révélateur et, je crois, hors de toute critique. Ils n'ont pas toujours été d'accord avec Hans Selye, le chercheur canadien, mais leurs points de désaccord ne nous concernent pas ici. En effet, les blessures corporelles graves qu'ils appellent “stress” ne font pas partie des désordres dus à la tension et la relaxation progressive ne peut donc les soigner. Il est évident que je ne crois pas que les lésions dont souffrent ceux qui ont été brûlés gravement ou gelés, ou ceux qui ont subi des hémorragies graves ou des blessures dans des accidents d'automobile, je ne crois pas donc que la cause de telles lésions soit un excès de tension musculaire. Une telle façon de voir ne serait pas réaliste. Il existe toute une série de maladies dont les symptômes et les conséquences varient et qui n'ont rien à voir avec les troubles de la tension. La relaxation progressive ne peut donc pas les soigner. Au nombre de ces maladies, il faut compter les diverses formes de lésions corporelles graves qu'Ingle, Sawyer et Selye appellent “stress” (dans la seconde acception du terme).

J'espère que le lecteur comprendra maintenant pourquoi je préfère ne pas employer ce terme. J'espère aussi qu'il est de mon avis lorsque je demande de clarifier le plus possible ce domaine ambigu.

Chapitre 7

Le coût élevé de l'anxiété

L'anxiété n'est pas le lot des seules personnes âgées. On peut en souffrir à tout âge. Durant la Seconde Guerre mondiale, bon nombre des cadets de l'aviation navale américaine laissaient voir, pendant leur entraînement, des signes évidents de tension. Certains souffraient de ce qu'on appelle communément des "dépressions nerveuses". Il n'y a là rien de surprenant. On supporte difficilement les changements de vie radicaux. Ces jeunes garçons de dix-neuf à vingt-deux ans venaient de sortir de l'école et de quitter le domicile familial. On leur apprenait à piloter des avions de chasse et à veiller à leur entretien. Peu après, ils seraient lancés dans la guerre contre les Allemands et les Japonais. Ils étaient fréquemment exposés à des dangers nouveaux et inconnus. L'avenir leur offrait peu de sécurité. Ils n'avaient pourtant pas le choix. Il leur était impossible de retourner chez eux.

Pour résoudre ce problème, la marine américaine envoya cinq officiers (la plupart avaient le grade de capitaine de frégate) au Laboratoire de physiologie clinique à Chicago. Ils venaient y apprendre les techniques pour devenir moniteurs de relaxation scientifique. Ils n'étaient pas médecins. Nous n'avions donc aucunement l'intention de les préparer à guérir les maladies nerveuses. La relaxation scientifique comprend un secteur strictement médical réservé uniquement aux médecins. Certaines parties de cette discipline sont par ailleurs accessibles aux éducateurs. Selon moi, de bons professeurs dans les écoles et les collèges pourraient grandement contribuer à améliorer nos habitudes de vie quotidienne, mais il faudrait les initier comme il faut à la relaxation scientifique. Les autorités de la marine de guerre américaine l'avaient compris.

La guerre créait une situation d'urgence. Les "Cinq gars de la Marine", comme ils se nommaient eux-mêmes, suivirent donc de façon intensive la session destinée aux futurs moniteurs. Ils ne pouvaient passer plus de six semaines à Chicago. On prépara rapidement un programme de cours et de discussions de façon à ce qu'ils puissent se familiariser avec les buts et les objectifs de la session et l'enseigner le plus efficacement possible aux cadets de l'Air. Mais la relaxation scientifique n'est pas seulement une affaire de bonne volonté. Il ne suffit pas d'apprendre à s'étendre ou à s'asseoir calmement. Apprendre la relaxation scientifique est une entreprise aussi technique qu'apprendre à piloter un avion, comme de nombreux cadets étaient obligés de le faire. Chaque jour que dura la session, sauf le dimanche, les "Cinq gars de la Marine" s'entraînèrent donc à relaxer, à raison de trois périodes différentes d'une heure chaque fois. À certains moments ils s'étendaient sur des divans; d'autres fois ils s'asseyaient ou se tenaient debout. Il leur fallait apprendre eux-mêmes à relaxer pour pouvoir ensuite l'enseigner aux autres.

Acquérir un savoir technique en quelque matière que ce soit, requiert généralement de la pratique en plus de l'acquisition des connaissances. Nous ajoutâmes donc à leur horaire déjà extrêmement chargé, deux heures de plus pendant lesquelles ils avaient à pratiquer ce qu'on leur apprenait. Nous avions également prévu des tests pour vérifier s'ils avaient réellement acquis les connaissances que nous voulions leur transmettre. J'avais mis au point un appareil électronique de vérification. J'avais eu la chance énorme de bénéficier dans ce secteur électronique si complexe de la collaboration bénévole des laboratoires de la compagnie Bell Telephone. J'ai une grande dette de reconnaissance à ce sujet envers le docteur Mervin Kelly, le président, et envers ceux qui ont occupé son poste avant lui.

Pendant une heure chaque jour, nous testâmes le degré de relaxation que chacun des cinq était capable d'atteindre. Les résultats de ces examens prouvaient qu'ils apprenaient vraiment bien.

Pour toute personne en bonne santé, cinq ou six heures par jour de réelle décontraction musculaire après une bonne nuit de sommeil représente une énorme dose de repos. Il fallut donc prévoir une sorte de contrepoids. C'était particulièrement important dans le cas des "Cinq gars de la Marine" parce qu'ils étaient des athlètes accomplis. Certains étaient des entraîneurs sportifs de réputation nationale. Ils avaient depuis longtemps l'habitude de faire de l'exercice physique chaque jour. Nous devions en tenir compte. C'est la raison pour laquelle chaque membre du groupe allait au YMCA local faire au moins une heure d'exercice violent par jour. La fatigue ainsi provoquée leur permettait de relaxer plus facilement pendant les heures d'entraînement passées au laboratoire.

Ils apprirent cependant que l'exercice physique n'a que peu de rapport avec les techniques de la relaxation. La plupart des gens reconnaissent maintenant l'importance des sports dans l'élaboration d'un mode de vie sain et vigoureux, mais l'art de la décontraction musculaire s'applique aussi bien aux athlètes qu'aux gens qui ont un style de vie plus sédentaire et plus calme. La relaxation ne porte pas seulement sur l'activité musculaire évidente dans les activités sportives, mais aussi sur l'activité musculaire imperceptible qui constitue la plupart de nos efforts quotidiens. Il est essentiel de bien saisir la différence entre l'art de la relaxation et l'exercice physique. D'après mon expérience, ceux qui prônent des "exercices de relaxation" n'ont pas compris que relaxer c'est justement *ne pas* faire d'exercice; la relaxation c'est l'absence totale de tout exercice musculaire.

Après avoir bien assimilé les techniques de relaxation, les "Cinq gars de la Marine" retournèrent dans les camps d'entraînement militaire éparpillés dans diverses régions des États-Unis. Ils formèrent à leur tour quatre-vingt-quinze autres officiers pour enseigner ces techniques. Cela faisait en tout cent officiers initiés à la relaxation. Pendant les sept mois qui suivîrent, quinze mille sept cents cadets reçurent l'entraînement. Le capitaine de frégate William Newfield publia les résultats de l'expérience dans l'*American Journal of Psychiatry*. Il prouva que, à la suite de l'entraînement, l'état de nervosité et de fatigue diminua beaucoup chez les cadets. Ils dormaient mieux et le nombre d'accidents était moins élevé que chez les groupes qui n'avaient pas reçu d'initiation à la relaxation. Ce cours suscita parmi les élèves un enthousiasme considérable, de même que parmi les officiers et les autres personnes qui n'avaient pu le suivre mais qui constataient la façon d'agir des cadets après leur entraînement. Ces cadets étaient beaucoup moins anxieux. Ils poursuivirent leur entraînement quotidien qui les préparait aux combats aériens.

Quel enseignement tirer de cette expérience et des autres études sur les causes réelles de l'anxiété? Selon l'opinion courante, l'anxiété d'un individu proviendrait de tout ce qui le dérange. Un homme menacé dans son statut social peut se faire du souci à cause de la perte de prestige qu'il va encourir ou à cause de son incertitude sur la façon dont il parviendra à subvenir aux besoins de sa famille. Une mère peut se faire du mauvais sang parce que son enfant est malade. De la même façon, toujours selon l'opinion courante, les dangers présents et à venir que couraient les apprentis pilotes étaient *la cause* de leur anxiété.

Comme beaucoup d'autres opinions populaires, une telle façon de voir repose sur un fond de logique. Ce sont généralement des circonstances et des événements extérieurs qui provoquent l'anxiété (tout au moins celle qui n'affecte pas la santé de celui qui l'éprouve). Si un bruit soudain me fait sursauter, j'ai partiellement raison de croire que le bruit est la cause de mon sursaut. S'il ne s'était pas produit, je n'aurais pas sursauté. Pourtant, des études scientifiques prouvent que les gens sursautent beaucoup moins et parfois même pas du tout s'ils ont l'habitude de décontracter leurs muscles. Un individu ne sursaute ou n'a une réaction de saisissement que lorsqu'il est tendu. En fait, le bruit déclenche ou provoque le sursaut. Le bruit agit comme stimulus. Il existe une très grande différence entre *une cause* et *un stimulus*. L'état de tension de l'individu est donc en grande partie la véritable cause du sursaut ou du tressaillement. Quand cet individu n'est pas tendu, le bruit ne le dérange pas émotivement.

Si ce que je viens d'avancer est exact, les gens se font en général une idée fausse de leurs problèmes, de leurs craintes et de leurs anxiétés. C'est une erreur largement répandue que d'en attribuer la responsabilité aux ennuis quotidiens, aux difficultés présentes et futures de la vie. Il est indispensable, pour mieux vivre, de corriger cette façon de voir erronée.

Les prêtres, les pasteurs et les rabbins s'accordent à dire qu'une vie sans difficultés, du genre de celles qui provoquent l'anxiété, est une vie sans mérite. Le fait de relever des défis et de rencontrer des obstacles développe le courage et la personnalité. Les difficultés contribuent à un plus haut degré d'accomplissement spirituel. J'adhère complètement à cette façon de voir, mais cela ne signifie en rien que ces défis et ces obstacles sont la cause de nos problèmes et de notre anxiété; si c'était le cas, nous ne serions pas les maîtres de notre existence. Nous serions esclaves des situations auxquelles nous sommes confrontés.

Il faut le reconnaître, beaucoup de gens agissent comme s'ils étaient effectivement des esclaves. Leurs opinions fausses les enferment dans les camps de concentration qu'ils se sont créés dans leur tête. Le chemin de la liberté existe. Je vais en parler tout au long de ce livre.

J'aimerais illustrer ce que j'avance. Pas plus tard qu'hier, un homme vint me voir. Il avait une conduite irréprochable en affaires. Il se sentait pourtant bouleversé émotionnellement. Les critiques incessantes sur sa façon d'agir le tracassaient. Elles l'amenèrent à considérer le suicide comme un moyen d'évasion. Un psychiatre lui conseilla de passer trois mois dans un hôpital psychiatrique.

Cet homme pensait que les critiques dont il était l'objet étaient *la cause* du désordre émotif qui l'affectait et dont témoignait l'expression tourmentée de son visage. Si tel était le cas, il ne pouvait évidemment pas faire grand chose pour améliorer son état émotionnel. Il était réduit à l'impuissance. C'est pourquoi il pensa au suicide et son psychiatre, à un traitement choc.

Il lui restait pourtant quelque chose à faire. Il lui fallait d'abord corriger sa vision erronée des choses, qui le laissait absolument démuni. Il était impossible de prévoir l'évolution de la situation qu'il vivait. Personne au monde ne pouvait prédire si son avenir serait aussi noir qu'il le craignait. Il lui fallait avant toute chose évaluer objectivement la situation.

Une personne hypertendue n'est, en général, jamais bien placée pour émettre des jugements objectifs sur ce qui la dérange émotivement. Elle n'est pas capable de faire preuve de ce qu'on appelle "un jugement neutre". Quand cette même personne commence à se sentir plus décontractée, d'après mon expérience, son raisonnement a tendance à s'améliorer aussi. Elle redevient capable de considérer les choses sous un meilleur éclairage et avec beaucoup moins d'émotivité.

Comment les méthodes de relaxation agissent-elles sur la peur, normale ou anormale? L'histoire d'un avocat peut servir de réponse. En 1929, à l'âge de trente-trois ans, cet homme avait déjà connu une vie pleine de pressions de toutes sortes. Il avait amassé une petite fortune en travaillant comme un fou. Il avait prolongé pendant longtemps ses journées de travail, plus qu'il n'était raisonnable de le faire. Il se plaignait que cela "l'avait complètement brûlé", avait porté atteinte à sa vitalité de façon permanente. Il se sentait fréquemment épuisé, mais il était surtout affecté par les "angoisses" soudaines qu'il éprouvait quand, par exemple, il avait à prendre la parole en Cour ou quand il se trouvait dans des immeubles élevés.

Quand on souffre de problèmes de ce genre, il ne suffit pas d'apprendre à relaxer quand on est couché. Au contraire, il faut que le patient prenne conscience des parties de son corps qu'il contracte pendant ses crises d'angoisse et qu'il apprenne à décontracter les muscles localement impliqués dans ce processus. C'est la *relaxation différentielle.* Ce malade apprit donc d'abord à relaxer en position couchée. Quand les examens électriques révélèrent qu'il y réussissait parfaitement, nous lui apprîmes à relaxer en position assise. Il cultiva son sens de l'observation jusqu'à devenir capable de rendre compte, sans qu'on le questionne, de ce qu'il éprouvait pendant ses crises. Il dit, entre autres, que lorsqu'il se trouvait près d'une fenêtre dans un édifice élevé, il se voyait sauter au dehors. Une tension irrésistible le forçait à regarder par la fenêtre en même temps qu'une tension inverse dans les jambes le tirait vers l'arrière. Nous présumâmes que ses informations étaient dans l'ensemble exactes. Nous lui apprîmes à combattre de telles tensions, même celles qui le poussaient à battre en retraite quand il avait peur. Il se plaignit d'abord que la relaxation ne venait pas assez vite. Durant le traitement, sans lui laisser savoir pourquoi, on lui demanda à plusieurs reprises d'imaginer divers objets en train de tomber et de décrire chaque fois son expérience. On lui demanda d'imaginer, dans l'ordre, un magazine tombant par terre à partir du bureau, un livre tombant du rebord d'une fenêtre, un morceau de plâtre se détachant du plafond, un caillou tombant par la fenêtre. Au fil des mois, d'après son dossier, il finit par développer un contrôle accru de ses tensions. En 1933, deux ans après avoir commencé le traitement, il nous dit qu'il n'avait plus peur. Il semble important de noter qu'il ne changea en rien ses habitudes. Il continuait de travailler toute la journée et jusque tard dans la nuit, même pendant le traitement. Il nous dit qu'il se sentait plus efficace au travail depuis qu'il pratiquait la relaxation différentielle. Nous eûmes un jour la preuve objective que ses peurs s'étaient effectivement évanoues. Après le traitement, il déménagea ses bureaux, sans que cela pose de problèmes, dans un endroit très bien situé au sommet d'un édifice élevé.

Le traitement que je viens de décrire eut lieu en 1930. L'avocat fut guéri pour de bon. Il ne connut pas de rechute et cessa à tout jamais de souffrir de sa phobie d'anxiété. Il pratiqua le droit avec beaucoup de succès. Il vécut jusqu'à 73 ans et mourut d'épithélioma.

La méthode que nous employâmes pour débarrasser l'avocat de ses crises d'angoisse, telle que je viens de la décrire, a été baptisée depuis "cure de désensibilisation". Les enseignements du distingué professeur Joseph Wolpe, directeur du département de psychiatrie de l'université Temple, sont en grande partie responsables de cette expression et de la popularité croissante que connaît chez les psychiatres la relaxation progressive appliquée à la "désensibilisation". Le professeur Wolpe continue à former de nombreux psychiatres à certaines applications de plus courte durée de la relaxation progressive aux maladies nerveuses et mentales.

Si nous réussissons avec le temps à enseigner à beaucoup de gens les techniques de contrôle de la tension, il est évident qu'il faudra aussi mettre au point des procédures qui permettront aux praticiens de sauver le plus de temps possible. Les versions abrégées de l'enseignement de la relaxation progressive mises au point par le professeur Wolpe et ses nombreux professeurs-psychiatres bien entraînés, sont donc des tentatives extrêmement utiles.

Dans une certaine mesure, j'ai essayé aussi dans mes propres cliniques de trouver le moyen de faire gagner du temps aux médecins. Ces deux dernières années, la plupart de mes patients à Chicago et à New-York ont suivi une heure d'enseignement toutes les vingt-huit heures. Nous avons pu le faire en donnant à nos malades des directives écrites, imprimées sur de petits cartons, qui leur disaient quoi pratiquer précisément chaque jour entre deux séances de traitement.

Cette façon de procéder fut satisfaisante non seulement dans les cas psychiatriques, mais aussi dans les cas d'hypertension essentielle, d'insuffisance coronarienne, de spasmes du côlon et autres types de désordres dus à la tension dont j'ai fait le relevé au premier chapitre de ce livre. L'hypertension artérielle ne se guérit évidemment pas en six ou sept séances!

Il me semble important d'insister sur le fait que je demande à mes instructeurs de ne jamais, dans la mesure du possible, recourir à une thérapie de suggestion. Je leur demande d'éviter les encouragements. Je suis bien conscient que les praticiens, aussi bien que la plupart des spécialistes de toutes disciplines, ont tendance, plus ou moins inconsciemment, à ajouter à leur traitement des mots d'encouragement. Nous essayons de l'éviter. En effet, nous tâchons d'apprendre à nos malades et à nos étudiants sains d'être le plus indépendants possible. Se libérer de la dépendance à l'égard du médecin est un de nos objectifs les plus significatifs. Nous réalisons bien sûr que la suggestion thérapeutique tend à contaminer toute forme de thérapie. Nous ne pouvons réussir à éliminer complètement toute suggestion thérapeutique, pas plus qu'il n'y a moyen de garder toujours nos maisons impeccablement propres. Nous croyons cependant que nos résultats seront durables et efficaces dans la mesure où nous ne ferons intervenir aucune suggestion thérapeutique dans la relaxation progressive.

J'aimerais raconter une autre histoire de cas. Il s'agit cette fois d'une femme mariée dont l'anxiété était tout à fait déraisonnable, déraisonnable en fait au point de laisser croire qu'elle souffrait de troubles mentaux. Elle nous raconta que, depuis plusieurs années, elle se sentait profondément déprimée parce qu'il ne lui restait pas beaucoup de temps à vivre. Ses idées noires lui avaient rongé toutes ses énergies, de jour comme de nuit. Elle avait cinquante ans. Elle était, disait-elle, incapable de l'accepter. Sa vie matrimoniale était heureuse. La situation financière du ménage était loin d'être brillante, mais ils pensaient s'en sortir.

Atteindre la cinquantaine est une chose qui arrive à tout être humain en bonne santé. On n'est plus alors ce que l'on a déjà été; mais si ce seul fait provoque d'incessantes idées noires, il y a sans doute quelque chose d'autre qui cloche que l'obsession du temps qui reste à vivre.

Cette femme (que j'appellerai Mme Hardy) nous raconta tout cela de sa propre initiative. D'autres femmes avaient cinquante ans et cela ne les tracassait pas au point de n'être plus capables de vaquer à leurs tâches familiales et à leurs activités sociales habituelles. Mme Hardy, par contre, en était devenue incapable. Elle avait donc certainement, ajoutait-t-elle, quelque chose de détraqué dans la tête. Elle savait que son anxiété était folle, déraisonnable, mais elle "ne pouvait s'empêcher de se faire du souci". Elle "devait être mûre pour l'hôpital psychiatrique!" Qu'allait-il leur arriver, à elle et à sa famille? Que lui réservait l'avenir? Elle pleurait lamentablement.

Était-ce là ce que l'on appelle les troubles mentaux qui accompagnent la ménopause? Peut-être. Quoi qu'il en soit, ses tracas n'avaient pas commencé avec la fin de ses menstruations et n'avaient aucun des signes caractéristiques de la psychose de la ménopause, tels que je les connais.

Dans l'un et l'autre cas, quelle est la cause de ce genre de dépression? Formulée de la sorte, la question laisse entendre que la cause est unique. En général, cette présupposition est fausse. On a affaire à des désordres dans un organisme extrêmement complexe, celui de l'être humain.

Si la question signifie: "Qu'est-ce qui ne va pas dans sa tête ou ailleurs dans son organisme?", c'est une bonne question. La réponse alors est claire. On diagnostiqua qu'elle souffrait de dépression cyclothymique, un terme qui signifie des accès périodiques de dépression irraisonnée et/ou de manie. La cause et la pathologie sous-jacentes à cette maladie n'ont pas encore été établies. On pourrait chercher du côté d'éventuels dérèglements du métabolisme ou de troubles glandulaires, de défauts au cerveau ou d'autres insuffisances, mais l'origine n'en est pas encore véritablement connue. Nous admettons toutefois qu'il s'agit d'une maladie héréditaire et qu'elle est plus difficile à traiter que tout autre désordre dû à la tension. Jusqu'à ce que les causes véritables de cette maladie soient établies, il me semble valable d'apprendre au malade à contrôler sa tension neuro-musculaire, quand il y a moyen de l'amener à vouloir l'apprendre et à faire les exercices quotidiens. Dans le cas où le patient veut bien coopérer, l'expérience m'a heureusement enseigné les moyens et les techniques qui permettent de réduire les symptômes de divers types d'états d'anxiété rationnelle ou irrationnelle. J'ai pu y parvenir grâce à certaines méthodes spécifiques de relaxation. Une approche individualisée est cependant impérative lorsqu'il y a ne fût-ce qu'un peu d'irrationalité. Il n'est pas envisageable de traiter une irrationalité grave à l'aide de méthodes d'apprentissage. Il est clair qu'une dépression cyclothymique n'est pas un trouble de tension, même si de graves symptômes et une hypertension neuro-musculaire habituelle la caractérisent toujours. Quand on parvient à un résultat durable après de nombreuses et longues séances de relaxation progressive, je soupçonne que l'amélioration est due à la chance que nous donnons à la *nature* de corriger la maladie sous-jacente.

En fonction de ces données nous enseignâmes petit à petit à Mme Hardy à identifier les circonstances et les occasions dans sa vie de tous les jours qui l'amenaient à contracter ses muscles. Elle pratiqua avec confiance et devint experte dans l'art de l'observation de soi. Elle apprit graduellement à distinguer la raison pour laquelle elle se sentait tendue (c'est-à-dire son âge) et la tension elle-même. Elle parvenait à ressentir de façon variée sa tension dans les diverses parties de son corps. Quand elle se sentait particulièrement déprimée, elle notait une sensation "d'oppression" caractéristique dans la poitrine et l'abdomen. Cette oppression affectait sa respiration. Elle apprit, grâce aux méthodes décrites dans la seconde partie de ce livre, à reconnaître ce que l'on ressent lorsqu'une contraction musculaire se produit dans n'importe quelle région du bras, de la jambe, du tronc, du cou ou de la tête. Cette sensation lui servait de critère pour identifier la tension, un peu à la manière du consommateur qui amène avec lui un échantillon de tissu qu'il veut assortir à une pièce de tissu plus grande.

Elle continuait d'apprendre. Un jour, elle commença à se rendre compte que le temps qui lui restait à vivre ne la troublerait pas si elle n'était pas aussi excessivement tendue. Elle devint capable, quand elle se sentait mal, de noter quels muscles ou quelles parties de muscles elle était en train de contracter inutilement. Elle se rendit compte qu'elle faisait des efforts excessifs pour s'adapter à ses responsabilités quotidiennes. Elle faisait tellement d'efforts qu'elle ne parvenait pas à vivre avec succès les situations de sa vie de tous les jours. Elle s'entraîna donc à relaxer davantage, non seulement pendant les périodes où elle était couchée, mais aussi pendant qu'elle vaquait à ses tâches domestiques, pendant qu'elle communiquait avec les membres de sa famille et avec les étrangers. Elle apprit à rester décontractée tout au long de sa vie éveillée. Elle apprit petit à petit la relaxation différentielle. Elle ménagea donc ses énergies.

Elle apprit plus spécifiquement que lorsqu'elle se mettait à se faire du souci à cause de son âge ou du temps qui lui restait à vivre, elle n'était pas obligée de devenir la marionnette de quelque force mécanique, externe ou interne. Elle n'en était pas consciente bien sûr, mais c'est elle, au contraire, qui agissait, qui s'arrangeait pour que son comportement ne puisse avoir qu'une seule conséquence: l'angoisse.

Avec de la pratique, ses propres observations lui apprirent que *c'était elle qui provoquait tout moment d'anxiété qu'elle éprouvait.* Elle imposait à ses muscles des tensions aussi précises que si elle nettoyait une pièce ou lavait la vaisselle. L'anxiété était (en partie du moins) un acte qu'elle posait elle-même et qu'elle n'avait pas besoin de poser. On l'aida à s'en rendre compte pendant les périodes où elle commençait à apprendre à décontracter un peu ses muscles. Elle y parvint pour la première fois, à un moment où elle était couchée pendant une session d'entraînement. À sa grande surprise, et peut-être pour la première fois depuis des années, elle se sentit momentanément libérée de l'anxiété grave qui n'avait cessé de l'oppresser.

L'expérience fut pour elle fascinante! Sur le coup et les quelques jours qui suivirent, elle reprit confiance et retrouva un peu d'espoir.

Mais l'espoir, lorsqu'on souffre de maladies comme la sienne, est une lumière bien fragile. Elle vacille comme une flamme et s'éteint très vite.

Le médecin doit en être conscient. Assez bizarrement, il ne devrait pas tenir des propos encourageants à ce genre de malades. Le psychotique dépressif ressemble à un enfant qui souffre d'inanition, qui est peut-être en train d'en mourir, mais qui est incapable d'avaler la moindre nourriture. Le psychotique dépressif aussi a tendance, chaque fois qu'on l'encourage verbalement, à se sentir plus déprimé encore.

À cause de cela précisément, je me gardai d'encourager Mme Hardy, mais je l'incitai à pratiquer les exercices le plus souvent possible. Elle apprit, pour résoudre les problèmes que lui posait son âge, à ménager ses efforts musculaires. Elle finit par se rendre compte que, plus elle s'efforçait de résoudre ses problèmes, plus elle se sentait mal dans sa peau. Elle avait pensé faire ce qu'il fallait; ses intentions avaient été bonnes mais, comme on le lui apprit, le dicton qui s'applique particulièrement à ce genre d'efforts est: "L'enfer est pavé de bonnes intentions!" On lui enseigna à procéder exactement à l'inverse: à ne pas faire d'efforts pour résoudre les problèmes concernant son âge. Elle acquit graduellement une perspicacité plus grande, une plus grande confiance en soi et apprit à se contrôler. Elle se libéra des peurs dont elle était esclave. Elle devint confiante, sûre d'elle et de bonne humeur. Nous mesurâmes ses états de tension. Les résultats de ces tests objectifs confirmèrent l'amélioration de son état de santé. Elle revint complètement à ses tâches domestiques. Elle supporta les ennuis financiers avec calme quand son mari éprouvait des difficultés professionnelles. Elle put même l'aider dans ses affaires. Nous en conclûmes donc qu'elle avait réussi, plus que jamais auparavant, même lorsqu'elle était jeune, à se libérer de sa nervosité.

Comment expliquer un résultat aussi évident et affirmer du même souffle que la recherche ne nous permet pas encore de comprendre l'état de l'organisme dans les maladies cyclothymiques? L'interprétation semble aller de soi. Quelle que soit la maladie, que nous la comprenions fondamentalement ou non, si nous ménageons notre énergie nous devrions en principe être capable d'y faire face avec plus de succès. C'est ce qui se passa dans le cas de Mme Hardy.

La morale de ce chapitre est la suivante: NE VOUS USEZ PAS VOUS-MÊME.

Chapitre 8

L'anxiété et les ulcères

Le grand public croit qu'il existe un rapport étroit entre l'anxiété et les ulcères d'estomac ou les ulcères aux intestins. À ma connaissance, on n'a jamais prouvé que la tension due à l'anxiété produise plus d'ulcères que d'autres genres de tension. Mme Hardy ne souffrait pas d'ulcères, pas plus que de nombreuses autres Mme Hardy que j'ai traitées.

L'homme d'affaires qui se sent ballotté entre les tensions de l'espoir et celles de l'incertitude souffre peut-être d'ulcères plus fréquemment, mais il n'y a pas de statistiques à ce sujet. Certains psychiatres ont émis des hypothèses sur certains types de personnalité qui auraient une plus grande propension à souffrir d'ulcères, mais ils n'ont jamais présenté de preuves réelles.

Voici l'historique de la question. Au début des années 1920, l'opinion médicale prétendait généralement qu'une infection était à l'origine des ulcères. Vers la fin de la même décade, dans un livre intitulé *Progressive Relaxation* et destiné aux médecins, je suggérais qu'ils feraient peut-être bien de chercher l'origine de ce type de lésions du côté de l'état de tension neuro-musculaire de l'individu qui en souffrait. À l'époque, il n'y avait aucune preuve. Elle vint en grande partie des années plus tard, quand Lester Dragstedt et d'autres chirurgiens coupèrent le nerf pneumo-gastrique chez des chats. Ce nerf mène à l'estomac et aux intestins adjacents et les met en activité. Privée de ce nerf, cette partie du système digestif relaxa et l'ulcère eut tendance à guérir. Les rechutes étaient moins fréquentes. L'organisme sécrétait moins d'acide. Les brûlements qui surviennent habituellement après un gros repas et qui sont caractéristiques de l'ulcère diminuèrent ou disparurent. Cela constituait une preuve. Le succès et l'exactitude de mon intuition m'amènent souvent à souhaiter que les points que j'ai réellement prouvés soient acceptés de façon aussi spontanée.

Quoi qu'il en soit, l'opinion médicale courante admet généralement qu'un individu nerveux, hyperactif, soumis à toutes sortes d'anxiétés est un excellent candidat à l'"ulcère". Dans ce chapitre-ci, je vais expliquer pourquoi cela semble exact.

L'estomac de la personne hypertendue travaille, semble-t-il, plus longtemps et le taux d'acidité y est élevé. Certaines substances présentes localement et qui ne sont pas encore tout à fait connues protègent les parois de l'estomac contre la formation d'ulcères. Quand la paroi se tend à l'excès, je suis porté à croire que la circulation sanguine y est mauvaise. Les vaisseaux sanguins qui s'y trouvent sont en effet comprimés plus qu'il ne le faut. La protection de n'importe quel tissu organique requiert une circulation sanguine adéquate. Quand le sang circule mal, des substances irritantes tendent à provoquer la formation d'ulcères. Ce que j'avance ici n'est qu'une hypothèse, mais elle suggère des orientations de recherche qui permettraient peut-être de résoudre cette importante question.

Une autre point mérite qu'on y réfléchisse. Comment expliquer que l'ulcère soit si fréquemment associé à un mode vie habituellement hypertendu? Pourquoi les cadres des grandes entreprises, qui vivent sous tension constante, souffrent-ils si fréquemment d'ulcères?

D'après moi ces impressions sont fondées sur une très longue pratique clinique qui ne m'a cependant pas permis d'apporter de preuves tangibles; l'estomac porte une part de la tension excessive que subit notre organisme lorsque nous nous engageons dans des efforts démesurés. Mon professeur, l'éminent Walter B. Cannon de Harvard, a démontré l'état spasmodique de l'estomac des chats lorsqu'ils se trouvaient en présence de chiens. La colère stoppait leur digestion.

À l'époque, les termes "tendu" et "tension" n'étaient pas encore en vogue. Au cours des dix premières années de ce siècle, en effet, la relaxation scientifique dont il est question dans ces pages n'avait pas encore été développée. Aujourd'hui, nous sommes en mesure d'affirmer que le chat qui voit un chien tend l'ensemble de son corps. Il contracte tous ses muscles. Extérieurement, on voit son dos s'arquer, son poil se dresser, ses pupilles s'élargir. Diverses glandes émettent des sécrétions, dont vraisemblablement de l'épi-néphrine. La pression artérielle du chat augmente. Il se prépare à fuir ou à se battre. Il siffle, crache et sort ses griffes. Ce n'est pas le temps de digérer! Le corps est en état d'alerte; quelque chose doit être fait immédiatement! Tout l'organisme est appelé à agir, exactement comme un pays qui se met subitement en état de guerre.

C'est le moment de décider vite. Comme dans toute situation d'urgence, la décision que prend un individu, qu'il soit homme ou chat, dépend de l'image qu'il se fait de la situation. Le chat doit se dire à peu près ceci (je ne me prétends pas expert du langage chat): "Ce chien n'a vraiment aucune bonne raison d'être sur terre; en tout cas, pas là où je me trouve! J'ai envie de lui arracher les yeux!" Le chat fait le gros dos, siffle et crache, ou bien il prend prudemment la fuite.

Si le chat ne raisonne pas ainsi, et je suis bien disposé à l'admettre, il doit néanmoins évaluer le mieux possible ses chances. Peut-être n'a-t-il "pas suffisamment d'estomac pour se battre". Tout le monde sait qu'avant une bataille il arrive aux êtres humains de vomir.

Objectivement, nous le savons, le chat se prépare intérieurement et extérieurement à répondre à l'état d'urgence. J'essaye simplement d'ajouter à ce constat un autre fait bien connu: tout individu évalue la situation à laquelle il doit faire face. En outre, j'avance l'hypothèse selon laquelle les parois de l'estomac participent à cette évaluation.

Des sensations en provenance des parois de l'estomac existent chaque fois qu'il s'agit d'évaluer une situation ou de soupeser un problème. Sans elles, les sujets à traiter perdraient tout intérêt, les situations auxquelles il faut faire face deviendraient tout à fait ternes.

Ces sensations en provenance de l'estomac sont délicates. Elles passent inaperçues, sauf pour l'observateur hautement entraîné. Je me suis moi-même entraîné à les détecter. J'ai même essayé jadis de transmettre ce type d'entraînement à des universitaires qui enseignaient la psychologie.

Ce champ d'étude est fascinant. Cette représentation interne des choses, inconnue de tous sauf de ceux qui s'y sont longtemps entraînés, dépasse notre compréhension et nos observations courantes. Pourtant, comme la vie serait fade sans ces sensations fugaces, fragiles, qui permettent aux êtres humains d'évaluer ce qu'ils expérimentent!

Je viens de parler d'un monde inconnu. Ceux qui n'ont jamais observé ce qui se passe en eux feraient aussi bien de sauter ces paragraphes. Ils traitent de choses qui n'ont pas de signification pour eux, aussi peu sans doute qu'un discours sur l'utilisation de l'énergie nucléaire n'aurait eu de sens pour les physiciens du siècle passé!

D'après moi, lorsque nous faisons un effort excessif pour réagir à certaines situations ou à certains problèmes, nous contractons notre système digestif. Cette tension fait partie intégrante de nos actions et réactions face aux événements. Extérieurement, l'hypertension peut produire des crises d'indigestion, tendant intérieurement à former des ulcères ou à favoriser le développement d'autres maladies stomacales. On éprouve alors des sensations désagréables; comme les ombres d'un tableau ou les fausses notes d'un air de musique, elles traduisent un monde incertain.

Inconsciemment, nous sommes donc tous des artistes en nous-mêmes. Dans nos fantaisies, nous imaginons parfois que l'avenir ne nous réserve aucune difficulté. Nous nous voyons comme des anges sur un nuage, jouant de nos petites harpes, éternellement sereins. Pas d'estomac qui rouspète, pas d'ulcères! Mais en même temps, nous avons à vivre notre vie quotidienne. Pour bien la vivre, il vaut mieux ne pas nous cacher ses aspects moins plaisants, ne pas sous-estimer les menaces, ne pas renoncer à trouver une solution aux situations difficiles. Pour y parvenir, nos images internes (que nous soyons humains ou chats) ont avantage à être vraies plutôt que toujours agréables. Il n'y a que les anges qui puissent s'offrir la vision d'un monde idéal.

Nous autres, humains, avons affaire à un monde difficile, souvent dangereux, quelquefois catastrophique. Nous devrions en être conscients pour apprendre à agir mieux et à survivre. Notre système digestif y contribue avec ses sensations toujours diverses de bien-être ou de malaise. Quand le système digestif exprime son désarroi ou commence à faire mal, il nous faut veiller à ne gaspiller notre énergie en vains efforts et à ne pas développer d'ulcères.

Chapitre 9

L'indigestion et la colite

La tradition veut que quelqu'un de bilieux ou qui souffre de problèmes de digestion considère le monde avec aigreur; son état émotif dépend donc dans une certaine mesure de ses organes digestifs. De la même façon, avant une bataille, donc dans un moment de peur intense, il est bien connu que les soldats souffrent de diarrhée. Quand un chien voit une nourriture qui lui semble appétissante, les sucs digestifs commencent à lui couler dans la bouche et l'estomac (Pavlov, 1902). Par contre, quand un chat voit un chien qu'il ne connaît pas, son estomac et ses intestins se figent brusquement (Cannon, 1902).

La nervosité et certains moments chargés d'émotion affectent diverses parties du système digestif humain. De nombreux articles publiés dans diverses revues l'ont prouvé. Quand la nourriture quitte la bouche, elle passe par un tube musculaire qui se contracte rapidement juste au-dessus de la bouchée que l'on vient d'avaler, qui est ainsi poussée vers le bas jusque dans l'estomac. Ce tube s'appelle l'oesophage. La partie supérieure de l'oesophage se contracte à volonté, mais il est impossible, par simple décision consciente, d'en contracter la partie inférieure. Dans certaines circonstances, le muscle de l'oesophage se contracte indûment et de façon plus ou moins continue sur toute sa longueur, ce qui rend difficile le passage de la nourriture. Nous appelons ce phénomène un spasme et nous parlons d'un "état spasmodique de l'oesophage".

De légers spasmes de ce type ont tendance à se produire quand on est agité ou quand on vit un état de tension émotive. C'était le cas pour deux personnes nerveuses qui nous aidèrent à étudier le phénomène en laboratoire. Elles apprirent à avaler un petit ballon dégonflé attaché à un tube de caoutchouc creux et très mince. Quand le ballon était suffisamment descendu dans l'oesophage, il y restait en place grâce à un fil attaché à une des dents du patient. Le ballon était alors légèrement gonflé et le tube relié à un système d'enregistrement qui nous donnait un graphique de la quantité d'air qui entrait et sortait du ballon. Quand on demandait au patient de décontracter autant qu'il le pouvait tous les muscles de son corps, l'air passait dans le ballon, donc les parois musculaires de l'oesophage relaxaient aussi. Si, par ailleurs, on demandait au même patient de se lancer dans quelque forme d'activité mentale prononcée, comme de faire de l'arithmétique, l'air quittait rapidement le ballon, indiquant ainsi que les parois musculaires de l'oesophage subissaient une tension accrue. Quelqu'un qui étudia ce phénomène avant nous découvrit même qu'une simple mouche qui se posait par hasard sur le nez du sujet suffisait à accroître la tension musculaire de son oesophage.

Ceci prouve qu'il faut s'attendre à ce que les appareils de mesure détectent de fréquents spasmes de l'oesophage chez une personne très émotive ou dans un état de nervosité extrême. Des études aux rayons X que j'ai effectuées dans le passé sur plus d'une centaine de patients ont substantiellement confirmé ce fait. J'avais demandé à mes patients d'avaler une gorgée de pâte de baryum. Cette substance ne laisse pas passer les rayons X, on peut donc facilement le repérer grâce à l'ombre qu'elle produit. Chez les étudiants sains qui participaient à l'expérience, toute la pâte traversait l'oesophage en moins d'une minute environ. Dans le cas de personnes souffrant de nervosité, le laps de temps était considérablement plus long. Dans les cas graves, il fallait parfois plus d'une heure. Ce ralentissement indique à coup sûr un degré quelconque de spasmes de l'oesophage.

Outre les états nerveux ou émotifs, les causes de spasmes de l'oesophage sont nombreuses. Parmi ces causes, il y a l'ulcère d'estomac, l'appendicite aiguë et les autres types d'irritation. Un médecin qui s'intéresse surtout aux désordres organiques en a dressé une longue liste. Avant de conclure qu'un spasme est attribuable essentiellement à une hyperactivité nerveuse, il faut donc examiner attentivement le patient et déterminer s'il ne souffre pas de quelque irritation locale, comme une inflammation ou une tumeur. La personne qui pense souffrir de spasmes doit absolument consulter un médecin. Son malaise, en effet, peut être causé par un ulcère ou même par le cancer.

Si, comme beaucoup le croient, le surmenage nerveux est extrêmement répandu et s'il tend à provoquer le spasme de l'oesophage, il n'y a donc rien de surprenant à ce que le spasme de l'oesophage soit, comme l'affirme le docteur Clyde Brooks, le plus répandu de tous les troubles du système digestif. Les symptômes varient. Ils ne comportent pas toujours la difficulté à avaler à un point tel que le malade s'en rende compte. Dans le cas de malaises légers ou dans les premiers stades du développement de la maladie — incidemment les troubles légers sont plus répandus que les maladies graves et notre discussion s'y limite d'ailleurs — il est typique que les patients signalent une "raideur dans la gorge", une "sensation désagréable" ou une "impression de lourdeur ou de pression" habituellement quelque part dans la partie avant de la poitrine ou dans la partie supérieure de l'abdomen. Le mal irradie parfois dans le dos. La douleur est sourde ou se manifeste par des accès intenses. Le fait de manger, de prendre des poudres alcalines ou de masser l'intestin ne l'atténue pas, sauf pour de brèves périodes. Les rots sont fréquents et apportent habituellement un soulagement partiel temporaire. Parfois le patient avale de l'air sans le savoir et sans savoir comment s'arrêter; il en résulte une gêne et la sensation d'avoir la partie supérieure de l'abdomen remplie. La gêne ne se produit généralement pas à un moment particulier de la journée; son caractère particulier et sa localisation amènent souvent le médecin à suspecter un ulcère d'estomac ou du duodénum. Il faut qu'il fasse très attention pour ne pas se tromper.

Une des personnes qui participa aux recherches mentionnées plus haut était un étudiant d'université âgé de dix-neuf ans. Quand nous le vîmes pour la première fois en janvier 1923, il se plaignait de crampes graves ou de sensations de brûlure dans la partie supérieure de l'abdomen. Il en souffrait tous les jours pendant des heures depuis trois ans. Aux rayons X, son duodénum présentait quelques anormalités. Nous y découvrîmes une petite tache ou cicatrice, comme s'il y avait déjà eu un ulcère à cet endroit. Il ressentait fréquemment une sensation de peur qu'il était incapable de distinguer de la douleur. Cette sensation revenait surtout quand il subissait une tension nerveuse, en classe par exemple, quand il avait un examen, quand il participait à des réunions auxquelles assistait beaucoup de monde ou en compagnie de jeunes filles. Il mentionna aussi qu'il se sentait fréquemment irrité et qu'il avait du mal à se concentrer.

Je n'ai pas l'intention ni assez d'espace pour donner ici un compte-rendu détaillé de l'état de cette personne ni des progrès qu'elle fit en apprenant à relaxer. Je l'ai fait suffisamment ailleurs (*Progressive Relaxation,* 1938). Certains des points essentiels dans cette histoire sont cependant intéressants à mentionner. Environ trois semaines après le début de sa douleur, il avait perdu dix livres et commencé à se sentir faible. Un interne compétent l'examina quelques mois plus tard. Ce dernier pensa, à cause de la relaxation évidente entre la douleur et les repas, que le malade avait un ulcère du duodénum. Après de multiples examens médicaux minutieux, il se rendit compte que le malade n'avait probablement pas d'ulcère actif. Environ un an plus tard, l'étudiant consulta donc un neurologue. Ce second médecin lui parla avec fermeté et réussit à le guérir de certaines des peurs qu'il éprouvait vis-à-vis des femmes, mais ses autres peurs subsistèrent, de même que sa douleur qui le faisait énormément souffrir.

Nous lui fîmes subir le test du ballon et des rayons X. Cet examen montra clairement qu'il contractait divers muscles de son corps quand il était effrayé et qu'il avait mal. Par la suite, les symptômes dont il se plaignait semblaient décroître dans la mesure où il apprenait à relaxer ses muscles. Nous effectuâmes d'autres examens avec la méthode du ballon et des rayons X. Ils nous révélèrent un fait important. Pendant ses accès de douleur et d'angoisse, accompagnés comme je l'ai dit plus haut de tensions musculaires évidentes, quand on lui ordonnait de relaxer, son oesophage se décontractait aussi, parfois très vite ou parfois plus progressivement. Pendant qu'il maintenait la relaxation, il se sentait également soulagé de la gêne qu'il éprouvait. Dans son cas, le traitement fut anormalement long. Après deux ans, il nous signifia que ses douleurs avaient cessé en général. Par la suite, quand des rechutes se produisaient, il apparut au médecin aussi bien qu'au malade, qu'elles étaient attribuables au fait qu'il oubliait de pratiquer ses exercices et d'appliquer ce qu'il avait appris. L'ensemble de son organisme savait combattre efficacement ses mauvaises habitudes d'hypertension nerveuse. Son équilibre émotif général s'était amélioré mais, dans son cas précis, il devait en plus tenir compte d'un système digestif particulièrement fragile. Quelques années plus tard, il souffrit d'hémorragie, vraisemblablement du duodénum. Il devint dès lors nécessaire de compléter le traitement par un régime alimentaire non-irritant et par des médicaments. Il avait noté qu'avant chaque réapparition de ses douleurs, il s'était trouvé dans une situation de tension. Nous décidâmes donc de continuer à l'entraîner à pratiquer les techniques de relaxation avancées. Elles lui permirent d'agir de façon que l'ensemble de son organisme reste habituellement détendu.

Nos recherches, donc, le confirment: l'oesophage est actif pendant les périodes d'émotion intense. Il fait partie du mécanisme impliqué dans l'ajustement quotidien aux événements de la vie. Lorsqu'on éprouve des difficultés, et surtout quand ces difficultés sont fréquentes, l'état de contraction de l'oesophage varie également et on peut noter, dans l'ensemble, un accroissement substantiel de sa tension. L'oesophage connaît donc fréquemment un état plus ou moins spasmodique. Les symptômes peuvent être légers ou bien déranger quelqu'un au point qu'il décide d'aller consulter un médecin. La recherche médicale tend à prouver que les malaises ressentis à l'oesophage dépendent des tensions exercées au niveau des muscles externes, ou squelettiques, et qu'il est possible de les contrôler en apprenant à détendre les muscles selon la méthode décrite dans la seconde partie de ce livre. Il ne faut cependant pas s'attendre, et j'insiste sur ce point, à ce qu'une pratique superficielle des directives que j'énonce, permettre un contrôle efficace quand la douleur est forte. Quoi qu'il en soit, toute personne souffrant de douleurs sérieuses devrait consulter un médecin.

La plupart des choses que je viens de dire à propos de l'oesophage semblent également s'appliquer au gros intestin ou côlon. Cet organe, comme l'oesophage et d'autres parties du système digestif, est un tube creux dont les parois sont composées essentiellement, chez les individus en bonne santé, de tissu musculaire. Des changements dans l'hypertension chronique ou la contraction de l'oesophage ne s'accompagnent sans doute pas toujours de changements similaires du calibre du côlon. Mon expérience me porte à croire cependant qu'il est généralement vrai qu'une personne qui souffre à un degré ou à un autre d'hypertonie spasmodique du côlon a également tendance à en souffrir au niveau de l'oesophage et vice versa. J'incline à penser que la constipation, si fréquente dans ce pays et si souvent associée à des spasmes du côlon, est due en grande partie au mode de vie, tellement éprouvant pour les nerfs, que nous sommes obligés de mener.

Si un médecin vous dit que vous souffrez de colite et qu'il est incapable de déceler la moindre trace de bactérie, d'amibe, d'inflammation ou d'irritation locale, il ajoutera vraisemblablement que, selon lui, c'est votre nervosité qui est responsable de ces symptômes intestinaux. Dans certains cas, la colite s'accompagne de nombreux gargouillis dans les intestins ou de diarrhée avec des gaz fréquents passant par le rectum; parfois les selles sont fermes et minces en forme de ruban ou comme des cigarettes. L'examen révèle de temps en temps la présence de mucus, raison pour laquelle ce malaise s'appelle "colite muqueuse". Le mal de ventre est violent dans beaucoup de cas. On éprouve des crampes juste avant que les intestins commencent à gargouiller ou à d'autres moments. Dans certaines circonstances, le malaise, accompagné parfois de diarrhée ou de constipation, s'aggrave. Il suffit pour cela d'avaler quelque aliment indigeste, de faire un effort physique inhabituel ou de prendre froid, mais les symptômes sont particulièrement caractéristiques après des périodes de tension nerveuse et mentale. Aux rayons X, après un repas comprenant du baryum pris huit à vingt heures plus tôt, on s'aperçoit que le calibre du côlon en divers endroits est irrégulièrement rétréci, parfois même au point d'être presque complètement fermé. Dans les cas chroniques qui durent depuis longtemps, le côlon a l'air lisse et distendu. Un médecin à l'oeil expérimenté en déduit immédiatement que le muscle intestinal a perdu de sa force et s'est quelque peu atrophié, sans doute à cause des années d'hypertonie spasmodique.

Un diagnostic exact est particulièrement important dans le cas de colites nerveuses chroniques à cause du danger de recommander une intervention chirurgicale inutile. Le danger est réel. En effet, l'amollissement du côlon dans la région de l'appendice ou de la vésicule biliaire est fréquent et peut être confondu avec une inflammation qui, elle, nécessiterait une opération. Rollin T. Woodyalt en donne un exemple. Un examen révéla chez un patient un état spasmodique grave du côlon. On décida de l'opérer. Heureusement, d'autres films ultérieurs s'avérèrent négatifs et on renonça à l'intervention chirurgicale. Mais qui peut dire combien d'interventions inutiles ont été pratiquées chaque année à cause d'un affaiblissement du côlon autour de la vésicule biliaire, de l'appendice ou des deux, comme c'est souvent le cas pour cette maladie très répandue? Ma propre expérience, comme je l'ai dit précédemment, m'amène à penser que ces opérations ont été nombreuses. Evarts Graham dans le discours inaugural qu'il prononça devant de futurs chirurgiens à l'ouverture de l'école de médecine de l'université de Chicago, les mit également en garde contre cette possibilité d'erreur.

Je vais vous raconter brièvement l'histoire d'un cas qui illustre bien ce que j'ai écrit plus haut. Mme E.T., âgée de cinquante-huit ans, membre d'une famille irlandaise très en vue, se plaignit en janvier 1922, de crises de colite muqueuse. Elle en souffrait depuis les trente dernières années. Ces crises se faisaient de plus en plus fréquentes; elles se produisaient maintenant au rythme de deux ou trois par mois. Elles augmentaient en gravité aussi. Les quatre dernières années, la douleur se faisait sentir dans tout l'abdomen et irradiait parfois jusque dans les talons ou remontait vers le haut avec une sensation de brûlure sous le sternum. Les crises duraient généralement deux jours. Mme E.T. ne parvenait à soulager sa douleur qu'en restant sous une couverture électrique et en prenant une dose de bicarbonate de soude. Tout mouvement des intestins provoquait des crampes au ventre. Elle commençait en général à sentir un malaise dans la partie supérieure de l'abdomen moins de cinq à dix minutes après avoir bu ou mangé. La douleur disparaissait généralement d'elle-même une heure ou deux après les repas. Par moments, elle était constipée. Elle se sentait souvent faible et, disait-elle, incapable de se livrer à des activités normales.

L'examinateur découvrit que le côlon était ferme, sauf dans les régions de la vésicule biliaire et de l'appendice. Aux rayons X, le film révéla une hypertonie spasmodique grave du côlon. Le côlon était si rétréci près de la rate qu'on aurait cru à une occlusion. Il ne s'agissait pas d'un cancer, car le côlon se vida quand on administra à la patiente un lavement au baryum. Les traitements précédents basés sur certaines restrictions au niveau alimentaire et sur le recours à divers médicaments n'avaient pas donné de résultats durables. Pendant plusieurs mois, j'essayai pourtant de traiter la patiente par ces moyens-là. Je n'avais jamais auparavant appliqué la relaxation progressive aux cas de colite chronique. Je fus donc assez surpris d'entendre le chirurgien traitant suggérer lui-même le recours à ma technique.

Vers le mois de mai, j'entrepris donc de la soigner par la relaxation progressive; la recherche était doublement intéressante. En effet, les autres mesures thérapeutiques, incluant la diète et le repos, avaient été employées avec soin sans donner de résultat satisfaisant. Cette malade n'était pas très douée pour apprendre à reconnaître ses contractions musculaires. Parmi ses tensions les plus apparentes, elle fronçait constamment les sourcils très fort et plissait fréquemment le front. Nous passâmes beaucoup de temps à lui apprendre à détendre cette région. Au fil des mois, alors qu'elle apprenait à relaxer ces muscles et ceux d'autres parties de son corps, les examens hospitaliers révélèrent une disparition progressive du mucus dans les selles. Vers le mois d'août, alors que la patiente était toujours hospitalisée, le côlon dans la région de la vésicule biliaire était redevenu ferme. La douleur s'était atténuée ou avait disparu. Les selles étaient redevenues presque normales.

À la maison, la malade continua sans aide médicale ultérieure à pratiquer la relaxation musculaire, exactement comme quelqu'un améliore sa pratique du piano, de la danse ou de toute autre discipline physique. Après une autre période de six mois, toute la région abdominale était redevenue ferme. Mme E.T. se rendit en Californie, s'occupa de son mari qui était tombé malade, se baigna et conduisit une automobile sans souffrir le moins du monde, pour la première fois depuis de nombreuses années. Un film de rayons X fait à LaJolla, trois ans après le début du traitement, m'indiqua que le côlon n'avait plus de spasmes excessifs. Les douleurs disparurent sauf après le travail ménager qu'elle décida pour cela d'éviter. Deux ans après ce rayon X, elle me dit que son état général était extrêmement satisfaisant depuis cinq ans. Elle n'avait plus que de légères rechutes à l'occasion. Elle continua de pratiquer régulièrement la relaxation, surtout lorsqu'elle savait que quelque difficulté était sur le point d'arriver. La dernière fois que je la vis, elle fronçait nettement moins les sourcils. Elle n'avait plus de rechutes. Elle mangeait ce qu'elle voulait et paraissait en pleine forme.

Ces résultats sont stupéfiants. Je considère que six mois de traitement sont habituellement insuffisants pour guérir une hypertonie spasmodique dans le cas de patients aussi gravement atteints. Maintenant que les techniques de relaxation deviennent de plus en plus connues, il faut espérer que les gens y chercheront plus qu'un bien-être accru ou une diminution des symptômes. Il faudrait recourir à la relaxation de façon constante pour traiter les maladies dissimulées pendant des années par des habitudes nerveuses malsaines. Il faudrait la pratiquer jusqu'au moment où des mesures objectives garantissent que l'on a atteint des résultats durables et sûrs.

Certains patients ont plus de facilité que d'autres à mettre en pratique ce qu'ils ont appris et à faire de la relaxation une véritable habitude. Certains négligent de la pratiquer et ont tendance à rétrograder. Même dans leur cas cependant, j'ai tendance à croire que la relaxation, une fois bien acquise, ressemble à la natation; quand on l'a apprise, on ne l'oublie plus. Il m'est arrivé de rencontrer des patients qui, au moins pendant un certain temps, rétrogradaient même s'ils pratiquaient la relaxation régulièrement et avec confiance, mais c'est l'exception. Généralement, le proverbe qui veut que la pratique mène à la perfection semble s'appliquer ici.

Ces dernières années, les seules techniques de relaxation ont guéri plus de trente cas importants de colites spasmodiques ou muqueuses. Dans chacun des cas, le patient était libre, pratiquement dès le départ, de suivre un régime alimentaire normal. Ces malades suivirent le traitement et pratiquèrent régulièrement la relaxation pendant un an ou plus, selon les directives du médecin. Chaque fois, il en a résulté une diminution graduelle des symptômes et les malades ont retrouvé leur énergie normale.

En plus des colites véritables, il faudrait mentionner les manifestations de symptômes abdominaux, fréquents chez bon nombre de personnes nerveuses. Ils ressemblent à ceux constatés dans les cas de colites spasmodiques, mis à part le fait qu'ils ne sont pas si graves. La pratique de la relaxation pourrait évidemment améliorer l'état de santé de ces personnes et prévenir le retour de nouvelles crises.

L'expérience que je fis en 1929 dans le traitement de l'ulcère d'estomac et du duodénum m'incita à penser que ces maladies étaient sans doute d'origine nerveuse. Je suggérai donc aux médecins de vérifier si elles ne disparaissaient pas lorsque les patients apprenaient à relaxer. Il fut très difficile de mener à terme des recherches précises. En effet, il fallait fréquemment prescrire aux malades un régime alimentaire et des médicaments. Avant que je n'émette cette idée, on croyait généralement que l'infection joue un rôle essentiel dans le développement de tels ulcères. La plupart des médecins finirent par partager mon point de vue selon lequel les ulcères gastroduodénaux se développaient surtout chez les personnes nerveuses. J'étais impressionné par l'accord unanime des cliniciens. Je fis néanmoins remarquer, dans les premières éditions de ce livre, que des vérifications scientifiques restaient à faire.

En résumé, j'ai prouvé, au moins dans les quelques cas que j'ai étudiés, que diverses parties du système digestif deviennent de plus en plus tendues ou agitées de spasmes au moment de certaines émotions marquées. Lorsqu'on surmène constamment le système nerveux, des symptômes variés peuvent apparaître dans certaines parties du système digestif; c'est lui qui est le plus affecté. Dans ce genre de maladies, il ne faut pas confondre l'amollissement de certains segments particuliers du côlon avec une inflammation grave qui nécessiterait une intervention chirurgicale. Jusqu'à présent, tout indique que la relaxation peut fort bien contribuer à soigner les cas habituels de spasmes dans certaines parties du système digestif.

Dans le cas de colites chroniques et d'ulcères gastroduodénaux, si votre médecin vous prescrit la relaxation:

— entraînez-vous à la pratiquer en position couchée pendant au moins une demi-heure avant chaque repas;

— surveillez les froncements de sourcils et autres manifestations fréquentes de tension musculaire et éliminez-les;

— soyez certain de décontracter vos muscles abdominaux;

— habituez-vous à pratiquer la relaxation différentielle tout en vaquant à vos occupations quotidiennes;

— mâchez votre nourriture lentement; mastiquez bien; prenez des bouchées plus petites et avalez moins vite.

Chapitre 10

La nervosité commune et les désordres mentaux

Le concept de "nervosité" varie selon les personnes et les époques. Il recouvre autant de notions différentes qu'il y a de vagues dans la mer, mais on peut en distinguer diverses manifestations et leur donner des noms spécifiques.

"L'hypertension nerveuse" ou le "surmenage" désignent les manifestations de nervosité les plus répandues. Si vous vous informez auprès de certains de vos voisins, ou si vous les observez, vous pourrez être stupéfait de constater à quel point les manifestations d'hyper-nervosité sont fréquentes et à quel point il est rare de trouver des familles qui en soient épargnées.

Une personne souffre d'insomnie; une autre (ou la même) se sent très souvent anormalement épuisée; une troisième s'inquiète sans cesse; une quatrième évite de conduire longtemps par crainte des accidents; une cinquième est incapable de rester assise le temps d'un film ou d'un opéra; une sixième est trop agitée pour parvenir à lire ou à étudier comme elle le faisait jadis; une septième (et il existe d'innombrables septièmes personnes) est irritable et cherche la dispute à la maison; une huitième se sent angoissée par ses responsabilités au travail, etc.

Toutes ces personnes, comme je l'ai déjà dit, manifestent des signes visibles de tension excessive (tantôt dans tel groupe de muscles, tantôt dans tel autre). Cette hypertension augmente quand les symptômes nerveux deviennent aigus et disparaît quand ils s'en vont.

Dans plusieurs des exemples précédents, un symptôme particulier ou un ensemble de symptômes se retrouvent régulièrement. Peut-être est-ce la nervosité au moment de parler: l'individu hésite ou bafouille. Quand on approfondit le cas, on découvre que les difficultés de chacune de ces personnes sont assez bien définies. Toutes deviennent particulièrement nerveuses ou tendues en disant — ou en imaginant dire — certaines choses particulières, en s'adressant à certaines personnes ou en ayant à faire face à certaines situations d'un type bien déterminé.

Le symptôme le plus remarquable est peut-être la peur, rationnelle ou non.

Herbert Spencer prétend que, sans la peur, l'homme n'aurait jamais dépassé le stade primitif d'évolution. L'appréhension des difficultés à venir, bien que désagréable, prépare le chemin pour y faire face avec succès. La peur est donc la grande éducatrice. Elle nous protège et nous sauve.

En laboratoire, lorsque nous relions nos appareils électriques de mesure à un individu qui vit des moments d'intense frayeur, nous constatons des impulsions hautes et fréquentes dans presque chacun de ses nerfs et de ses muscles. C'est ce que nous avons appelé nervosité. Si Spencer a raison, la nervosité peut à l'occasion s'avérer de la plus grande utilité.

Cependant, tout lecteur l'aura deviné, les peurs parfois se prolongent et deviennent excessives. Elles constituent alors un fardeau pour le système nerveux et peuvent causer des désordres dans les autres systèmes. À un certain stade où il est difficile de déterminer si la peur est l'exagération d'un état normal ou un état plus ou moins pathologique. Cependant, si quelqu'un craint de sauter par une fenêtre chaque fois qu'il se trouve dans un édifice élevé ou a peur de tuer quand un couteau se trouve à sa portée, il n'y a pas de doute à avoir. Une peur de ce genre est assurément pathologique; nous l'appelons *phobie.*

Si l'on veut traiter ce genre de maladie par la relaxation, il ne suffit pas d'apprendre au patient à relaxer uniquement quand il est couché. Il est indispensable de lui apprendre à identifier les muscles ou les parties de muscles qu'il contracte lorsqu'il subit une crise d'angoisse et de lui apprendre à les relaxer. C'est ce que j'appelle la relaxation différentielle.

"Les problèmes!" Voilà sans doute l'expression qui revient le plus souvent dans la bouche de ceux qui suivent un traitement pour les nerfs. La science moderne peut-elle faire quelque chose pour résoudre ces "problèmes"? La plupart des gens non avertis et beaucoup de médecins avaient jadis tendance à croire que la seule façon de remédier aux problèmes était "d'en supprimer la cause" et qu'il fallait en chercher la cause uniquement dans les événements de la vie quotidienne. Mais quelle est la cause *réelle* de ces problèmes? Faut-il la chercher seulement dans les événements extérieurs ou bien se trouve-t-elle aussi en nous?

Le moyen le plus rapide de régler un problème particulier est, bien sûr, de remédier à ce qui en semble la cause; par exemple, donner de l'argent à ceux que leur pauvreté tracasse. Trop souvent, c'est malheureusement impossible. De plus, certaines pertes sont irréparables, comme la mort d'un être cher. Dans chaque existence, il y a toujours un jour ou l'autre des circonstances éprouvantes. En réalité, le même danger, le même genre de perte peut amener un individu à se faire énormément de mauvais sang, tandis qu'il peut laisser un autre relativement calme et maître de lui-même.

Prenons pour acquis que "se faire du souci" est un état subjectif; divers événements de la vie quotidienne peuvent entraîner du souci, mais ils n'en sont pas entièrement la cause. Dès lors, qu'y a-t-il moyen de faire? Beaucoup de gens prennent l'habitude de se faire du souci. Il ne sert en général pas à grand chose de leur tenir des propos logiques ou de les réconforter. Plus on leur parle, plus — tout au moins dans certains cas — ils semblent s'en faire. La plupart des gens ont tendance à ressasser ce qui les tracasse dans l'espoir de trouver une solution, même imaginaire, à leurs problèmes. "Cela aurait pu se passer autrement!" Pour se changer les idées, on a toujours le loisir de changer d'endroit, de se livrer à des occupations distrayantes, de faire de l'exercice, de se baigner, peut-être de se mettre à boire ou d'utiliser des sédatifs. Le plus souvent, ces expédients ne résolvent pas le problème. Si la chance finit par sourire à une personne dépressive ou si le temps soigne sa blessure, une nouvelle cause de désespoir apparaît bien vite à l'horizon, suivie d'une autre et d'une autre encore. La tendance à se faire du mauvais sang persiste et trouve toujours de nouvelles raisons qui l'alimentent.

Le médecin contemporain doit être formé pour pouvoir s'occuper de ce genre de problèmes. *Beaucoup de personnes qui réussissent brillamment et qui s'adonnent à des activités utiles, éprouvent le besoin de se faire traiter.* Il serait extrêmement hasardeux de croire qu'il suffit de les réconforter ou de les distraire.

Il faut apprendre aux personnes nerveuses à relaxer. On leur enseigne en même temps, comme je l'ai déjà mentionné, à observer ce qu'elles font objectivement quand elles se font du souci. Ces personnes remarquent immanquablement des tensions dont elles ne se rendaient pas compte avant. Comme je l'ai illustré plus haut, beaucoup de patients entraînés à s'observer expliquent que, lorsqu'ils commencent à se faire du souci, ils se représentent mentalement quelque chose, qui a rapport avec la cause de leurs préoccupations; ils contractent alors certains muscles comme s'ils voyaient réellement cette image mentale. Ou bien encore, ils se parlent à eux-mêmes de ce qui les tracasse ou en parlent à d'autres et éprouvent alors de la tension dans les muscles phonateurs. S'ils ont perdu de l'argent, par exemple, ils peuvent pendant un certain temps avoir tendance à revoir mentalement certains des événements qui ont entouré leur mauvais investissement. Un observateur est alors capable de remarquer qu'ils font beaucoup de mouvements d'yeux ou qu'ils gardent les sourcils froncés.

Le traitement a pour objectif la relaxation volontaire mais aussi habituelle des tensions musculaires qui se produisent chaque fois qu'apparaissent les soucis. Si l'exemple donné plus haut correspond à ce qui vous arrive, vous aurez à apprendre à relaxer les yeux de façon à ne plus recréer sans cesse ces images qui ont un rapport avec votre mauvais investissement. L'expérience clinique montre qu'il y a moyen d'y parvenir sans avoir à fermer les yeux, et même en vaquant à ses occupations quotidiennes. Des observateurs entraînés rapportent que le patient cesse de se tracasser, momentanément du moins, quand on lui donne la directive de relaxer telle tension musculaire. Cela se produit immanquablement, même quand le médecin ne fait aucune allusion au fait que la relaxation aura quelque effet thérapeutique. Dans nombre de cas, les patients ne comprennent pas bien l'objectif de la méthode, jusqu'au moment où ils constatent qu'en même temps qu'ils relaxaient leurs muscles, ils cessaient de se faire du souci. Le phénomène se présente alors à eux comme un *fait accompli.*

Lorsqu'on observe des malades anxieux, on se rend compte qu'ils froncent les sourcils pendant les moments où ils éprouvent des problèmes. Ce genre de tension est cependant courant. La plupart des gens froncent les sourcils quand ils réfléchissent intensément ou font face à une lumière relativement forte. Il peut être intéressant pour vous de noter conbien de fois cette tension se produit chez ceux que vous côtoyez. Darwin attribuait une signification particulière à cette tension. Il avait noté qu'un animal en difficulté plissait le front ou contractait les sourcils. Les malades qui nous disent qu'ils contractent souvent les muscles de cette région ou ceux chez qui on constate plus ou moins régulièrement une telle tension, reçoivent un entraînement spécial pour apprendre à relaxer ces muscles. Si c'est votre cas, vous aurez à pratiquer la relaxation des paupières comme je l'explique aux treizième et quatorzième chapitres. Les mêmes méthodes s'appliquent évidemment lorsque les problèmes sont d'ordre pathologique.

On affirme parfois que le seul moyen de découvrir les raisons pour lesquelles une personne est déprimée, souffre d'angoisse, a pris l'habitude de se tracasser ou manifeste d'autres symptômes émotifs est de fouiller son passé pour y trouver des causes psychiques. Une assertion du genre est absolument étrangère à l'approche décrite dans ce volume. Ma méthode consiste plutôt à observer le comportement musculaire d'un patient au moment où il est déprimé, angoissé, tracassé ou présente quelqu'autre symptôme mental. Lorsque je puis identifier des types particuliers de contractions, même faibles, je fais tout mon possible pour les éliminer. Lorsque j'y réussis — et j'analyse les résultats selon des normes objectives — je m'aperçois que les symptômes tendent à disparaître.

Si vous êtes anxieux de tempérament, ou si vous êtes légèrement porté à vous faire des "idées noires" à propos de tout et de rien, vous vous faites sans doute du souci pour un tas de choses qui n'en valent pas la peine. Vous souffrez peut-être d'insomnie pendant des heures chaque nuit. Il peut vous sembler absolument indispensable de trouver la solution d'un problème ou de vous débarrasser de quelque source de tracas. Le problème est peut-être celui qu'évoquait Shakespeare:

Être ou ne pas être
Voilà la question!

La meilleure manière, à ma connaissance, de passer au travers d'états de dépression morbides est de *garder en mémoire la distinction entre le problème et l'attitude que l'on a face à ce problème.* Observez-vous quand vous êtes déprimé, vous êtes hypertendu. En relaxant la tension excessive de vos divers groupes musculaires, vous atteignez un état de calme physique. Il est fort probable qu'en même temps vous vous rendiez compte que votre problème vous préoccupe moins. Certaines questions paraissent cruciales. Il vous semble urgent d'y apporter une solution. Ces questions continueront sans doute de solliciter votre esprit, mais elles cesseront de vous affecter émotivement avec une telle intensité. En pratiquant de façon poussée la relaxation, vous parviendrez à vous adapter aux conditions de vie que vous aurez à rencontrer. Ces conditions, vous ne les approuverez peut-être pas, mais en tout cas, vous ne leur permettrez pas de vous atteindre dans vos émotions au point de vous sentir mal dans votre peau. Il faut rappeler sans cesse à celui qui apprend la relaxation qu'il doit faire une nette distinction entre un problème qui survient et l'attitude qu'il a face à ce problème.

J'en ai dit assez pour montrer à quel point il est important d'enseigner à ceux qui souffrent de troubles nerveux et névrotiques à observer leurs tensions et à relaxer, et de vérifier régulièrement leurs progrès à l'aide de tests efficaces. Les techniques de relaxation peuvent s'appliquer non seulement aux maladies mentionnées dans ce chapitre, mais aussi à toute autre forme de désordre mental, incluant les états d'exaltation et de dépression.

Les résultats positifs obtenus à ce jour, dans le traitement de divers troubles, grâce à la relaxation progressive, semblent garantir un recours de plus en plus fréquent à cette méthode. Sauf certains cas de nervosité aiguë, les résultats sont lents et donc peu spectaculaires. Par contre, ils sont durables car ils dépendent d'habitudes graduellement et solidement acquises par le malade. L'amélioration de son état de santé reste constante pendant des années. J'ai basé la plupart des énoncés de ce chapitre sur les observations et les interprétations que j'ai pu faire au cours de ma longue pratique clinique. Ces données sont importantes et révélatrices, même si elles ne constituent pas encore une science. Les recherches en laboratoire se poursuivent. Il existe, à l'heure actuelle, des méthodes qui permettent de rendre objectivement compte des progrès du malade, ces confirmations objectives valant mieux que la simple opinion du patient ou de son médecin.

Chapitre 11

Comment bien dormir

Divers facteurs peuvent "agiter" les nerfs et les muscles et chasser le sommeil réparateur qui permet à l'organisme de conserver son énergie, l'adénosine triphosphorique. En plus du caractère surexcité de notre mode de vie moderne, et cependant intimement liés à ce mode de vie, nous avons tous des tracas; nous éprouvons de l'anxiété et parfois souffrons d'"angoisse de lucidité". Shakespeare nous a familiarisés avec cette notion quand il écrivait: *La tête couronnée a du mal à trouver le repos* et *Macbeth a assassiné le sommeil.*

Mais il existe aussi des causes moins tragiques à l'absence de sommeil: le thé et le café, par exemple, pour les personnes sensibles à la caféine; les crampes d'estomac, quoiqu'elles aient leur utilité. Elles amènent l'animal qui a faim à chercher de la nourriture avant de devenir trop faible. De toute façon, à moins d'être graves, ces crampes disparaissent quand l'individu réussit à bien se reposer.

Beaucoup de personnes se plaignent de ne pouvoir dormir quand il fait trop chaud ou quand une pièce est mal aérée. Les habitants des climats tropicaux réussissent pourtant en général à dormir chaque nuit et pour beaucoup d'animaux les grottes sont des endroits idéaux pour dormir. Ils ne se préoccupent pas d'aération. Ceux qui se plaignent montrent, en fait, qu'ils ne sont pas capables de s'adapter à leur environnement. Le bruit éveille un grand nombre de personnes. Elles insistent donc pour placer leur lit dans un endroit extrêmement tranquille. Elles adoptent parfois des comportements extrêmes pour ne pas se faire déranger dans leur sommeil. Tous leurs efforts pour améliorer leur sort, on le verra plus tard, créent un cercle vicieux qui est responsable de leur insomnie. La même chose se produit chez ceux qui portent un bandeau noir pour se couvrir leurs yeux pendant qu'ils dorment.

Une chose est sûre: les gens qui s'adonnent à un travail intellectuel intense ou qui réfléchissent beaucoup ont le sommeil très fragile. Ce qui l'interrompt une nuit peut, la nuit suivante, provoquer une période d'éveil identique, souvent approximativement au même moment.

Des exercices modérés provoquent un sommeil sain. L'exercice fatigue et la fatigue a pour conséquence naturelle le repos. Pour les invalides, le massage peut être un substitut. Il existe d'autres moyens de provoquer le sommeil; par exemple, prendre un verre de lait chaud indépendamment de la soif qu'on peut avoir ou rester longtemps dans un bain chaud ou boire des boissons alcoolisées. En certaines circonstances et chez certaines personnes, ces moyens sont efficaces, mais ils constituent une mauvaise façon d'aborder le problème du sommeil.

J'ai déjà écrit un livre sur le sujet. J'y décrivais un médecin au caractère tâtillon et imaginatif auquel un malade demandait: "Qu'est-ce qui empêche de dormir?

— Qu'est-ce qui empêche de dormir? répétait le médecin songeur. La réponse est très simple..."

Puis, après un long regard, et en pointant le tuyau de sa pipe vers son malade, il répondait:

— Vous.

— Vous êtes là, poursuivait-il, couché dans votre lit, à remuer sans cesse, à vous énerver, à bouger en tous sens parce que vous êtes incapable de dormir. Vous changez de position. Vous vous levez. Vous défaites vos draps! Pourquoi ne pouvez-vous pas dormir? Précisément parce que vous remuez et parce que vous vous énervez; peu importe si c'est parce que vous êtes incapable de dormir ou pour quelque autre raison réelle ou imaginaire. Cela devient un cercle vicieux. Vos mouvements chassent le sommeil et votre insomnie vous amène à bouger de plus en plus. Plus vous pensez à votre insomnie ou à vos autres problèmes, plus vous perdez le sommeil. Quelle est la solution? Je vais tenter de vous la donner, mais avant je voudrais que vous compreniez tout à fait bien pourquoi vous perdez le sommeil.

"Vous dites que vous êtes *incapable* de dormir. Vous croyez que vous en êtes *incapable,* mais pouvez-vous le prouver? Pas du tout! Tout au plus pouvez-vous prouver que chaque nuit, jusqu'à un certain moment donné, vous ne pouvez tomber endormi. En dépit de vos tentatives répétées, vous avez échoué. Que voulez-vous dire exactement par "incapable"? Si vous vous arc-boutez de toutes vos forces contre un mur de briques, vous avez raison de dire que vous êtes "incapable de le pousser". Vous en avez la preuve. Le mur est solide et lourd. Il est plus résistant que vous. Par contre, même si vous essayiez, vous ne pourriez prouver que vous êtes incapable de dormir. La raison pour laquelle vous ne parvenez pas à dormir est que certains de vos muscles sont tendus quand ils ne devraient pas l'être. Qui est responsable de cette tension? Votre grand-mère, dont vous avez reçu certains traits héréditaires? Votre patron, qui vous a réprimandé ce matin? Non! *Vous* êtes responsable! *Vous* êtes la personne qui agit!

"Vous avez peut-être l'impression de ne rien pouvoir changer à votre état de tension. Cet argument est ce qu'on appelle un "bon alibi". Si vous voulez continuer d'être tendu et si vous avez besoin d'une excuse, tout ce que je puis vous dire c'est que *votre excuse est excellente.*

"Au lieu de chercher des excuses, étudiez les faits. Vous êtes couché. Vous ne pouvez pas dormir parce que vous changez constamment de position. Vous bougez tout le temps pour trouver la position idéale. Si vos muscles et vos nerfs sont sains, lorsque vous bougez un bras avec l'intention de vous déplacer dans le lit, vous avez évidemment le loisir *de ne pas le faire.* Je ne veux pas dire qu'il faut que vous vous empêchiez de bouger, parce que cela signifie d'habitude que vous faites un effort pour rester tranquille, ce qui signifie rester tendu et non relaxer. Si vous avez la capacité de bouger votre bras, vous avez aussi normalement la capacité de ne pas le bouger. *Ipso facto,* comme disent les juristes. Quand vous bougez dans le lit et cherchez à vous installer mieux, c'est vous qui agissez; rien ne vous y oblige. Vous êtes amené à le faire à cause de vos propres désirs et de vos habitudes, un point c'est tout. Vous commettez toujours la même erreur: vous essayez de trouver une position un peu plus confortable ou d'éviter d'être mal.

— C'est bien naturel, rétorque le patient.

— Mais, poursuit le médecin, n'oubliez pas la leçon du Christ. Il a dit — et le paradoxe n'est qu'apparent — c'est en sacrifiant votre vie que vous pouvez la sauver. Ce n'est qu'en sacrifiant votre bien-être du moment, quand vous êtes couché en proie à l'insomnie — en relaxant même si vous n'êtes pas bien — que vous parviendrez à la longue à vous sentir confortable et à vous endormir. Votre effort incessant pour être mieux produit l'échec; votre effort *est* une tension."

Vous agissez presque de la même façon dans votre vie quotidienne. Tout au long du jour, vous vivez une tension. Vous voulez arriver à temps à vos rendez-vous, faire bonne impression ou convaincre vos clients. C'est l'effort auquel vous consentez pour améliorer votre statut social, pour parvenir à une vie plus confortable. Vous avez l'habitude de contracter un ou plusieurs ensembles de muscles ou de nerfs tout au long de la journée. Cette façon d'agir fait partie de votre plan existentiel pour réussir. Vous ne parvenez pas à relaxer, même pas un tout petit moment dans la journée. Je vous affirme que vous auriez plus de chances d'atteindre vos buts et de les atteindre plus facilement si vous relâchiez un peu cette tension qui vous est habituelle. Apprenez donc à relaxer un peu!

Si les paroles de ce médecin sont justes, la cause fondamentale de l'insomnie se trouve quelque part du côté de nos habitudes de vie hypertendues. Quand un objet physique va très vite, sa vitesse accroît sa "force vive". Si l'objet est lourd, on ne s'attend pas à ce qu'un simple toucher de la main le ralentisse. De la même manière, quand un être humain prend l'habitude d'accélérer ses réponses musculaires et nerveuses face aux divers stimuli de la vie, heure après heure chaque jour, avec seulement de très rares périodes de ralentissement, il faut naturellement s'attendre à ce que quelque chose de cette vitesse subsiste dans ses tissus, même tard dans la nuit.

On a longtemps négligé la question de savoir comment "éteindre" nos énergies le soir. En 1908, j'ai commencé à étudier les divers aspects de la relaxation, dont le sommeil. Le manuel de physiologie d'alors — et qui est resté en vogue jusqu'à tout récemment dans certaines facultés de médecine — enseignait qu'on savait peu de choses sur le sommeil et prétendait que le sommeil dépendait des conditions de pression artérielle.

Cette hypothèse et les autres opinions de l'époque à propos du sommeil ne tiennent plus à la lumière des résultats de mes recherches récentes. En 1910, à Ithaca, je procédais à certaines expériences en vue de déterminer comment les gens réagissent à des odeurs fortes. J'observai soigneusement les sujets au moment où ils portaient attention à l'odeur. Je découvris que certains de leurs muscles commençaient à se contracter. Plus ils cherchaient à découvrir d'où provenait l'odeur, plus leurs muscles se contractaient. Ils fronçaient les sourcils, plissaient le front, aspiraient l'air par à-coups et souvent parlaient sans raison. Sans leur dire pourquoi, je leur demandais alors de "ne plus faire aucun effort". Je leur apprenais rapidement à relaxer leurs muscles des tensions que j'avais observées, de façon à ce qu'ils puissent sentir et émettre un jugement en fournissant un minimum d'effort. Dans ces conditions, les sujets se retrouvaient évidemment à certains moments dans un état très proche du sommeil. Un des participants tombait immanquablement endormi chaque fois qu'il se décontractait suffisamment. Il était la preuve vivante que, lorsqu'une personne relaxe bien, le sommeil s'ensuit immanquablement.[1]

Un incident personnel, qui m'arriva en 1908, me donna également matière à réflexion. À cette époque, comme beaucoup d'étudiants qui ont toujours leur travail en tête, je souffrais d'insomnie. Je restais parfois éveillé pendant des heures. Mon activité mentale continuait indépendamment de mon besoin de sommeil. Je voulus découvrir ce qui, physiologiquement, me gardait éveillé. À chaque fois, je pus identifier certaines contractions musculaires quelque part

1. Le Laboratoire de psychologie de l'université Cornell publia cette étude en 1911.

dans mon corps. Quand je parvenais à les éliminer, grâce à la relaxation, le sommeil arrivait aussitôt. Il me fallait du temps pour m'en défaire, surtout au début, mais en étudiant le sujet plus en profondeur, je me rendis compte que c'était moi qui étais responsable de la contraction de mes muscles et que j'étais donc également capable de les décontracter. Il me fallait évidemment approfondir mes connaissances des techniques de relaxation.

Ces expériences personnelles n'avaient aucune valeur scientifique, mais elles s'avérèrent utiles dans le choix des expériences à mener et dans la façon d'entraîner ceux qui participèrent à ces expériences ainsi que mes malades.

Déjà, en 1887, W.P. Lombard avait mesuré la réaction du tendon sous la rotule et avait noté que le mouvement réflexe diminuait pendant le sommeil. Certains chercheurs découvrirent plus récemment que ce réflexe était absent pendant le sommeil. D'autres, dont W.W. Tuttle, ne trouvèrent pas de réflexe durant le sommeil profond mais enregistrèrent de légers coups pendant le sommeil léger. Mes propres résultats concordent avec ceux de Tuttle. Si le sommeil est profond, le genou n'a aucune réponse réflexe. Par contre, dans les cas de sommeil léger ou agité, la réponse réflexe du genou et les autres réponses réflexes peuvent être plus ou moins vigoureuses. Le professeur Anton J. Carlson et moi-même découvrîmes que le mouvement réflexe du genou diminuait de beaucoup, ou même était absent, chez les personnes relaxées au maximum mais toujours éveillées. Nous en conclûmes que, même éveillé, l'homme est capable d'atteindre un degré de tension neuro-musculaire moins élevé que celui qu'il vit pendant ses périodes de sommeil léger.

Henri Piéron, remarquable chercheur français, établit clairement, en 1913, que le sommeil impliquait une relaxation musculaire généralisée. Il était cependant d'avis que l'on ne tombait pas endormi à cause de la relaxation mais à cause d'une substance chimique qui apparaissait dans le sang après certaines activités physiques et notamment au moment où l'on était fatigué. Mes propres observations avaient précédemment fait ressortir le rôle essentiel que jouait la relaxation dans la naissance du sommeil et dans son maintien. En 1918 et au cours des années suivantes, j'ai souvent observé des malades sous traitement ou des gens qui participaient à certaines expériences en laboratoire. Ils tombaient endormis au moment où ils décontractaient leurs muscles. Ces personnes furent entraînées à observer les sensations que provoquaient en elles les tensions musculaires décrites au chapitre dix-sept. On qualifie parfois ces sensations de "proprioceptives", même si le terme inclut aussi les sensations en provenance de la peau, des tendons, des organes internes et des autres parties du corps, indiquant l'état général du corps. Je découvris que les sensations proprioceptives sont caractéristiques de l'état de veille. Elles s'atténuent au cours de la relaxation progressive ou soudaine et le sommeil, dès lors, prend place. Nous ignorons, en fait, si les sensations en provenance des muscles actifs interfèrent plus avec la naissance du sommeil que d'autres, comme celles qui proviennent du toucher et de la pression des draps du lit. Durant les contractions musculaires, en effet, ces dernières sensations sont également plus prononcées en raison des mouvements de la peau et peut-être d'autres facteurs.

Au cours des dernières années, d'autres chercheurs se sont intéressés à ma théorie selon laquelle la naissance et le maintien du sommeil dépendent particulièrement de la diminution des sensations proprioceptives. Indépendamment de la théorie, voici ce qui semble se produire: plus la relaxation est profonde, plus les impulsions nerveuses sensorielles et motrices diminuent et, à un certain stade, le sommeil prend place.

Mes diverses études ont fréquemment illustré que le sommeil ne dépendait pas nécessairement de la fatigue. (Jusqu'à tout récemment, nous n'avons rien pu affirmer à propos de la fatigue parce que nous ne possédions aucun moyen de la mesurer de façon fonctionnelle.) Fatigués ou non, une fois entraînés à relaxer, des malades souffrant de maladies névrotiques autres que l'insomnie — et qui donc n'ont reçu aucune suggestion concernant le sommeil — sont fréquemment tombés endormis pendant des séances de relaxation complète. Ces faits se sont souvent produits alors que le sujet était relié à un appareil d'enregistrement électrique.

Voici un exemple de la relation qui existe entre la relaxation et le sommeil. Un sujet entraîné à relaxer est couché sur un lit. À intervalles réguliers, on mesure la pression artérielle de son bras gauche. Des fils relient son bras droit à un système d'enregistrement. En cours d'expérience, on lui demande de serrer le poing droit sans interruption pendant dix minutes. Il est facile de vérifier s'il le fait puisque l'aiguille de l'instrument de contrôle vibre violemment lorsque le poing est fermé. En dépit des instructions, il arrive des moments où l'aiguille s'immobilise soudainement. C'est signe que le sujet vient subitement de relaxer sa main. Il se met également à ronfler. Quand l'opérateur entend des ronflements et qu'il regarde le tableau de contrôle, il constate immanquablement que l'aiguille ne bouge plus. L'opérateur demande alors au sujet de serrer le poing à nouveau. L'aiguille se remet à vibrer et les ronflements cessent. Nous avons donc le moyen de déterminer avec précision le moment où quelqu'un se met à relaxer complètement. Malheureusement, nous ne pouvons déterminer de façon aussi précise la naissance du sommeil. En effet, les signes extérieurs du sommeil ne se distinguent pas de façon précise de ceux de la relaxation générale.

Le sommeil peut donc naître très rapidement. Selon mes observations cliniques, quelqu'un dort effectivement au moment où ses yeux et son système vocal relaxent à peu près complètement. Ces régions ne doivent pas relaxer longtemps; une brève période suffit. Selon moi, il ne faut pas plus de trente secondes de relaxation complète des yeux et du système vocal pour que le sommeil s'installe. Quand certains sujets s'endorment, l'aiguille de l'appareil d'enregistrement continue d'indiquer qu'ils sont en état de relaxation. Chez d'autres, après une période de tranquillité, l'aiguille montre bientôt des séries de vibrations marquées. Si l'opérateur réveille le dormeur à ce moment-là, ce dernier affirme avoir rêvé. Mes découvertes tendent donc à confirmer que le sommeil profond (le stade le plus relaxé du sommeil) est dépourvu ou relativement dépourvu de rêves.

On considère généralement que le sommeil agité n'est pas aussi réparateur qu'un sommeil exempt de mouvements incessants. Le docteur H.M. Johnson prit cinquante mille mesures sur onze sujets couchés dans des lits. Son équipement de laboratoire permettait d'enregistrer les mouvements des dormeurs. Le docteur Johnson découvrit que, sur une période de huit heures de sommeil, les périodes moyennes exemptes de mouvements chez les dormeurs étaient de onze minutes et trente secondes. Ces résultats ne signifient cependant pas que les sujets de l'expérience étaient en état de relaxation pendant les intervalles entre les mouvements enregistrés. L'appareil du docteur Johnson n'était pas assez sensible pour mesurer les formes les plus fugaces de mouvement et de durcissement musculaires.

Selon le même psychologue, des dormeurs en bonne santé changent complètement de position de vingt à quarante-cinq fois pendant une nuit de sommeil normale de huit heures. Il s'écoule au moins deux minutes et demie entre chaque mouvement. Johnson en conclut que cette "mobilité nocturne" était normale et utile. Sa conclusion semble contraire à l'expérience commune. Le mouvement satisfait peut-être un besoin momentané, mais les résultats de mes recherches tendent à prouver que plus le sommeil est calme, plus il est réparateur. Il est facile d'observer et de mesurer les réactions des personnes entraînées à relaxer pendant les périodes où elles dorment d'un sommeil calme. Les mouvements du genre de ceux qu'observa Johnson sont peu fréquents chez ces personnes et leur sommeil en est dépourvu pendant de longues périodes.

On peut discuter des rapports qui existent entre le sommeil et la relaxation mais il existe aussi des moyens de les étudier séparément. Le meilleur exemple est un film montré au début des années 1930 devant un congrès mondial de physiologues qui eut lieu à Boston. Un homme de science suisse, le professeur L. Hess, y présenta un certain nombre de chats qui avaient été opérés. De minces fils électriques traversaient leur boîte crânienne et rejoignaient une zone bien déterminée du cerveau: la matière grise qui se trouve près de la masse intermédiaire et près de l'extrémité principale du conduit qui relie les cavités cervicales. Les chats s'étaient complètement remis de l'opération et leur comportement était tout à fait normal. En connectant les fils qui dépassaient de leur crâne à une faible source de courant électrique, le professeur Hess pouvait stimuler les régions cervicales précisées plus haut. Chaque chat se trouvait alors rapidement une place confortable et s'installait pour dormir. Si l'impulsion électrique était plus forte, le chat, même en train de marcher, semblait brusquement détourné de ce qu'il faisait et tombait souvent, comme si on venait littéralement de le jeter dans le sommeil.

Nos sensations, conclut Hess, lorsqu'on voit, entend ou éprouve autre chose, nous gardent éveillés. Comme il le fit pendant ses expériences et comme on peut le faire autrement dans des conditions normales, il y a moyen de couper les liens reliant les sens au cerveau. Les messages qui y parviennent s'estompent alors ou cessent et cela provoque le sommeil.

En 1930, à l'université de Chigago, je voulais étudier les mouvements des yeux pendant les visualisations à l'état de veille et pendant le rêve. Je résolus le problème électroniquement en mettant au point ce que ces dernières années on a appelé "électro-oculographie" (E.O.G.). Jusque vers la fin des années 1950, aucun autre laboratoire que le mien n'appliqua mes techniques d'E.O.G. pour enregistrer les mouvements oculaires à l'état de veille ou de rêve. N. Kleitman, par la suite, lut les compte-rendus que je fis de mes travaux. Il visita mes installations et m'envoya E. Azerinsky, un de ses étudiants diplômés, pour apprendre comment enregistrer les mouvements des yeux. Après le stage de cet étudiant, ils appliquèrent mes techniques d'électro-oculographie à des personnes en train de rêver, comme je l'avais moi-même fait auparavant. Ils remarquèrent que, pendant les moments où les sujets rêvaient beaucoup, leurs yeux bougeaient également très vite. Ils appelèrent ces périodes "REM", en reprenant les initiales de l'expression anglaise *rapid eye movements,* c'est-à-dire: mouvements rapides des yeux. D'autres chercheurs publièrent par la suite bon nombre d'études et d'articles sur le sujet. Ces recherches attestent très souvent d'une méconnaissance profonde de l'origine de l'oculo-électrographie et de son application aux rêves. Les auteurs de ces articles sur le REM ne mentionnent généralement pas l'application de la relaxation progressive au sommeil profond et la possibilité, grâce à la relaxation, de diminuer les périodes où l'on rêve, ce qui constitue un des principaux sujets de ce chapitre.

Il est évidemment possible qu'une personne extrêmement fatiguée soit terriblement tendue au moment où elle s'endort. C'est ce qui explique que des soldats dans un état de grand épuisement puissent s'endormir tout en continuant de marcher. La monotonie de la marche favorise apparemment le phénomène. Beaucoup de personnes s'endorment au volant quand elles ont à effectuer de longs trajets. Cela m'est arrivé plus d'une fois, le soir, sur des routes bien dégagées, malgré la tension musculaire de ma jambe posée sur la pédale de l'accélérateur, la tension de mes bras qui manoeuvraient le volant et la tension des muscles de mon cou qui maintenaient ma tête droite.

Le sommeil peut donc se produire même s'il existe dans le corps une certaine tension musculaire diffuse, à condition qu'elle soit relativement stable et que l'activité dans laquelle on est engagé soit assez monotone. Ce sont les changements rapides qui empêchent la somnolence et qui nous gardent éveillés. Nous pouvons nous endormir (si nous sommes suffisamment fatigués) même dans certaines conditions de tension musculaire, à condition qu'il n'y ait pas de changement brusque produit par des stimuli externes ou internes, dont ceux qui proviennent de nos propres muscles.[1]

On peut donc tomber endormi soit quand on est suffisamment relaxé, soit quand on est tendu à condition que la tension musculaire reste relativement constante. Lorsqu'on s'endort sous tension, comme je l'ai noté, le sommeil se caractérise généralement par des mouvements et des soubresauts facilement perceptibles, ainsi que par des rêves. Le dormeur rapporte également, par la suite, que son sommeil n'a pas été tout à fait reposant. Dans un sommeil "tendu" (si l'on me permet l'expression), la jambe qui pend librement, bouge violemment lorsqu'on frappe le tendon qui se trouve sous la rotule. Dans le cas d'un sommeil détendu, ce mouvement réflexe est moins fort ou même absent. Si vous avez vécu sous tension les heures qui ont précédé le moment où vous vous endormez, il y a de fortes chances que vous ayez des sursauts par tout le corps ou tout au moins dans certaines parties du corps. C'est ce qui se passe au début du sommeil. Vous devriez ignorer ces mouvements et relaxer de nouveau pour dormir. Vous aviez évidemment réussi à relaxer comme il faut avant ces sursauts, même si vous étiez tendu pendant les minutes ou les heures précédentes. La tension que vous avez vécue au cours de la journée n'a donc aucune influence sur l'arrivée du sommeil, le soir.

---

1. Le sommeil naît apparemment de la monotonie, le premier dérivatif à la tension neuro-musculaire.

Au cours des expériences cliniques, on a pu constater que divers facteurs contribuent à rendre le sommeil agité: par exemple, une activité mentale soutenue tout le jour, surtout si elle implique un effort ou de l'excitation et si on la poursuit jusqu'au moment de se mettre au lit; divers types d'excitations émotives, agréables ou désagréables; le surmenage, la fièvre, la douleur et d'autres états de gêne, dont la chaleur ou le froid excessifs; certaines sensations soudaines, intermittentes et inhabituelles, comme le bruit; le café et une certaine quantité d'autres stimulants. Réciproquement, tout ce qui contribue à la relaxation différentielle pendant les activités de la journée favorise le sommeil, de même que l'exercice physique modéré.

Celui qui est nerveusement malade semble souvent avoir bien du mal à trouver un environnement qui lui permette de bien dormir. Il tâche d'apporter de nombreux ajustements. Une fois couché, il bouge souvent pour trouver la position idéale et être bien. Il lui arrive de l'être mais jamais très longtemps. J'ai remarqué que beaucoup de personnes qui avaient du mal à dormir changeaient de position toutes les minutes. Ces mouvements incessants duraient des heures et provoquaient l'insomnie. Ce genre de personnes vivent leur vie consciente de la même manière. Elles sont rarement satisfaites de ce qu'elles vivent ou de ce qui leur arrive. Elles poursuivent toujours quelque objectif nouveau et continuent de s'agiter jour et nuit (en pensée tout au moins) pour tâcher de l'atteindre. Ces personnes, si elles veulent surmonter leurs tendances et dormir, doivent comprendre qu'il ne faut pas attendre d'avoir trouvé la position idéale pour relaxer, mais bien au contraire relaxer d'abord, même si leur position du moment leur semble quelque peu inconfortable.

Une thérapie basée sur la relaxation ne recourt à aucun moyen additionnel pour favoriser le sommeil. Autrement, il serait impossible de déterminer l'élément qui l'a effectivement provoqué. Il semble de plus préférable de se passer d'une aide externe. Il s'agit d'être autodépendant. Ceux qui ont pris l'habitude de prendre des sédatifs ont plus de difficulté à apprendre à relaxer s'ils tentent de dormir d'un sommeil naturel.

Voilà de nombreuses années que les médecins se sont rendus compte qu'ils essayaient en vain de traiter la constipation à l'aide de purgatifs et de lavements. Cette façon de procéder risque de provoquer la constipation chronique chez beaucoup de malades. Cela s'appelle une "dépendance vis-à-vis des purgatifs". De façon similaire, l'habitude de prendre des sédatifs provoque parfois l'insomnie chronique. Le cas d'une patiente sous traitement illustrera la façon dont cela peut se produire. Pour vérifier si cela réduirait sa tension artérielle, on lui administra une dose mesurable (trois comprimés) d'amytal de sodium trois fois par jour, sans toutefois l'informer du type de traitement choisi. Après huit jours, sa tension artérielle ne diminua pas. Elle se plaignit, par contre, de crises de somnolence régulières au point de dormir dans l'autobus alors qu'elle aurait dû descendre ou de se sentir en général tout à fait incapable d'être efficace. Une semaine après avoir cessé de prendre les sédatifs, elle nous informa — aussi étrange que cela puisse paraître — qu'elle n'était plus capable de s'endormir le jour (quand elle se reposait) comme elle le faisait avant de commencer à prendre les médicaments. Voici donc l'exemple parfait de la façon de fabriquer l'insomnie! *La personne qui prend l'habitude de recourir aux sédatifs pour relaxer éprouve par la suite de plus grandes difficultés à relaxer de façon naturelle.*

Les gens qui vont voir le médecin se divisent en deux catégories: ceux qui éprouvent de la difficulté à dormir (ou dorment d'un sommeil agité) depuis peu, c'est-à-dire quelques jours, quelques semaines, voire quelques mois et ceux qui souffrent d'insomnie depuis des années. La pratique médicale des méthodes de relaxation, sous une forme extrêmement abrégée, peut apprendre au malade à se reposer calmement au moins pendant une brève période. Il ne faut cependant pas s'attendre à des résultats durables, à moins de poursuivre le traitement.

L'insomnie qui ne dure pas depuis longtemps a, comme tout le reste, plus de chances d'être guérie rapidement que celle qui dure depuis des années. Les personnes atteintes de maladies graves et chroniques, toujours associées à d'autres symptômes d'hypertension nerveuse, sont souvent déraisonnables. Elles espèrent une guérison extrêmement rapide. Elles ont du mal à comprendre qu'il leur faut suivre un cours prolongé de rééducation nerveuse. Elles ne se rappellent pas que l'acquisition de n'importe quelle technique nouvelle, que ce soit l'apprentissage du piano ou d'une langue étrangère, demande des semaines et des mois de pratique si on veut la posséder parfaitement. La vitesse avec laquelle les uns et les autres sont capables de maîtriser les techniques de relaxation diffère grandement. Celui qui souffre d'insomnie depuis des années ne doit pas s'attendre à guérir en moins d'un an. Dans nombre de cas, il faut beaucoup plus de temps encore. En général, le malade constate une amélioration le premier mois, et parfois le second, mais d'habitude de nouvelles complications se présentent de temps à autre. Un traitement prolongé s'impose alors pour éviter toute rechute.

Programme à suivre pour bien dormir

Si vous avez du mal à dormir et souhaitez apprendre comment réduire l'apport d'énergie dans votre corps, la nuit, grâce à la relaxation, suivez ces directives:

— apprenez à relaxer la nuit et au cours de vos activités quotidiennes, tel qu'indiqué aux chapitres treize et quatorze;

— n'oubliez pas qu'après une journée tendue, vous vivez généralement une nuit tendue;

— prenez l'habitude de vous étendre environ une heure vers midi et une autre heure à la tombée du jour;

— dès que le médecin vous y autorise, cessez graduellement de prendre des sédatifs;

— une fois couché, tâchez de trouver une position relativement confortable. Si au bout d'un certain temps vous vous sentez mal dans cette position, ne bougez pas sans cesse. Relaxez malgré l'inconfort temporaire que vous éprouvez;

— n'oubliez pas de vous entraîner à relaxer pendant la journée, sinon vous risquez de perdre tout votre acquis;

— ne vous découragez pas si vous subissez des rechutes;

— par-dessus tout, apprenez à détendre complètement les muscles des yeux et les muscles phonateurs;

— apprenez à relaxer, même en présence de bruits ou d'autres facteurs qui vous dérangent, y compris les malaises modérés et la douleur.

Si vous souffrez d'insomnie depuis longtemps, ce livre peut vous aider notablement, mais vous aurez probablement besoin d'être personnellement suivi par un médecin pour acquérir l'habitude de la relaxation.

Chapitre 12

Autres informations au sujet des personnes tendues

L'existence fiévreuse d'aujourd'hui a partiellement désappris à l'homme la vraie façon de vivre. On laisse au poète le soin de se réjouir devant la lumière du soleil, les oiseaux et les fleurs. L'harmonie des lignes et des courbes est une préoccupation de studio, alors que l'intérêt pour la façon dont les choses se déroulent est laissé au dramaturge. Ces attitudes constituent des carences de la vie moderne attribuables, au moins en partie, au fait que pour apprécier la beauté ou pour faire harmonieusement les choses, il faut savoir se laisser aller. Beaucoup, semble-t-il, n'y parviennent pas. Ils ne parviennent pas plus à atteindre leurs objectifs personnels et, dès lors, leur sort leur déplaît au point de vouloir se suicider.

La vie moderne n'est plus fondée sur l'harmonie, mais sur des impératifs d'ordre économique. Au sens le plus large, l'économie c'est tout ce qui possède une valeur marchande. Dans la plupart des régions occidentales prévaut une forme de matérialisme qui comptabilise les coûts uniquement en dollars. Rares sont les gens qui tiennent compte de ce qu'ils dépensent en énergie nerveuse et mentale. En bonne santé, ils envisagent leurs objectifs avec un sérieux et un acharnement qui se justifieraient seulement s'ils étaient immortels. Une façon saine d'envisager la réalité est évidemment de se rendre compte que l'on peut atteindre le même but en gaspillant moins d'énergie.

Pendant les périodes de tension et les activités qui impliquent une dépense d'énergie considérable, tout individu, comme il est facile de s'en rendre compte, montre des signes extérieurs de diverses contractions musculaires dans tout son organisme. On dit alors de cette personne qu'elle est tendue. Parmi vos amis, vous n'aurez aucune difficulté à reconnaître ceux qui vivent tendus à l'extrême. J'aimerais donner quelques exemples de cas que les médecins rencontrent généralement.

Tout d'abord celui d'un type d'homme très jovial — évidemment vif, énergique et intelligent. Il semble avoir trente-sept ans. Il est marié et n'a pas d'enfants. Il est professeur. Cet homme a la réputation de travailler beaucoup. Lorsqu'il réfléchit, vous notez qu'il plisse le front et qu'il garde les yeux fixes et grand ouverts. Si vous l'observez plus attentivement, vous remarquerez qu'il bouge de temps à autre certaines parties de son corps, évidemment pour être plus à l'aise. Mises à part ces manifestations suspectes, il ne donne pas l'impression d'être tendu, sauf quand il commence à parler de lui. Alors qu'il étudiait au collège, raconte-t-il, il subissait une forte tension intellectuelle. Il se rendait compte qu'il ne cessait, jour et nuit, de penser à son travail. Il n'avait jamais réussi à dormir très profondément mais c'est alors, pour la première fois, qu'il commença à rester éveillé de nombreuses heures chaque nuit. Depuis dix ans, il n'avait jamais vraiment bien dormi et s'était toujours senti tendu. Un examen médical n'avait révélé aucune maladie sérieuse. Malgré tout, cet homme se sentait épuisé. Sa fatigue le privait d'une bonne partie de son efficacité intellectuelle.

Un autre exemple est celui d'une dame adorable, âgée d'environ quarante ans. Elle semble extérieurement réussir à merveille dans la vie. Elle tient son ménage avec bonheur, s'occupe de ses quatre enfants et trouve quand même le temps de faire face à ses obligations sociales, de travailler comme bénévole dans divers comités et de garder une silhouette avenante et souple en pratiquant le ballet. Elle s'adonne à toutes ces tâches avec un calme extérieur apparent, sauf quelquefois quand ses enfants la mettent hors d'elle. Elle admet cependant se sentir fréquemment énervée et irritable. Elle avoue qu'elle a très peur quand elle doit prendre la parole dans une assemblée ou qu'elle doit accepter certaines responsabilités sociales. Ces derniers temps, elle n'a pas bien dormi. Elle a eu quelquefois des nausées ou mal à la tête. Tout comme l'homme dont il était question plus haut, elle ne souffre d'aucune maladie susceptible de la troubler, d'aucun problème sauf évidemment, ses habitudes nerveuses et mentales. On remarque toutefois qu'elle parle un peu vite et un peu trop. Elle fixe ses interlocuteurs avec de grands yeux et change fréquemment d'expression de visage. Elle fronce également les sourcils et plisse le front. De temps à autre, elle bouge ses membres ou pousse un soupir. Dans l'ensemble, elle reste néanmoins assise assez calmement. C'est le récit de ses expériences plutôt que son comportement extérieur qui permet de se rendre compte qu'elle aussi est une personne tendue.

Voici maintenant le cas d'un homme trapu, bien bâti, âgé d'environ quarante-huit ans. Il a le regard pénétrant du cadre supérieur dans une grosse entreprise. Il est capable de jauger la valeur d'un homme d'un seul coup d'oeil. Il parle calmement. Il contrôle son discours. On chercherait en vain quelque signe extérieur de tension. Il est impossible de deviner que cet homme est toujours en alerte, comme "aux abois". À l'instar de ses compétiteurs, en ces temps d'intense activité économique, il a des soucis professionnels. Il se rend compte qu'il est incapable de s'arrêter de penser à son entreprise. Il éprouvait d'ailleurs déjà des problèmes du même ordre en des temps plus faciles. Il lui est souvent arrivé de souhaiter parvenir à contrôler ses affaires tout en les laissant aller leur cours, plutôt que de se faire constamment du souci. À l'examen médical, les médecins n'ont détecté chez lui aucune lésion cardiaque, aucune maladie des reins, aucun dérèglement de la glande thyroïde. Lorsqu'on apprend qu'il ne dort pas très bien, que ses intestins gargouillent souvent pour rien pendant le jour et que sa pression artérielle a déjà été élevée, on se demande si ces symptômes n'ont pas quelque rapport avec la façon dont il fonctionne mentalement.

Une jeune femme de vingt-cinq ans manifeste certains signes faciles à interpréter. Elle travaille comme sténo et, si vous l'observez au bureau, vous remarquerez qu'elle se tient le dos et le cou un peu plus raides qu'il ne le faudrait. Elle se tortille sans cesse comme si elle cherchait une position plus confortable. En même temps, elle plisse le front, fronce les sourcils ou soupire comme si elle était très tracassée ou angoissée. Elle ne reste pas assise dans la même position plus d'une minute et trouve toujours l'un ou l'autre prétexte pour bouger la main, la jambe ou une autre partie de son corps. Quand on lui parle, on ne la sent pas à l'aise. Il n'est pas surprenant de lui entendre dire qu'elle se trouve nerveuse et souvent fatiguée. De toute évidence, elle ne se détend jamais, pas même un peu. Elle a toujours eu une propension à la nervosité. Elle se souvient s'être réveillée une fois après l'annonce de l'arrivée prochaine d'un cyclone. Un vent violent faisait rage. Tout son corps tremblait comme une feuille morte. La même année, elle fit un voyage en Europe. Elle y eut une nouvelle crise de tremblements, cette fois sans raison. Depuis lors, à intervalles irréguliers, elle subit de fréquentes crises de ce genre. Jusqu'à ces deux dernières années, sa vie était relativement calme mais elle dut soigner son père qui souffrait de maladie cardiaque et qui en mourut. Un an plus tard, le médecin de sa compagnie d'assurances l'informe qu'elle aussi souffrait d'un léger souffle au coeur. Cela la tracassa beaucoup. Elle finit par développer un sentiment d'angoisse. Des spécialistes lui assurèrent qu'elle avait le coeur en parfait état, mais leurs avis ne la rassurèrent pas. Après ses crises d'anxiété, elle souffrait de nouvelles douleurs qui, à leur tour, ajoutaient à son angoisse. Ni son apparence ni sa façon de s'exprimer ne laissaient le moindre doute à un observateur attentif: elle vivait dans un état de tension extrême.

Je pourrais continuer indéfiniment à décrire d'autres cas et d'autres genres de symptômes. Comme chacun le sait, chaque organe du corps est pourvu de nerfs qui, lorsqu'on les surmène, produisent des réactions qui dévient de la normale. Je vous propose plutôt de suivre John Doe, un homme extrêmement tendu, dans les tentatives qu'il va faire pour mieux s'ajuster à la vie.

Monsieur Doe est sans doute l'une des nombreuses victimes de l'hypertension nerveuse qui épuise tant de nos contemporains. Il souhaite une guérison rapide. En lisant les journaux, les magazines et les dépliants, il recherche le traitement miracle. Prêt à payer, il fait son choix! Après avoir suivi une cure intensive, il est possible qu'il se sente mieux pendant quelques jours ou même quelques semaines. S'il ne va pas mieux, il se souviendra avoir vu des exercices de yoga à la télévision. Alors il se dit qu'il va essayer ça! Comme tout autre exercice physique, les exercices de yoga peuvent améliorer la circulation sanguine et laisser croire à M. Doe qu'il a enfin trouvé la solution, mais il ne pratique pas de religion et ignore trois choses: d'abord, qu'en Extrême-Orient on n'a jamais enseigné le yoga pour favoriser la relaxation musculaire (c'est pourtant là-bas que le yoga est né et que les adeptes d'une religion asiatique le pratiquent depuis des siècles); en second lieu, John Doe oublie que l'on a tâché de vendre aux Nord-Américains trop crédules l'idée que le yoga favorisait la relaxation depuis que la relaxation progressive a commencé à être connue en Amérique; troisièmement, que l'objectif principal du yoga est de favoriser l'harmonie entre l'âme et le grand Tout. Le but du yoga est de trouver le salut de l'esprit au moyen d'exercices corporels.

Inutile d'insister: les marchands de guérison rapide et d'exercices de yoga en Amérique ne testeront pas leur client avec un appareil comme notre neurovoltmètre intégré pour découvrir si l'amélioration de son état est réelle ou purement imaginaire. De plus, les clients satisfaits n'ont aucune raison de vouloir subir un examen médical. “Là où la sottise règne, il serait sot d'être sage!”

M.Doe va peut-être décider d'aller consulter un excellent médecin habitué à examiner de belles images sur les changements pathologiques dans les tissus. Le médecin conclut qu'il n'a aucune lésion sérieuse et réfère le cas à un neurologue. Le neurologue procède à un nouvel examen et, comme le docteur précédent, conclut qu'il n'y a rien là de pathologique. Tous les nerfs sont intacts. Il dit à M. Doe: “Il n'y a aucune raison de vous inquiéter. Rentrez chez vous et oubliez tout cela!”

M. Doe s'efforce de suivre ce conseil. Il se sent un peu soulagé du fait que les deux médecins ont décrété qu'il n'avait aucune raison sérieuse de se faire du souci, mais les symptômes ne disparaissent pas. Ou, s'ils disparaissent, ils réapparaissent bien vite et l'empêchent de donner sa pleine mesure au travail et de se sentir heureux. M. Doe se demande alors quoi faire.

Il a tendance ensuite à aller de médecin en médecin, avec le sentiment de ne pas parvenir à se faire comprendre. Quand on lui dit qu'il n'est qu'un malade imaginaire, son trouble augmente encore car pour lui le mal est réel. Peut-être finit-il par croiser un médecin qui prétend que la nervosité a toujours pour origine quelque désordre organique et qui découvre une quelconque lésion que les autres n'avaient pas aperçue, par exemple une infection des amygdales. On opère donc et on enlève les amygdales. Le malade s'attend à ce que les nombreux symptômes dont il a souffert depuis des années disparaissent, mais il y a de fortes chances que cet espoir soit déçu. Personne, en effet, n'a jamais prouvé que l'irritabilité et l'excitation nerveuse puissent, en l'absence de fièvre et de malaise, avoir pour origine l'infection.

Bien sûr, si John Doe *est profondément persuadé* que les diverses mesures prises, quelles qu'elles soient, ont réussi à supprimer la cause des souffrances qu'il endure depuis longtemps, ses sens peuvent être à ce point affectés qu'il en résulte quelque amélioration au niveau des symptômes généraux, mais le même type de soulagement aurait pu se produire si le médecin avait prescrit des sédatifs ou des pilules de sucre, en affirmant au malade que sa guérison était assurée. L'effet de telles suggestions s'avère toujours passager; même lorsque le patient s'affirme guéri, il est toujours possible d'observer des signes d'irritabilité et de nervosité. Il est plus que probable que M. Doe va se remettre à aller d'un médecin à l'autre. Cela ne servira probablement à rien, à long terme, de lui enlever l'appendice ou la vésicule, même s'il peut se sentir mieux pour un temps après avoir séjourné à l'hôpital.

Les patients du type de John Doe sont des habitués des cabinets de médecin et des hôpitaux. À la longue, dans certains cas extrêmes, leurs lamentations incessantes finissent même par ennuyer ceux qui devraient les soigner. Quand on ne leur a trouvé aucune pathologie sérieuse, les lamentations de ceux qui souffrent de maladies nerveuses désintéressent souvent les médecins au point que ces malades n'ont d'autre recours que de se tourner vers certaines pratiques para-religieuses ou de chercher du secours auprès des charlatans. La patience est une qualité que ne possède pas celui qui est hypertendu. En Bourse, il essaie de devenir vite riche. Malgré des pertes répétées, il mise, mise et tâche toujours de décrocher le gros lot. Atteint de symptômes nerveux, il y a de fortes chances qu'il tâche de se sentir mieux rapidement, non seulement en passant d'un médecin à l'autre, mais aussi en essayant avec confiance les diverses méthodes dont la publicité prétend qu'elles apportent une guérison rapide. Les méthodes exotiques ont habituellement beaucoup de succès, même si l'engouement à leur égard n'est que passager. On a fait une large publicité à l'acupuncture. Elle semble maintenant en déclin. Les importations bouddhistes, transcendantales ou autres semblent attirer ces nombreuses personnes qui cherchent une amélioration rapide de leur état. Des articles de revues et des livres rédigés par de soi-disant spécialistes présentent de façon enthousiaste des méthodes de relaxation rapide qui attirent ces gens tellement pressés et impatients de guérir.

On peut raisonnablement s'attendre à ce que ces diverses méthodes de relaxation rapide se succèdent les unes aux autres, mais comme les loteries, elles continueront d'exercer leur attrait sur certaines personnes. Il reste bon néanmoins de rappeler qu'un diplôme universitaire ne se gagne pas en un jour ni même en un mois. À long terme, la réalité enseignera qu'un traitement durable des désordres dus à l'hypertension nerveuse et musculaire demande du temps lorsqu'on veut obtenir un résultat durable.

Beaucoup de personnes hypertendues se plaignent de symptômes qui semblent n'avoir aucun rapport avec le système nerveux. Quelque organe particulier semble souvent mal fonctionner. Une personne, par exemple, a remarqué que ses intestins gargouillaient fréquemment. Ces gargouillis s'accompagnent de crampes au ventre. Les selles sont peut-être muqueuses depuis des mois ou même des années. Une autre souffre de constipation chaque fois qu'elle vit des situations éprouvantes. Une troisième éprouve une sensation de constriction dans la gorge qui nuit à son bien-être quotidien et à son travail et que soulagent à peine les rots qu'elle peut faire après avoir bu du soda. Une quatrième pense souffrir de maladie cardiaque parce que parfois son coeur bat très fort et vite, ou irrégulièrement. Beaucoup de patients se plaignent d'avoir fréquemment envie d'uriner. D'autres se plaignent de voir mal, même si les examens chez l'oculiste s'avèrent satisfaisants.

Si les symptômes de M. Doe persistent, comme cela semble probable, il trouvera peut-être un médecin à qui les troubles dus à l'hypertension sont familiers. L'histoire de l'examen peut se raconter à peu près comme suit: le docteur examine la chevelure de M. Doe et la trouve pratiquement normale. Il dirige ensuite une lumière vive dans ses yeux pendant que John Doe regarde dans un coin de la pièce. Ses pupilles se rétrécissent, de même quand il fixe un crayon de près. L'examen de son système nerveux est donc négatif en ce qui a trait à la syphilis. Le docteur examine ensuite l'intérieur du nez. Il y trouve des changements mais qui ne sont pas pertinents par rapport aux malaises dont se plaint le malade. S'il y a infection dans la bouche, M. Doe est référé à un dentiste. La langue peut paraître légèrement grise ou jaune. Chez les personnes nerveuses, l'examen des amygdales et de la gorge produit parfois la toux, mais dans la maladie connue techniquement sous le nom d'"hystérie", le fait de toucher les parois de la gorge ne provoque généralement aucune réaction. Les doigts du médecin palpent le cou de John Doe pendant qu'il avale sa salive. La glande thyroïde est souple et de grosseur normale. Les ganglions lymphatiques ne sont pas gonflés. Lorsque M. Doe aspire profondément, sa poitrine semble bouger librement partout et garder un contour normal. Le docteur tâte et tapote la poitrine. Il s'attarde à la région du coeur et des poumons. Ensuite, il utilise son stéthoscope. La respiration et les battements cardiaques sont normaux, même s'ils sont légèrement accélérés et si le médecin détecte peut-être un souffle qu'il sait sans importance.

Le patient s'allonge. La main du médecin vérifie si le foie et la rate sont en bonne position. S'il est excité ou s'il a peur, le patient peut contracter ses muscles abdominaux, rendant plus difficile le travail du médecin qui veut palper les organes de cette région. Chez les personnes hypernerveuses, certains segments du gros intestin sont fréquemment sensibles à la pression. Ils donnent parfois l'impression d'une masse un peu ferme ou d'un ensemble de masses. Peut-être M. Doe a-t-il déjà ressenti un malaise, dans la partie inférieure droite de l'abdomen, l'amenant à penser qu'il souffrait d'appendicite chronique. À ce stade, le médecin prudent n'établira pas de diagnostic avant d'avoir vérifié tous les faits. Si l'appendice a été enlevé relativement récemment, la région mentionnée peut rester sensible. Le médecin examine ensuite la peau sur l'ensemble du corps et ne trouve probablement rien à signaler, sauf peut-être des rougeurs. Avec un petit maillet de caoutchouc, il frappe légèrement certains tendons, dont celui sous le genou. Il provoque ainsi un mouvement réflexe marqué. Cet examen du réflexe rotulien permet de déterminer si le muscle impliqué et les nerfs conduisant à ce muscle sont intacts. Chez beaucoup de personnes nerveuses, mais non chez toutes, le mouvement est relativement prononcé. Cela prouve que les tissus nerveux et musculaires locaux sont contractés. Si, en cours d'examen, M. Doe est nerveusement excité, son excitation peut provoquer un peu de fièvre comme l'indiquera le thermomètre. S'il se fait beaucoup de souci à propos de sa tension artérielle, il peut arriver que le docteur constate qu'elle a effectivement augmenté. J'ai déjà vu la pression systolique de patients tracassés à ce sujet augmenter de soixante points et retomber à la normale en moins d'une demi-heure, une fois que le patient se met à relaxer. Le médecin qui établit le diagnostic doit procéder à des lectures répétées afin d'être sûr que l'élévation de la tension artérielle est réelle. Les personnes qui souffrent de fatigue chronique ont souvent une tension artérielle en-dessous de la normale.

On renvoie ensuite M. Doe au laboratoire. On prélève des échantillons de son sang et de son urine. Il apprend peut-être que les tests sont négatifs. Ou bien, on lui indique que le nombre de ses globules blancs est trop élevé. Ceci peut indiquer qu'il souffre d'inflammation. Dans certains cas, cela veut simplement dire qu'il était extrêmement nerveux au moment de la prise de sang. Une série d'examens chimiques portent sur le cholestérol sanguin, le calcium, l'urée, tandis que d'autres visent à déterminer si le patient ne souffre pas de maladies vénériennes. On procède également à des examens radiographiques de routine des sinus, des dents, du coeur et des poumons. Prenons pour acquis qu'ils ne révèlent rien d'alarmant. Après que M. Doe a avalé un plein verre de lait contenant du baryum, le médecin examine ses organes digestifs. Les rayons X ne peuvent traverser le baryum. Les organes qui en contiennent sont donc clairement mis en évidence. Aux rayons X, les parois musculaires de son système digestif apparaîtront vraisemblablement contractées de façon irrégulière en divers endroits, un état que l'on qualifie communément de "spasmodique".

Après avoir étudié les résultats des examens, le docteur conclut: "Je suis d'accord avec les médecins que vous avez vus précédemment et qui vous ont dit que vous ne souffriez d'aucune lésion grave du système nerveux ou d'autres organes. Je ne suis cependant pas prêt à dire que vous allez bien, ni que vos douleurs et votre manque d'énergie sont purement imaginaire. Je constate qu'en général vous contractez trop vos muscles. Vous les contractez non seulement quand vous êtes occupé, mais aussi quand vous essayez de vous reposer. Cela signifie que vous surchargez votre système nerveux. Vous gaspillez de toute évidence votre énergie en tous sens sans que cela vous apporte quoi que ce soit. Voilà à quoi attribuer la fatigue dont vous vous plaignez, aussi bien que votre incapacité à dormir d'un sommeil reposant. Les rayons X prouvent que vos organes digestifs sont hypertendus. Je vous conseille donc *d'apprendre à relaxer!*"

Chapitre 13

Le surmenage nerveux et musculaire

Le diagnostic qu'a établi le médecin après avoir examiné John Doe est donc: "problèmes dus à l'hypertension neuro-musculaire". Ce diagnostic pourrait s'appliquer à des millions d'autres personnes qui essaient de s'ajuster aux complications et à l'agitation de la vie moderne. Les propos du médecin toucheront peut-être profondément M. Doe et lui rendront peut-être espoir, mais M. Doe a du mal à comprendre la signification du diagnostic. Il ne voit pas bien pourquoi le docteur lui conseille d'apprendre à relaxer. En examinant le cas de ce patient, on est amené à se poser quelques questions fort intéressantes. Qu'arrive-t-il au système nerveux des personnes qui mènent une vie extrêmement agitée ou qui souffrent de malaises angoissants ou douloureux? La recherche en laboratoire peut-elle contribuer à donner au médecin une image précise de ce qui se déroule dans leur organisme? Si oui, l'occasion se présente enfin de remplacer par des notions et des faits précis, les spéculations et les devinettes qui ont eu cours depuis des dizaines d'années dans le domaine des maladies "fonctionnelles" et des troubles psychiatriques.

Que signifie l'expression: "tension excessive"? Avant de répondre, j'aimerais rappeler que, quoi qu'on fasse, on contracte pour le faire certains muscles quelque part dans le corps. Cette remarque s'applique aussi bien aux activités vitales, comme la respiration, qu'à d'autres activités, comme la parole, qu'on oublie plus facilement de mentionner. Chaque mouvement de l'être dépend d'un raccourcissement de fibres musculaires. Les muscles comptent pour environ la moitié du poids de l'ensemble du corps. Chaque muscle est doté d'un double réseau de nerfs. Un ensemble de nerfs apporte les messages au muscle, tandis qu'un autre ensemble véhicule les messages qui proviennent des muscles jusqu'au cerveau et à la moelle épinière. Quand les nerfs qui arrivent à un muscle sont actifs, ce muscle l'est aussi. L'activité neuro-musculaire est de nature chimique. Le message court le long des nerfs comme une onde à une vitesse qui, chez l'être humain, varie entre quarante et cent mètres environ à la seconde. Cette onde est de nature électrique, mais elle ne va pas aussi vite que le courant électrique qui circule dans les fils à la vitesse de la lumière.

À partir de ce que je viens de dire, il est évident que, lorsqu'un muscle se contracte, l'impulsion électrique se retrouve non seulement dans le muscle lui-même, mais aussi dans les nerfs qui y conduisent ou qui en viennent. Il est souvent plus facile de comprendre le fonctionnement de l'organisme humain en le comparant à une machine. Quand une voiture roule, ses roues tournent en fonction de sa vitesse. À cent kilomètres à l'heure, les roues effectuent à peu près trente révolutions complètes à la seconde. Les nerfs possèdent également certaines vitesses de réaction à la minute, de même que les muscles, comme le prouvent les instruments de mesure. Dans les muscles, lorsque la tension croît, la décharge varie d'une à soixante-dix impulsions par seconde ou plus. Les personnes qui dépensent trop d'énergie, qui pensent et agissent de façon contractée, reçoivent dans les nerfs et les muscles des décharges beaucoup plus fréquentes qu'il n'est bon pour la santé et qu'il n'est nécessaire pour la réalisation de leurs objectifs. Les décharges ou les influx nerveux dans leurs muscles produisent alors des contractions musculaires. Voilà donc une façon facile de décrire l'hypertension nerveuse, ou ce qui se passe lorsque les nerfs sont trop actifs. En fait, c'est l'incapacité de relaxer quand on devrait ménager ses énergies.

L'athlète qui participe à une compétition sportive, l'étudiant en train de passer un examen, le soldat sur le champ de bataille se trouvent évidemment dans un état de haute tension nerveuse. Si on relie leurs muscles à des instruments de mesure, il faut s'attendre à ce que ces instruments enregistrent des décharges électriques à fréquence élevée. Mais si ces mêmes personnes sont couchées et si rien d'extérieur ne les excite, les décharges nerveuses ont, bien sûr, beaucoup de chances d'être moins fréquentes. Pourtant, il se produit exactement le contraire chez ceux qui vivent une existence hypertendue. Dans des conditions propices à la relaxation, les appareils de mesure montrent qu'ils sont incapables de relaxer. Le surmenage nerveux est devenu caractéristique.

Sommes-nous certains que ces personnes ne souffrent pas de quelque maladie, évidente ou cachée? Beaucoup de patients (et quelques médecins) ont tendance à croire que là où l'on trouve une nervosité anormale, il doit également y avoir quelque cause "physique". Cette façon de penser est confuse. Ces gens parlent généralement de la nervosité comme si elle n'avait rien de physique, alors que nous venons tout juste d'en décrire certaines caractéristiques physiques précises. En fait, ce qu'ils pensent vraiment, c'est que seuls une tumeur, une inflammation des tissus ou un mauvais fonctionnement des glandes quelque part dans l'organisme peuvent provoquer la nervosité. La preuve que l'hyperactivité nerveuse ne dépend pas nécessairement d'états pathologiques repose d'abord sur les conclusions convergentes de cliniciens méticuleux. Tous s'accordent à dire que beaucoup de personnes peuvent être névrotiques, même quand des examens médicaux fréquents n'ont relevé aucun état pathologique. Elle repose ensuite sur l'expérience familière à l'ensemble des êtres humains qu'une suite d'évènements éprouvants ou de catastrophes produit immanquablement une irritabilité nerveuse ou l'énervement. Elle repose enfin sur le fait qu'il y a moyen de traiter les symptômes nerveux de personnes souffrant d'états pathologiques précis, sans que ces états pathologiques eux-mêmes disparaissent une fois aplanies les difficultés de leur vie, ou dès lors qu'elles ont appris à relaxer.

Il ne fait aucun doute par ailleurs que toute maladie grave tend à contribuer à une hyperactivité neuro-musculaire. Elle se produit le plus communément quand il y a douleur ou gêne persistante. Presque tout le monde s'est déjà senti devenir de plus en plus tendu pendant de fortes migraines, des rages de dents ou des maux de ventre. J'ai fréquemment testé ce point sur des sujets normaux qui reposaient tranquillement sur un lit de laboratoire et qui avaient précédemment montré qu'ils étaient capables de relaxer. Quand un malaise se produisait, comme un mal de tête ou sous l'effet d'un bandeau qu'on leur serrait autour du bras à titre expérimental, des courants électriques indiquaient l'hyperactivité neuro-musculaire des sujets.

Chaque médecin a déjà rencontré des cas de nervosité provoqués par certaines drogues stimulantes ou certains poisons ingurgités par voie orale. Des bactéries peuvent également être responsables de tels empoisonnements, notamment à certains stades de la fièvre typhoïde. Tout état fébrile grave s'accompagne d'un accroissement de l'activité nerveuse. Il ne serait pas sage toutefois de généraliser et d'en déduire que toute infection d'origine bactérienne, à n'importe quel stade, provoque l'hyperactivité nerveuse. Cela reste à prouver pour chaque maladie spécifique.

En plus du malaise et de l'anxiété fréquemment associés à certaines lésions qui requièrent une intervention chirurgicale, les malades deviennent souvent de plus en plus agités à mesure qu'approche le moment de l'opération. Une fois l'opération terminée, pendant la période de convalescence à l'hôpital, la nervosité s'atténue généralement. Le patient et son médecin devraient être très prudents lorsqu'ils attribuent cette diminution de la nervosité à l'opération plutôt qu'au repos forcé. En émettant cette mise en garde, je ne veux cependant pas minimiser l'importance des opérations quand elles sont nécessaires.

Certains patients rapportent parfois qu'ils sont devenus nerveux après un empoisonnement alimentaire. Ils ont vomi ou bien ont souffert de diarrhée. Nous manquons malheureusement de tests pour détecter certains types d'empoisonnement alimentaire qui existent vraisemblablement. Quand un grand nombre de personnes ont mangé la même nourriture et sont toutes tombées malades en même temps, la preuve circonstancielle est facile à faire, mais quand une personne est seule à en souffrir, n'a pas de fièvre et manifeste peut-être certains symptômes nerveux apparents, les symptômes peuvent aussi bien être attribuables au seul dérangement nerveux. En l'absence de preuves, aucune conclusion ne saurait être tirée.

On retrouve également l'hyperactivité nerveuse dans une maladie impliquant la glande thyroïde: le goitre toxique. Dans ce cas précis, il ne fait aucun doute qu'une sécrétion thyroïdienne excessive ou déréglée provoque l'hypertension nerveuse.

Après une infection aiguë, comme la grippe, il arrive parfois que l'on souffre d'insomnie ou d'irritabilité. Il est impossible de déterminer si cette irritabilité est attribuable à l'action des bactéries, au malaise lui-même ou à l'agacement devant les symptômes et au fait d'être immobilisé.

Certains types d'invalidité ou certains défauts physiques qui handicapent un individu dans ses relations avec son environnement contribuent à développer la tension nerveuse: par exemple, une mauvaise vue, la surdité, le bégaiement ou le bafouillement, la paralysie des jambes, certaines déformations et anormalités mentales.

Dans tous les cas, ce qui provoque la douleur et l'angoisse peut évidemment causer aussi l'hyperactivité nerveuse. Les drogues stimulantes et les bactéries qui causent la fièvre peuvent avoir le même effet. Des tissus enflammés et gonflés qui distendent les extrémités des nerfs sensoriels créent sans aucun doute l'hypertension nerveuse. Dans les cas pathologiques cependant, par exemple quand quelqu'un souffre d'abcès chroniques aux dents ou d'inflammation des amygdales ou de quelque autre organe, on ne peut pas attribuer ces malaises à un accroissement de la tension nerveuse si le patient ne ressent ni douleur ni gêne. Beaucoup de personnes, en effet, souffrent de ces troubles sans être excessivement tendues et la disparition des sources d'inflammation n'amène pas non plus de changement marqué dans les réactions nerveuses de ces patients. Il faut être très sceptique lorsqu'on entend raconter des histoires où il est question de guérisons miraculeuses de certains malades mentaux ou de patients atteints de troubles nerveux graves après qu'on leur a simplement arraché une dent qui ne leur faisait même pas mal.

Autre exemple de surmenage, beaucoup d'enfants deviennent nerveux à cause de la surveillance excessive qu'exercent leurs parents à leur endroit. Ils se sentent stimulés comme le comédien pendant une représentation alors qu'il sait que le public observe chacun de ses gestes. Cette surexcitation est particulièrement évidente le soir, quand le père rentre à la maison.

J'en ai dit assez pour donner une idée générale de certaines causes d'hypertension nerveuse. Beaucoup de malades prétendent que ce sont leurs soucis qui provoquent leurs symptômes nerveux; leur état de santé les préoccupe fréquemment, ou l'état de santé d'un proche, mais les ennuis d'argent restent toutefois la cause de problèmes la plus fréquente. Ces expériences sont tellement répandues qu'elles ont fait l'objet de nombreux romans. Par exemple, le personnage principal du livre *Ultima Thule* d'Henry Handel Richardson, a perdu sa fortune et ses amis. Son fils est également mort. Il a fini par se sentir de plus en plus tendu. Le héros donne une assez sinistre description de ses souffrances: "S'éveiller la nuit et savoir que chaque fois qu'on s'éveille, il n'y a plus aucune lueur d'espoir... juste la peur et le noir. S'éveiller la nuit, d'un coup, en pleine possession de sa lucidité! S'éveiller et se retrouver chaque fois au même point, nuit après nuit! Savoir que vous devrez inexorablement combattre un à un les démons qui vous attendent! Que vous n'en pourrez laisser aucun vainqueur, avant d'espérer atteindre cette paix qui gît au bout de l'épuisement... Ses pensées lui venaient toujours dans le même ordre. L'avenir... qu'en serait-il de l'avenir?"

Le public s'intéresse évidemment beaucoup aux états subjectifs que provoquent l'hypertension et le surmenage nerveux, ainsi qu'à leurs causes. Le propos principal de ce livre consiste à en découvrir les manifestations objectives et à voir comment les régulariser et comment soulager l'hyperactivité neuro-musculaire. J'en suis venu à la conclusion que les nerfs sont hyperactifs quand on peut y déceler des décharges électriques dont le rythme et l'ampleur sont plus élevés que la normale. Ce phénomène se retrouve chez quiconque contracte ses muscles inutilement, que ce soit au moment où il essaie de se reposer ou pendant ses activités habituelles. Les causes du surmenage nerveux sont nombreuses mais, au nombre de ces causes, il convient de souligner particulièrement les difficultés et les pressions de la vie moderne.

J'ai dressé plus haut la liste de divers types de maladies et de malaises qui mènent habituellement à l'hypertension nerveuse. Quelle qu'en soit la cause, une fois qu'une personne a pris l'habitude de vivre de façon tendue, cette tension neuro-musculaire tend à devenir son état habituel. Pour se défaire de cette mauvaise habitude, il lui faut apprendre à contrôler sa tension.

Chapitre 14

Les tranquillisants et les sédatifs

Beaucoup de gens essaient souvent de se calmer les nerfs en prenant ce type de médicaments que l'on appelle "tranquillisants". La fabrication des tranquillisants est devenue une grosse entreprise. Cela prouve à quel point les désordres dus à la tension nerveuse sont répandus. On vend environ cent cinquante millions de tranquillisants par an aux États-Unis. Et la demande semble continuer de croître.

On a prouvé un jour qu'on parvenait à calmer certains signes malins et à les rendre inoffensifs pour un temps en administrant un produit dérivé d'une plante appelée "serpentaire". Cette expérience déclencha l'utilisation massive de tranquillisants dans la pratique médicale quotidienne. Aujourd'hui, la demande est si forte que, là où la loi le permet, les pharmaciens vendent habituellement des tranquillisants à leurs clients, même sans prescription. En anglais, ces pilules s'appellent "happy pills", c'est-à-dire littéralement "pilules de bonheur".

Il ne fait aucun doute qu'en certaines circonstances les tranquillisants peuvent être très utiles à beaucoup de psychiatres. Ils ont été d'un grand secours dans nombre d'hôpitaux et surtout dans le cas de patients délirants ou coupés de tout contact avec leurs infirmières et ceux qui avaient à s'occuper d'eux, mais on leur a fait une publicité excessive. Les tranquillisants sont faciles à prescrire et faciles à prendre. Ils représentent donc une tentation constante pour le médecin débordé de travail, surtout s'il ne veut pas donner trop de son temps ou s'il n'éprouve pas grand intérêt pour des techniques plus approfondies.

Un nombre sans cesse croissant de médecins émettent de vives réserves quant à l'utilisation désordonnée et abusive des tranquillisants.

Les docteurs H.A. Dickel et H.H. Dixon ont souligné le danger, pour le médecin ordinaire, de succomber aux pressions de plus en plus grandes des fabriquants et des consommateurs de telles drogues. Ces deux médecins reconnaissaient sans doute le rôle utile des craintes et de l'anxiété dans l'évolution vers un mieux-être. Il ne faudrait donc pas que l'usage des stupéfiants les annihile complètement.

Les pages éditoriales des revues médicales sont pleines de mises en garde contre l'abus de tranquillisants. Le rédacteur en chef d'un des principaux journaux scientifiques médicaux écrivit, dans une lettre adressée au président de la Fondation pour la relaxation scientifique: "Je suis profondément d'accord avec tout effort entrepris pour combattre la consommation massive et la vente à grande échelle de drogues. Beaucoup d'entre nous voient avec inquiétude leur popularité grandir."

Presque tout le monde sait que beaucoup de ces médicaments ont des effets secondaires et amènent des complications: ictères, éruptions cutanées, crises d'asthme, changements au niveau du sang et delirium toxique, par exemple. Des recherches ont été entreprises pour mettre au point des tranquillisants qui auraient moins d'effets secondaires nocifs. On en a découvert plusieurs qui sont plus ou moins satisfaisants, mais les réactions individuelles varient et ils continuent de produire de mauvais effets sur certaines personnes. On proclame que les meilleurs tranquillisants ne plongent pas celui qui les prend dans un état de somnolence. Malgré tout, beaucoup de ceux qui prennent des tranquillisants se sentent quand même endormis. Ils sont moins efficaces au travail. Ils agissent beaucoup plus lentement. On dirait que les pilules les assomment. Le docteur F. Lemere a prouvé que lorsqu'on interrompait l'utilisation de tranquillisants en cours de thérapie, certains des patients se sentaient nerveux et déprimés.

Pour calmer le système nerveux, certains médecins ne prescrivent pas seulement des tranquillisants mais aussi des sédatifs. Au nombre de ces sédatifs, il y a les barbituriques, les bromures, etc. Les sédatifs, comme les tranquillisants, agissent habituellement en réduisant le tonus des tissus nerveux. Il faudrait être conscient qu'en les prenant, on introduit des substances toxiques dans l'organisme. Elles agissent en gros comme des poisons à faible dose. Leur action abaisse temporairement le tonus de certaines fonctions et annihile en particulier tout ce qui nous permet de faire des efforts.

Pourquoi donc abaisser de façon aussi artificielle notre tonus alors que nous sommes capables, sans recourir à des médicaments, de mettre un terme à ces efforts inutiles? Des gens civilisés n'ont certainement nul besoin de recourir à la "serpentaire", aux barbituriques ou à d'autres potions pour mettre un terme à des efforts qui résultent de leur propre volonté! Il existe un moyen plus direct et plus sain. Le plus court chemin entre deux points est la ligne droite. Le plus court chemin entre l'effort et l'absence d'effort est la relaxation scientifique. La relaxation scientifique représente un progrès évident par rapport aux drogues. Mieux que ces dernières, la relaxation permet l'autoréduction du tonus musculaire.

Les sédatifs, tels les barbituriques et les bromures, produisent communément une sorte de lourdeur, une sensation d'assoupissement qui calme toujours plus ou moins la nervosité, tout au moins jusqu'au moment où une nouvelle dose de sédatifs est requise. L'utilisation de ces drogues sur une longue période tend à en atténuer l'effet. Il faut donc augmenter la dose ou changer de médicament. Les sédatifs mènent parfois à la dépendance. S'ils sont sans aucun doute utiles dans certaines occasions, particulièrement dans le cas de certaines maladies graves, de nombreux médecins et moi-même croyons qu'on les emploie aujourd'hui à tort et à travers.

Les sédatifs ne provoquent pas seulement la dépendance, ils ont également très souvent comme effet secondaire d'être des dépressifs. Je l'ai constaté souvent: le malade peut être émotivement dérangé et sa façon de percevoir les difficultés auxquelles il fait face peut s'altérer au point même de rendre son cas pathologique. Ces seules raisons suffisent pour que beaucoup de médecins renoncent aux sédatifs ou n'y recourent qu'avec beaucoup de prudence.

Plusieurs choix s'offrent heureusement au médecin qui décide d'aider vraiment un malade nerveux, perturbé et peut-être hypocondriaque, tel qu'on en rencontre si souvent lorsqu'on pratique la médecine. Quand le médecin désespère d'une solution pharmacologique, il peut, s'il le désire, utiliser des procédures physiologiques plus directes et souvent non moins efficaces. J'ai montré que, pour calmer un malade nerveux et tendu, un médecin doit comprendre le traitement physiologique qu'il entreprend aussi bien que s'il recourait à la pharmacothérapie. Il y a donc des chances qu'il lui faille consacrer plus de temps et d'attention aux besoins du malade que s'il se contentait simplement de lui rédiger des prescriptions. Les résultats montrent bien souvent que ces efforts en valent la peine. De plus, ce type de traitement ne comporte pas d'effets secondaires indésirables.

Les recherches physiologiques prouvent que la tension chez l'être humain (y compris les états de tension qu'atténuent au moins partiellement les agents tranquillisants) comporte toujours une contraction temporaire, plus ou moins durable, des muscles squelettiques. On a de plus appris que ces contractions des muscles squelettiques reflètent les objectifs d'un patient et les efforts qu'il fait pour résoudre ses problèmes et réussir ce qu'il a entrepris. Si le médecin prend le temps qu'il faut, y compris le temps de connaître l'histoire détaillée des tribulations et des aspirations de son malade, ces états d'effort-tension peuvent lui en apprendre beaucoup sur son patient. Ensuite, le médecin devra lui-même se familiariser avec la physiologie des techniques de relaxation progressive et enfin les faire appliquer progressivement par son malade. Il se rendra lui-même compte que le malade possède en lui ce que mon ami Oscar Mayer appelait un "tranquillisant interne".

J'ai toutes les raisons de croire, en tenant compte de principes physiologiques fondamentaux, que le médecin ne sera pas seulement amené à mieux saisir les états de tension sous-jacents aux symptômes de son malade, mais qu'il sera capable de lui montrer que c'est le caractère excessif de ses propres efforts qui est en grande partie responsable de son stress et de sa tension. En procédant ainsi, le médecin lui ouvre la voie d'un soulagement durable. Il est notoire que les tranquillisants, et bien sûr tous les sédatifs, produisent leur effet au moyen d'une action toxique sur certaines parties du système cervico-neuro-musculaire. Les techniques physiologiques de relaxation progressive, au contraire, ne perturbent pas du tout le système et le laissent intact. Il n'y a pas que l'aspect direct de l'approche et l'absence d'effets secondaires qui militent en faveur d'un traitement de type physiologique. De toute évidence, les enseignements que le malade reçoit de son médecin, concernant son mode de vie et sa façon d'aborder les difficultés, ont bien des chances de lui rester plus longtemps et d'avoir des effets à plus long terme que n'importe quel tranquillisant.

Chapitre 15

Les loisirs, le repos et l'exercice physique n'éliminent pas la tension

Beaucoup de gens affirment "relaxer" en conduisant leur voiture, en faisant du jardinage, en collectionnant des timbres-poste, en jouant au golf ou en s'adonnant à quelque autre passe-temps. Ils n'ont en fait qu'une très vague idée de ce qu'ils veulent dire par "relaxer". Le terme ne signifie certainement pas pour eux ce qu'il signifie dans ce livre, car rien ne prouve qu'ils ménagent leur énergie.Ils seraient incapables de gérer leurs affaires, même une toute petite boutique, avec des idées aussi vagues et sans se soucier des coûts financiers de leur entreprise. Ils ne savent pas que leurs passe-temps sont en réalité une dépense d'énergie.

Il y a parfois des professeurs au nombre de ceux qui font confiance aux passe-temps et aux divertissements de toutes sortes pour relaxer. Un jour, l'éminent directeur du département d'éducation physique d'une université voisine visita ma clinique. Il voulait me remettre un exemplaire dédicacé d'un livre qu'il avait écrit sur la kinesthésie. Pendant notre conversation, il me fit remarquer que nos champs d'études étaient voisins. Son cadeau m'honorait et je ne manquai pas de l'en remercier.

Le golf était un de ses passe-temps favoris. Un an plus tard environ, le journal m'apprit qu'il était mort d'une crise cardiaque qui l'avait terrassé en plein terrain de golf. Ce professeur aurait certainement eu mieux à faire que de s'adonner aux sports s'il avait souhaité mener une vie remplie.

Ce que j'essaie de dire, c'est: "Chaque chose à sa place". Le golf est sans doute excellent pour certains, mais pas pour les cardiaques! Personnellement, j'ai pris beaucoup de plaisir à jouer, même mal, au tennis. Je crois que, pendant mon séjour à l'université, je me suis renforcé les muscles en courant deux kilomètres tous les jours et en pratiquant quotidiennement des exercices de respiration profonde (exercices qui sont absolument hors de propos quand il s'agit d'apprendre à relaxer les muscles respiratoires).

Avec des idées claires, il y a moyen de choisir la thérapie appropriée en vue de l'objectif que l'on souhaite atteindre. Collectionner des timbres, par exemple, peut être agréable mais ne vous aidera pas à maigrir. Les exercices physiques et les sports sont importants pour le plaisir qu'on peut en tirer et aussi pour le développement des muscles et pour la circulation sanguine. Ces activités font partie d'un mode de vie bien équilibré, mais elles ne possèdent pas toutes les vertus. Elles coûtent de l'énergie, elles n'en ménagent pas. Ces dépenses d'énergie peuvent néanmoins en valoir la peine, surtout dans le cas de personnes en bonne santé. Les personnes atteintes d'insuffisance coronarienne, comme ce professeur dont je viens de parler, devraient apprendre à ménager leur coeur grâce aux techniques de contrôle de tension plutôt que de s'exposer aux dépenses excessives d'énergie que demande le golf, par exemple.

Pour être plus clair, on me permettra d'expliquer qu'un jour j'eus l'honneur d'être consulté, voici de nombreuses années, par une sommité en matière de golf, le chroniqueur sportif Grantland Rice. Il voulait savoir qu'elle était la façon la plus décontractée de jouer au golf. Il me téléphona et, pendant quatre-vingt-dix minutes, m'interrogea sur un sport que je n'avais jamais pratiqué. Mais, bien sûr, comme l'illustre aujourd'hui le remarquable frappeur qu'est Mike Marshall, l'apprentissage du contrôle de la tension reste le même, qu'il s'agisse de sport professionnel ou de l'éducation d'enfants à l'école élémentaire.

Nombre de mes patients, devenus capables de contrôler efficacement leur tension pour réduire leurs nombreux malaises d'ordre digestif, circulatoire ou autre, parlent maintenant avec enthousiasme du progrès que la relaxation différentielle leur a permis de faire dans la pratique au golf.

Un exemple mérite particulièrement que l'on s'y attarde. Vers la fin de la Première Guerre mondiale, un militaire américain m'expliqua au cours d'une consultation que son parachute ne s'était pas ouvert quand il avait tiré sur la corde. Il s'était écrasé sur le sol et le parachute lui était tombé dessus, lui brisant le dos. Les chirurgiens militaires parvinrent à lui sauver la vie mais il continua d'éprouver des douleurs chroniques graves. Il vint donc nous voir à notre clinique de Chicago. Après plusieurs mois de pratique régulière de la relaxation progressive, ses douleurs chroniques s'atténuèrent beaucoup. Une fois guéri, il se dirigea vers un terrain de golf pour la première fois de sa vie. En présence de golfeurs professionnels, il joua sa première partie. Ces professionnels furent à ce point impressionnés qu'ils le pressèrent d'apprendre à jouer. Il apprit et devint l'un des plus remarquables golfeurs professionnels du pays.

Mais revenons aux passe-temps! Un peu de jugeote leur assignera, tout comme aux sports et à l'exercice physique, une place appropriée dans nos vies. Il s'agit simplement de ne pas y recourir comme s'il s'agissait de remèdes universels, ainsi que le font souvent les gens qui ne réfléchissent pas.

Bref, les passe-temps, les distractions et les amusements apportent du plaisir, mais ils ne contribuent pas à réduire les désordres dus à l'hypertension neuro-musculaire, relevés au premier chapitre, pas plus qu'ils ne peuvent guérir la diphtérie, le cancer ou la dysenterie amibienne.

La même remarque s'applique aux vacances, que beaucoup de gens considèrent à tort comme des cures-miracle pour toutes les maladies, y compris leurs malaises neuro-musculaires. Les vacances permettent un intéressant changement d'occupation et de lieu. Par contre, ce qu'elles ne permettent pas d'habitude, c'est précisément l'épargne d'énergie, même temporaire — et je ne parle même pas à long terme. Le fait est bien connu: en vacances, beaucoup de gens se lancent à corps perdu dans des activités distrayantes, dans le jeu et/ou l'exercice physique. Ils dépensent leur énergie sans compter, dans des activités inhabituelles, plaisantes certes, mais démesurées.

Il faudrait conseiller aux malades qui apprennent le contrôle de la tension d'en continuer la pratique quotidienne, même pendant les vacances. Autrement, au retour, il y a de fortes chances qu'ils soient plus tendus qu'au moment où ils laissèrent leur train-train habituel.

La raison pour laquelle les passe-temps, les vacances, les distractions et tous les divertissements ne parviennent pas à réduire les problèmes dus à l'hypertension neuro-musculaire est qu'ils représentent souvent de folles dépenses énergétiques. Ils n'épargnent aucunement l'adénosine triphosphorique comme peut le faire un contrôle professionnel de la tension.

Il est raisonnable de se poser deux questions supplémentaires: pourquoi une personne tendue a-t-elle intérêt à apprendre la relaxation progressive? Pourquoi ne pas se contenter de s'étendre environ une heure par jour et d'attendre les résultats?

Un article apporte la réponse à ces questions. Il s'agit d'une enquête sur des malades qui n'avaient pas appris à relaxer. Par contre, ils étaient restés étendus une heure ou plus chaque jour pendant des périodes variant de quatre à neuf mois. On prit des mesures de la tension musculaire dans la région du biceps droit sur sept de ces malades. Trois d'entre eux étaient médecins. Malgré leur habitude de s'allonger, tous rapportèrent que, même couchés, ils restaient très agités, presque autant que lorsqu'ils se livraient à leurs occupations quotidiennes. Tous étaient prêts à admettre qu'ils ne parvenaient pas à relaxer d'habitude et qu'ils ne savaient d'ailleurs pas comment s'y prendre. Après lecture de leur histoire médicale, en étudiant leurs symptômes et en observant leur comportement, on avait l'impression qu'ils avaient effectivement raison: ils ne savaient pas relaxer.

Un exemple particulier peut illustrer ce que l'on découvrit chez toutes ces personnes. Le malade dont il s'agit était un chirurgien que je vis pour la première fois alors qu'il était âgé de soixante et un ans. À cinquante-trois ans, sa tension systolique était de 175 et sa tension diastolique de plus de 113. Les compagnies d'assurances refusaient de lui émettre une assurance-vie. À soixante et un ans, après son retour à Chicago et une fois revenu à l'exercice de sa profession, il s'était obligé à rester couché une heure tous les midis pendant dix-huit mois. Ce repos quotidien ne fit pas baisser sa tension artérielle et ne mit pas un terme à sa constipation.

Avant de lui apprendre à relaxer, nous fîmes des vérifications sur son biceps brachial alors qu'il était au repos, couché sur le dos. Ces vérifications indiquèrent une tension musculaire. Le chirurgien ne savait donc pas relaxer. Après avoir suivi notre entraînement, des vérifications du même genre furent effectuées à nouveau. Son état s'était amélioré. Ses muscles étaient plus décontractés.

Le chirurgien s'entraîna à relaxer. Sa tension artérielle se mit à descendre au fur et à mesure qu'il faisait du progrès.

Le 27 avril 1940, avant une séance de thérapie d'une heure, sa tension artérielle systolique était de 160 et sa tension diastolique de 116. Il suivit des séances d'entraînement à la relaxation une heure tous les deux jours. Il pratiquait également chez lui, une heure par jour.

Sa tension artérielle continua de baisser graduellement, même s'il poursuivait sa carrière mouvementée de chirurgien. Vers juillet 1942, sa tension artérielle était considérablement réduite. Le 28 juillet, avant une séance de thérapie, sa tension systolique était de 135 et sa tension diastolique de 90.

Comme l'amour véritable, les améliorations dans le domaine de la tension artérielle ne vont pas toujours de soi. Il y eut des rechutes, dont une lorsque sa femme mourut d'épithélioma.

Je lui rendis visite un jour dans son appartement de Chicago où il vivait avec sa charmante deuxième femme. Il avait alors quatre-vingt-douze ans. Un an plus tard, je lui pris la tension pendant qu'il était assis. Sa tension systolique était de 128 et sa tension diastolique de 80. Je lui demandai s'il continuait de pratiquer le contrôle de la tension neuro-musculaire. Il me répondit que la pratique de la relaxation faisait partie intégrante de sa vie. Il avait l'esprit clair. Il n'était pas nerveux et vivait heureux bien qu'il était légèrement atteint par la maladie de Parkinson.

Deuxième partie

Une culture nouvelle pour bien vivre dans un monde agité

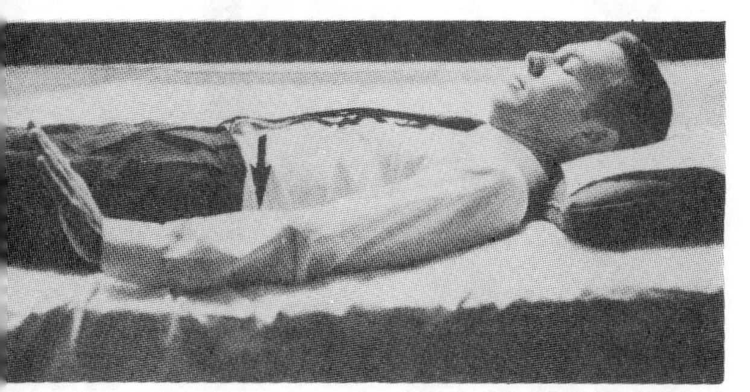

1 — Si vous repliez la main vers l'arrière, vous remarquerez une *tension* dans la partie arrière de l'avant-bras.

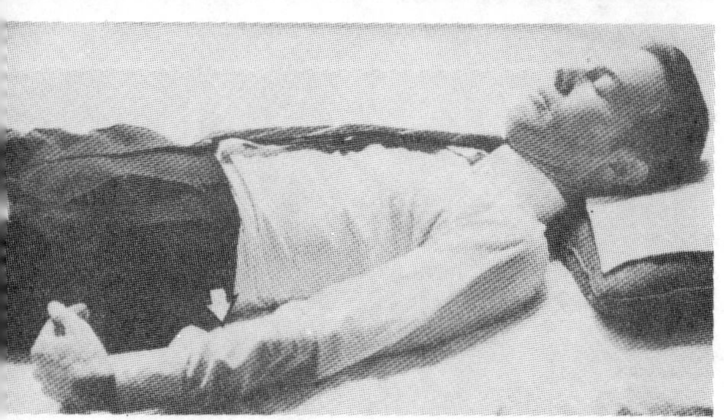

2 — Si vous repliez la main vers l'avant, vous remarquerez une *tension* dans la partie avant de l'avant-bras.

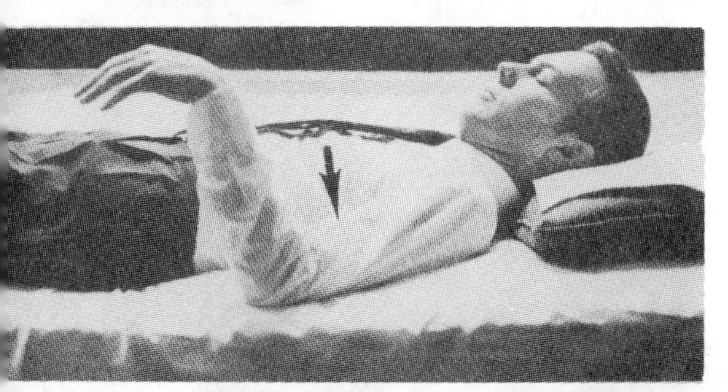

3 — Fermez les yeux, gardez le bras gauche fermement plié. Vous noterez une sensation particulière dans le muscle cubital antérieur, tel le désigne la flèche. Cette sensation s'appelle "*tension*".

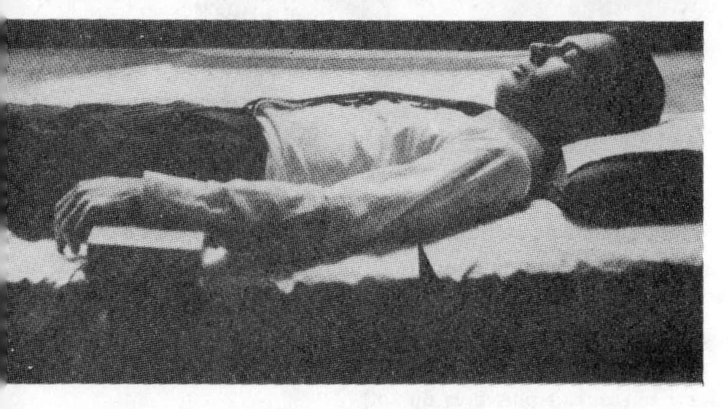

4 — Si vous allongez le bras et appuyez le poignet sur une pile de livres, en laissant pendre la main, vous apprendrez à reconnaître la *tension* dans le muscle cubital postérieur, tel le désigne la flèche.

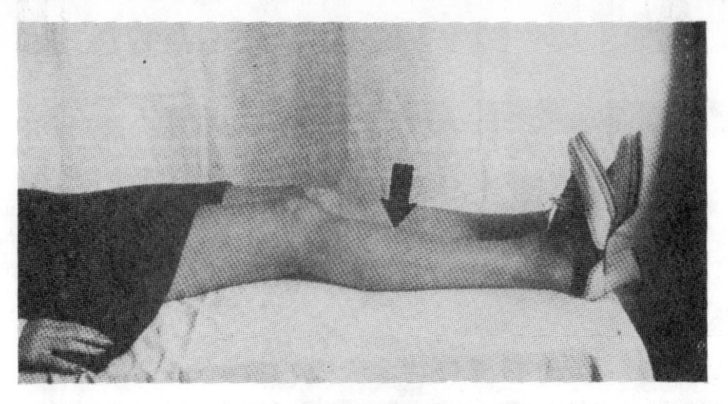

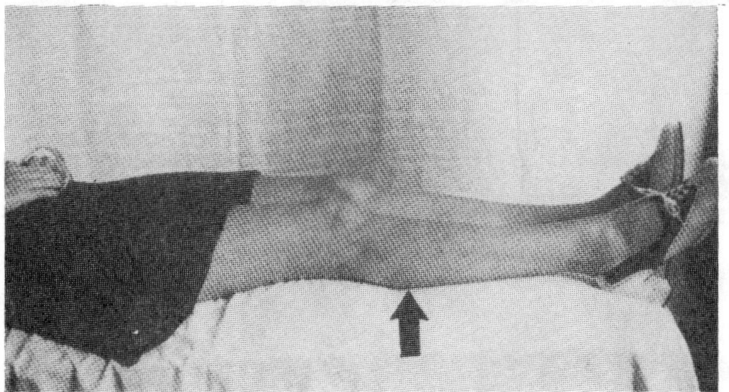

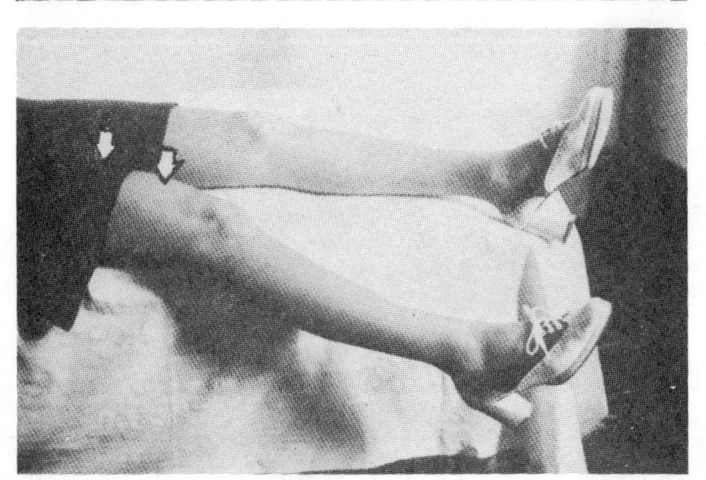

5 — Si vous pliez le pied vers le haut, vous remarquerez une *tension* dans les muscles qui se trouvent au-dessous de la rotule.

6 — Si vous pliez le pied vers le bas, la *tension* se manifestera dans les muscles du mollet.

7 — En étendant la jambe, vous remarquerez une *tension* dans la partie antérieure de la cuisse (précédemment, lorsque vous relaxiez, le pied posé sur le lit, votre chaussure se trouvait plus près du sol).

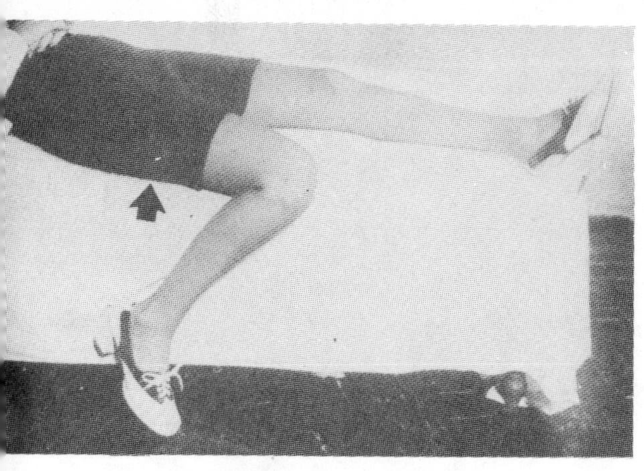

8 — En repliant la jambe (c'est-à-dire, en ramenant le pied vers l'arrière), la *tension* se manifeste dans la partie arrière de la cuisse.

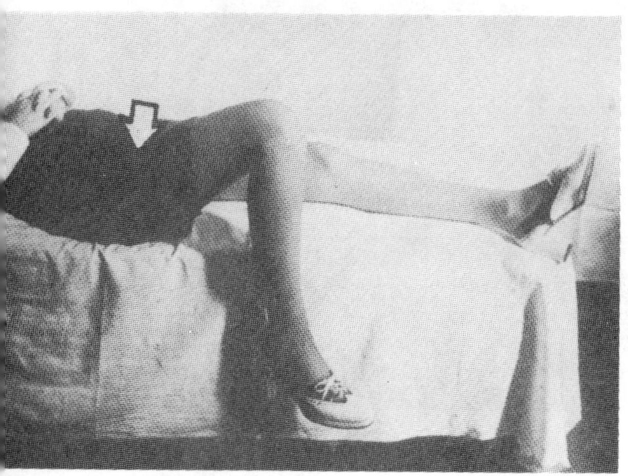

9 — En pliant la jambe droite vers le haut, tout en laissant reposer la jambe gauche sur le lit, vous observerez une *tension* dans le muscle psoas qui est situé assez profondément dans l'abdomen, près du dos.

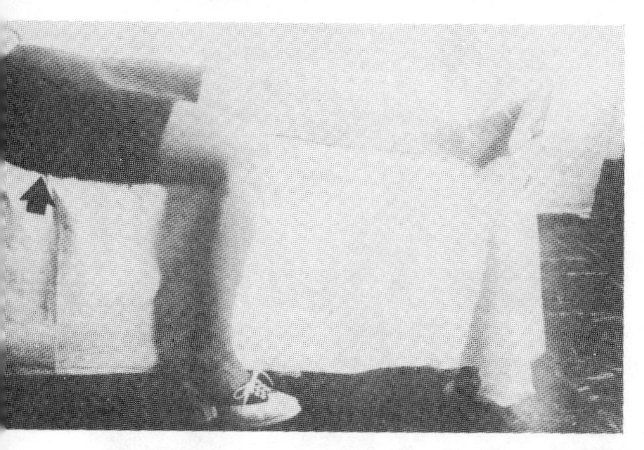

10 — Si vous posez le talon sur le sol, la tension se manifeste dans les muscles fessiers.

14 — En pliant la tête vers la gauche, vous observez une *tension* dans les muscles qui se trouvent du côté gauche de la nuque. ▶

11 — En rentrant le ventre, vous observez une *tension* diffuse dans tout l'abdomen.

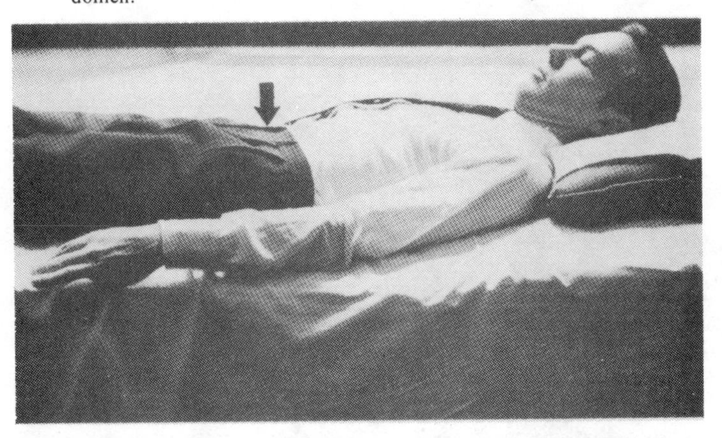

12 — En arquant le dos, vous devriez constater une *tension* marquée de part et d'autre de la colonne vertébrale.

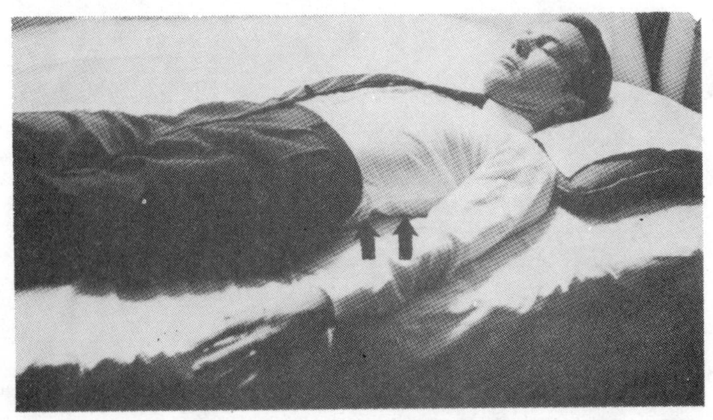

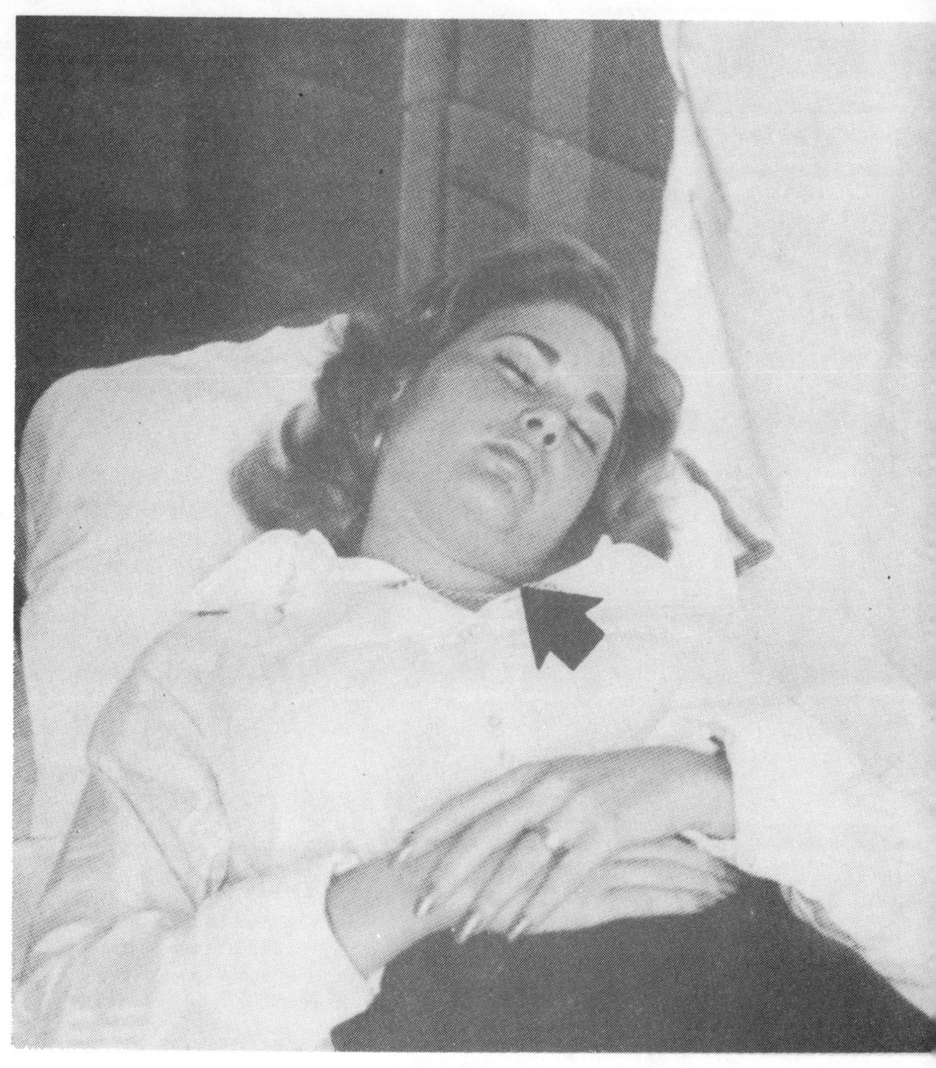

13 — Pendant la respiration tranquille ordinaire, vous remarquez une tension très légère et diffuse dans toute la poitrine, au moment de l'inspiration seulement. Cette tension est absente au moment de l'expiration et de la pause qui suit l'expiration.

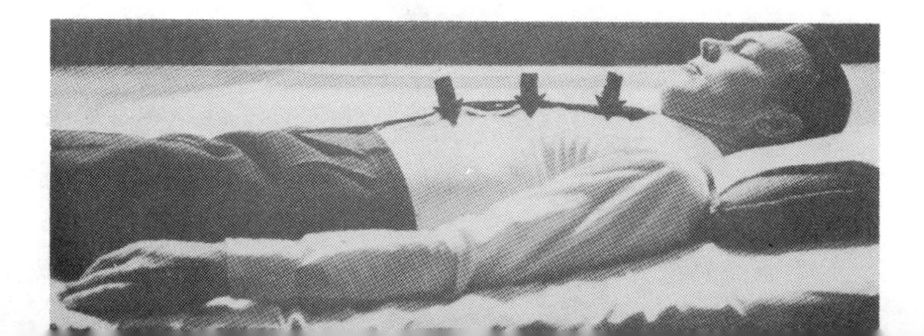

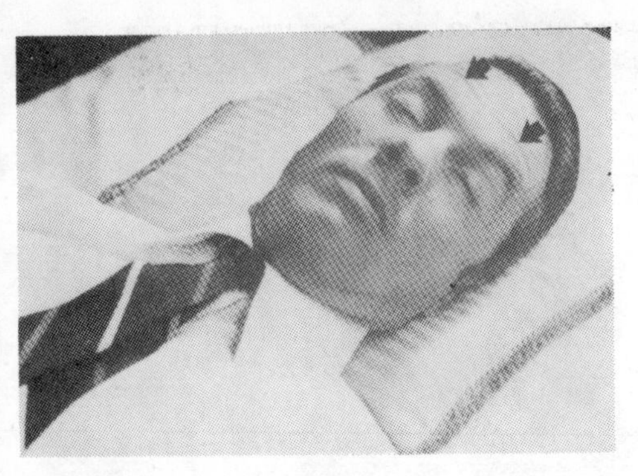

15 — En plissant le front, vous provoquez une *tension* diffuse sur toute la surface frontale.

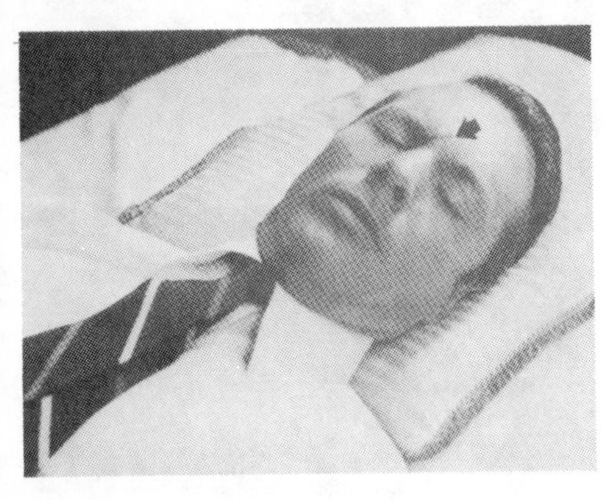

16 — Vous êtes capable de ressentir distinctement le froncement des sourcils dans la région entre les yeux.

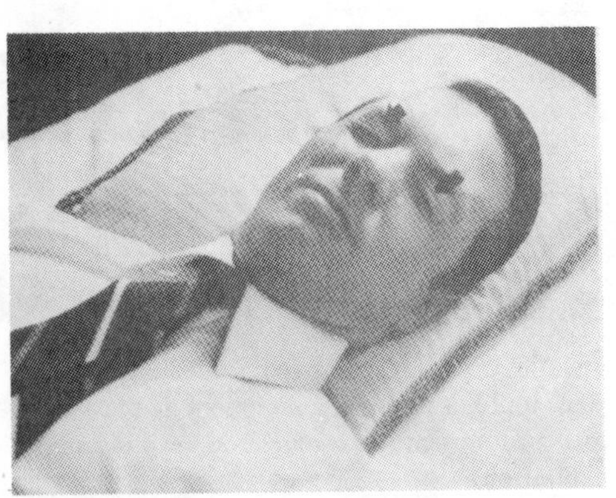

17 — Lorsque vous fermez fermement les yeux, vous pouvez ressentir une *tension* autour des paupières.

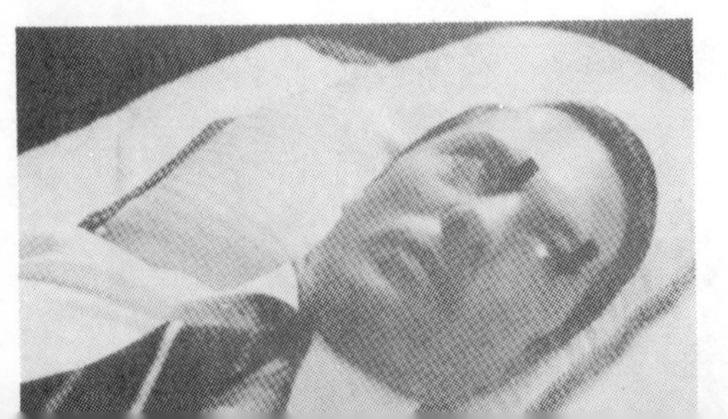

18 — Quand vous regardez de côté, vous devriez constater une *tension* dans les muscles du globe de l'oeil. Pratiquez le mouvement, les yeux fermés, jusqu'à ce que vous la ressentiez distinctement.

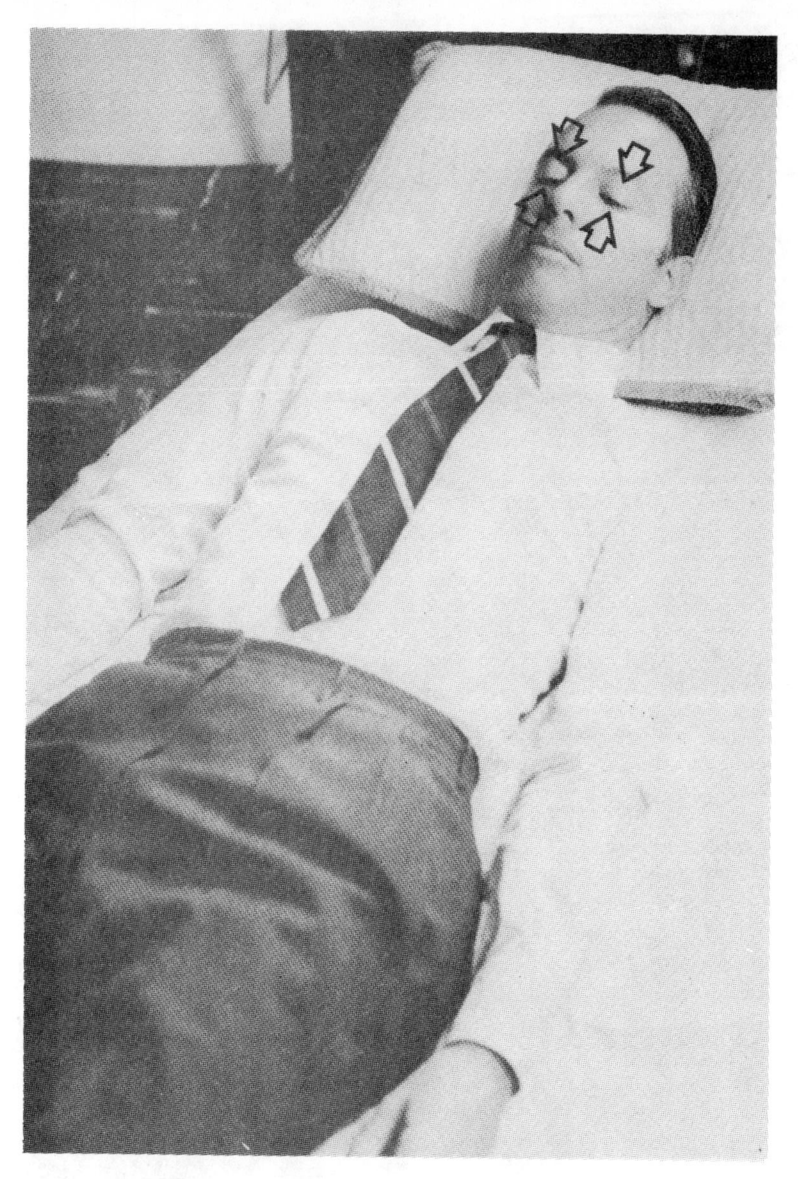

19 — Si vous regardez successivement le plafond et le plancher, le mouvement de vos yeux provoque une *tension* dans le globe occulaire. Cette tension se déplace rapidement pendant le mouvement. On l'appelle donc une *tension mobile* par opposition à la *tension fixe* que vous éprouvez quand vous contractez un muscle, comme sur la figure 1.

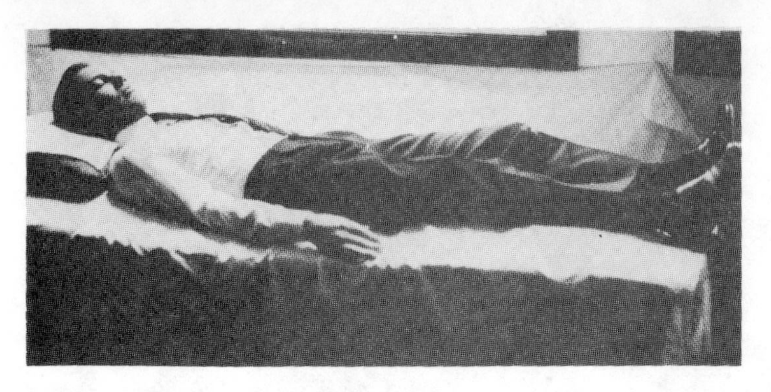

20 — Cette photo illustre la *relaxation générale* complète.

21 — Asseyez-vous. Reprenez une à une chacune des tensions que vous avez pratiquées quand vous étiez couché. En pliant le bras, vous devriez être capable d'éprouver la *tension* clairement.

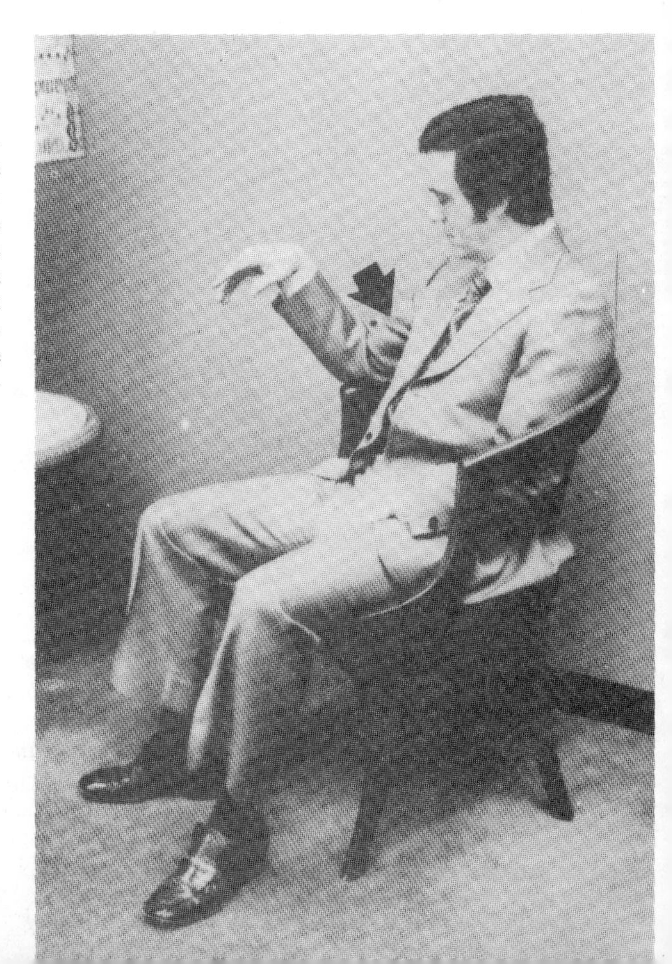

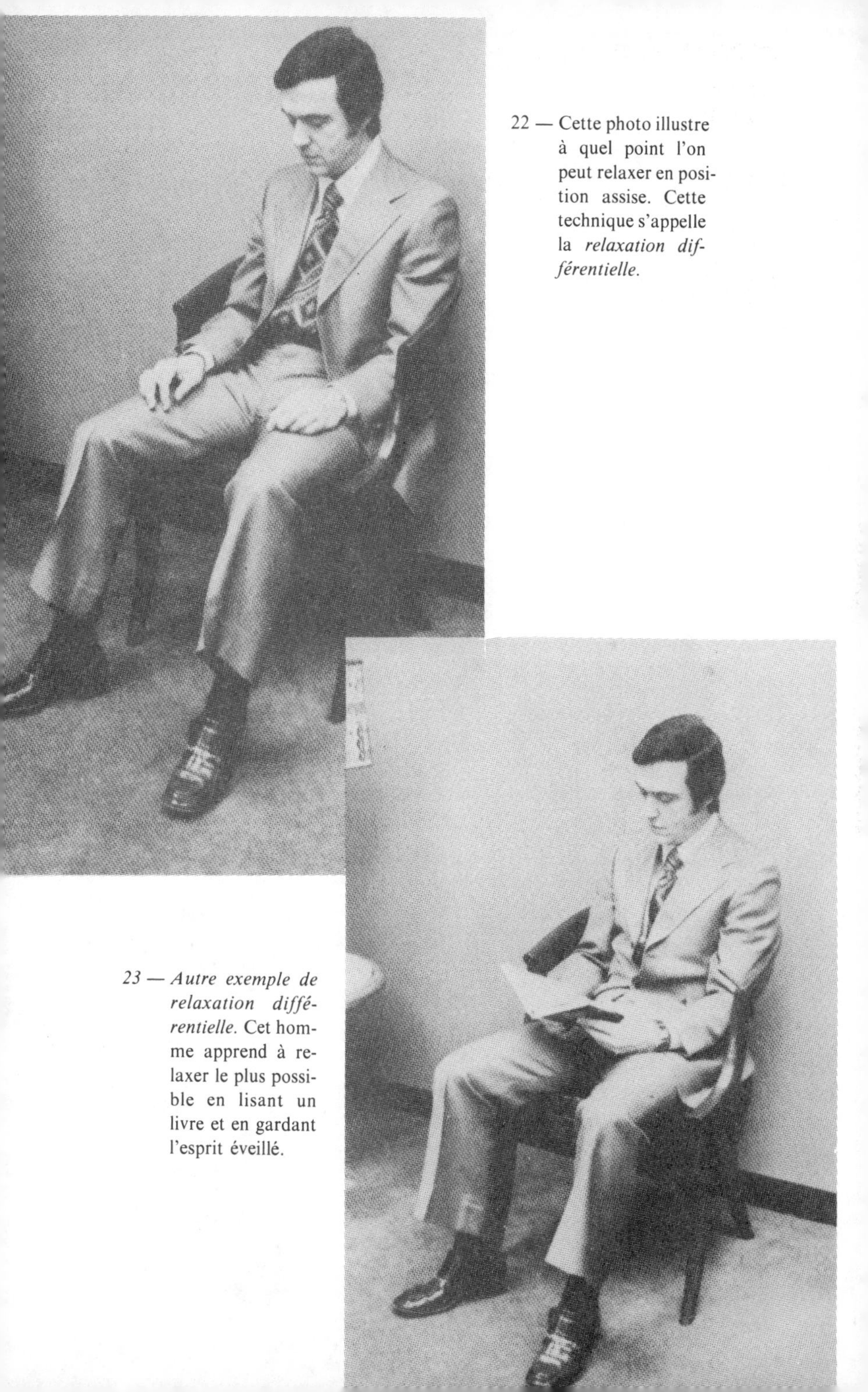

22 — Cette photo illustre à quel point l'on peut relaxer en position assise. Cette technique s'appelle la *relaxation différentielle.*

23 — *Autre exemple de relaxation différentielle.* Cet homme apprend à relaxer le plus possible en lisant un livre et en gardant l'esprit éveillé.

24 — Au travail, mais *en relaxation différentielle,* il épargne son énergie. Il est donc plus efficace.

25 — La recherche scientifique contemporaine a fait de la tension une réalité mesurable (médicalement parlant, la tension n'a donc plus rien à voir avec le terme vague communément employé). Ce jeune médecin apprend à relaxer pendant qu'il est assis à son bureau. L'écran vidéo lui permet de vérifier à tout moment à quel point il contracte les muscles de l'avant-bras. Des électrodes de platine et d'iridium sont posées sur sa peau au-dessus des muscles concernés. Des fils relient ces électrodes aux instruments d'enregistrement mis au point dans notre laboratoire.

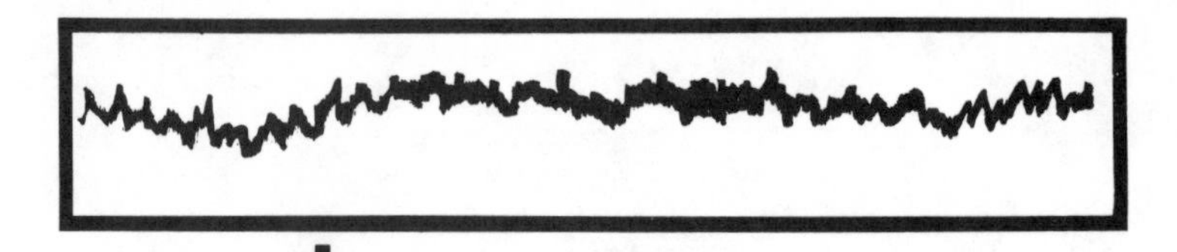

26 — L'oscilloscope (instrument usuel dans la plupart des laboratoires électroniques) permet de visualiser l'absence de tension dans un muscle ou une région musculaire détectée par le neurovoltmètre. Le tracé lumineux mobile représente alors une ligne presque droite (voir figure 26). L'unité de mesure est indiquée sous le tracé. C'est le millionième de volt. Nous sommes capables de détecter des impulsions dont la force ne correspond qu'à un dixième de ce voltage, déjà extrêmement petit. L'unité de temps, comme on peut également le voir, est le dixième de seconde.

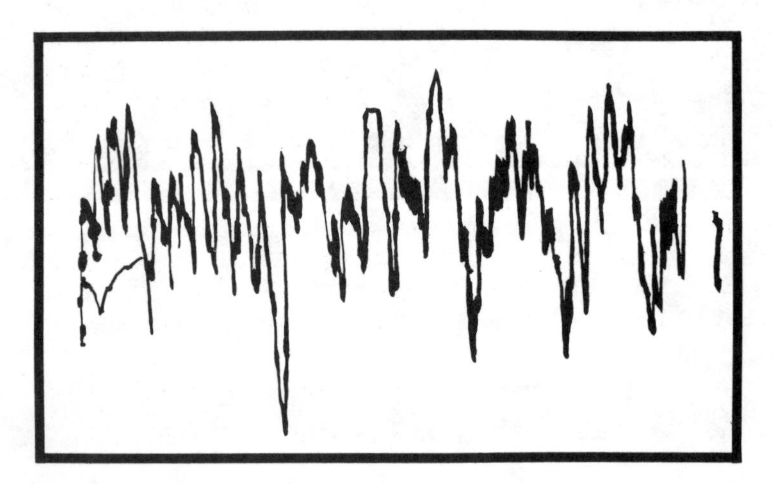

27 — Quand le même individu tend la région musculaire qu'il gardait auparavant décontractée, le tracé lumineux mobile oscille vers le haut et le bas, comme on peut le voir sur la figure 27. Les unités de microvoltage et de temps sont les mêmes que celles utilisées sur la figure 26. Ces deux photographies ont été prises alors que des électrodes de surface étaient disposées sur la peau du patient au-dessus des muscles concernés (le degré de tension se mesure en millionième de volt par dixième de seconde ou par toute autre unité de temps).

Des fils relient les électrodes à notre neurovoltmètre intégré, seul appareil moderne capable de mesurer les tensions à peine perceptibles présentes lors d'activités mentales. Le neurovoltmètre intégré offre également la possibilité de déterminer le voltage moyen à la minute (ou sur une autre unité de temps) des tensions d'une région musculaire donnée. Un ordinateur numérique, opéré par Richard E. Lange, établit la moyenne de ces tensions. Ces moyennes sont faites et enregistrées simulatanément pour cinq régions musculaires ou plus.

Chapitre 16

La relaxation scientifique

Lorsque je dis d'un muscle qu'il est relaxé, je veux dire qu'on ne peut y trouver aucune espèce de contraction. Flasque et sans mouvement, le muscle n'offre aucune résistance. Par exemple, si votre bras est complètement relaxé, quelqu'un peut le plier au coude ou le tendre en fournissant à peine plus d'efforts que s'il déplaçait le poids seul de votre avant-bras. En bougeant votre main, cette personne ne rencontrera pas plus d'aide ni de résistance que si vous étiez une poupée de chiffon. Lorsque quelqu'un est couché en état de relaxation complète, au sens où je l'entends, tous les muscles qui sont attachés à ses os sont détendus. Ces muscles s'appellent les muscles squelettiques. Chaque fois qu'on fait un mouvement volontaire, on contracte un muscle ou un groupe de muscles squelettiques. La relaxation générale signifie l'absence complète de tout mouvement. Elle signifie également que l'on ne garde raide absolument aucune partie du corps.

Quand les muscles sont en état de relaxation complète, les nerfs qui y mènent ou qui en viennent ne transmettent aucun message. Ils sont complètement inactifs. On peut déclarer, d'après certains tests électriques que je décrirai plus tard, que la complète relaxation du système neuro-musculaire signifie l'absence d'activité dans le réseau complet des nerfs.

La plupart des médecins, le grand public et quelques hommes de science emploient fréquemment le terme "nervosité". Même si ce terme est souvent utilisé dans une acception vague, il signifie toujours que, quelque part dans l'organisme, certains nerfs restent actifs. En utilisant le mot "nervosité" dans son sens le plus courant, il y a moyen de reformuler ce que j'écrivais plus haut. *Il est physiquement impossible d'être nerveux dans quelque partie du corps que ce soit si cette partie du corps est en état de relaxation complète.* Je conseille fortement au lecteur d'examiner soigneusement les preuves et les raisons qui viennent appuyer cette affirmation. Je les expose dans ce livre-ci et aussi, de façon plus détaillée, dans *Progressive Relaxation.* Je demande à ceux qui me lisent de juger de l'exactitude de cette affirmation. Au cas où cette affirmation serait juste, la relaxation complète n'est-elle pas, dans une certaine mesure, le traitement direct et spécifique de ces troubles que l'on appelle fréquemment "nervosité".

En état de relaxation générale, même certains mouvements involontaires sont absents. Si, par exemple, un bruit soudain se produit, la personne relaxée ne sursautera pas. Mais je suis en train de m'éloigner de mon sujet! Revenons donc à notre histoire.

Depuis que les médecins se sont aperçus que le repos était utile, ils ont essayé de déterminer de façon scientifique le genre de repos le plus approprié. On s'est dès lors rendu compte que le patient à qui on conseillait de rester couché ne se reposait pas toujours aussi bien qu'il aurait fallu. Dans certains cas, le malade ne sait pas comment relaxer et ses malaises, quels qu'ils soient, ne font qu'augmenter son manque de détente. Il se tourne et se retourne en tous sens dans son lit. Il est tendu. Il ne se sent pas bien. Il permet à ses muscles de se contracter. Il se fait peut-être du souci ou garde l'esprit hyperactif. Le médecin qui lui a prescrit de garder le lit pour se reposer n'atteint donc pas son but.

C'est étrange à dire, mais le repos a été si peu étudié, que même dans les plus célèbres traités sur les maladies nerveuses, le mot "relaxation" n'apparaissait que très rarement jusqu'à ces dernières années. Les partisans de certaines doctrines para-psychologiques l'on beaucoup moins négligé.

Annie Payson Call (1902), disciple de Swedenborg, aidait les gens à trouver leur équilibre. Pour y parvenir, elle leur conseillait de se servir "d'exercices de relaxation". Le caractère pratique de ses travaux semble à certains égards hautement louable, mais ses intérêts n'étaient pas vraiment scientifiques. Quand elle affirmait que ses mesures lui avaient prouvé que l'on peut rester nerveux tout en étant relaxé, il est évident qu'elle n'était pas parvenue à étudier la relaxation poussée à son maximum, l'extrême détente qui est l'objet principal de ma méthode.

Au cours des recherches en laboratoire que je vais maintenant décrire, nous mîmes graduellement au point une technique qui permet d'atteindre un degré extrême de relaxation neuro-musculaire. J'ai constaté que l'acceptation populaire courante du mot "relaxation" est à maints égards inadéquate et ne correspond en rien à nos objectifs cliniques et au sens de nos recherches. Je me suis rendu compte, comme d'autres s'en étaient aperçus avant moi, qu'une personne peut rester éveillée, nerveuse et ne pas se reposer, même si elle s'allonge des heures sans bouger. Elle peut continuer à manifester des signes d'activité mentale, d'énervement, d'anxiété ou d'autres problèmes émotifs. Elle peut respirer irrégulièrement, bouger et tressaillir; elle peut bouger de temps à autre les yeux, les doigts ou d'autres parties du corps ou se mettre à parler sans raison. Ces manifestations sont soit fréquentes, soit occasionnelles; elles peuvent être évidentes ou demander une attention plus poussée. Lorsque ces signes extérieurs sont aisément perceptibles, il est évident que le repos ne peut être complet. Le malade ne paraît pas dispos. Ses malaises nerveux, sa fatigue ou les symptômes d'autres maladies persistent. Je fus donc amené à chercher si le phénomène que je viens de décrire ne diminuerait pas, ou ne disparaîtrait pas, en pratiquant la relaxation de façon plus générale et plus poussée.

Il était évident qu'il fallait pousser la relaxation à son maximum. Pour des raisons pratiques, je forgeai l'expression "relaxation progressive". Il s'agissait de vérifier si l'excitation qui avait persisté jusque-là, même dans 17 repos, avait tendance, dans des conditions propices à la relaxation progressive, à faire place au sommeil et si les crises d'anxiété, de colère ou les autres troubles d'ordre émotif auraient tendance à disparaître. Par la suite, je continuai à développer mes recherches. Il s'agissait cette fois de trouver la façon de tranquilliser l'organisme même quand la personne continue à travailler ou à s'adonner à ses autres activités. En substance, mon hypothèse était donc qu'il y avait moyen de mettre au point une technique susceptible de détendre le système neuro-musculaire, y compris ce qu'on appelle communément "l'esprit".

Quand une personne qui n'a pas appris à relaxer s'étend, aussi calmement qu'elle le peut, certains signes extérieurs et les tests révèlent généralement que sa relaxation n'est pas parfaite. Il reste ce que j'appellerais une *tension résiduelle* que chacun peut observer quand il prête attention aux sensations qui proviennent de ses muscles. Des années d'auto-observation m'ont amené à penser, en 1910, que l'insomnie s'accompagne toujours d'une sensation de tension résiduelle et qu'on peut la vaincre quand on parvient à cesser de contracter les muscles, même si cette contraction est à ce moment-là très faible. La tension résiduelle, par conséquent, se manifeste toujours par une contraction des muscles, petite mais continue et accompagnée de mouvements légers ou de mouvements réflexes. Souvent, l'excitation musculaire est d'ordre réflexe, comme dans le cas de malaises ou de douleurs, mais, même alors, il faut tâcher d'atteindre la relaxation.

La façon de se débarrasser de la tension résiduelle est donc un des points essentiels de ma méthode. On n'y parvient généralement pas d'un coup, sauf quand certaines personnes sont déjà bien entraînées au moment où elles commencent leur apprentissage. Fréquemment, la tension ne disparaît que progressivement. Pour parvenir à relaxer progressivement une seule partie du corps, par exemple le bras droit, il faut parfois de nombreuses minutes. La relaxation véritable ne commence souvent qu'au moment où un observateur inexpérimenté s'imagine que le sujet est parfaitement relaxé.

La plupart du temps, les gens fatigués ou nerveux ne réussissent pas à relaxer leur tension résiduelle. Il est surprenant que quelqu'un puisse sembler couché tout à fait tranquillement quand les instruments de mesures enregistrent de très fortes tensions nerveuses dans son bras ou d'autres parties de son corps. De même, il est surprenant que beaucoup de personnes dont on n'imaginerait même pas qu'elles soient nerveuses ou tendues, aient bien du mal à relaxer complètement.

Quand une personne couchée relaxe au sens courant du terme, sans relaxer complètement au sens physiologique, les signes suivants dénotent la présence de tension résiduelle: sa respiration est légèrement irrégulière; la personne étendue soupire parfois; son pouls peut être normal mais sera vraisemblablement légèrement plus rapide que lors d'examens ultérieurs; la même remarque s'applique à sa température et à sa tension artérielle. Si vous l'observez attentivement, vous constaterez qu'elle n'est pas parfaitement calme. Elle fait parfois de petits mouvements, plisse légèrement le front, fronce les sourcils, cligne rapidement les paupières, contracte les muscles autour des yeux ou bouge les yeux sous ses paupières fermées; enfin, elle remue la tête, les bras, ou parfois un doigt. Il y a moyen de provoquer le mouvement réflexe du genou et d'autres réflexes profonds (si les nerfs ne sont pas localement lésés). Lorsqu'un bruit inattendu se produit, la personne sursaute. Les recherches effectuées jusqu'à présent montrent que le côlon ou l'oesophage demeurent dans un état spasmodique. L'esprit reste actif et les émotions oppressantes; les soucis subsistent.

Il faut étonnamment peu de tension pour provoquer tout cela. Le surcroît de relaxation requis pour surmonter la tension résiduelle est également minime. Pourtant, ce léger supplément suffit. Cette différence si mince entre la relaxation vraiment complète et un état de relaxation où la tension résiduelle subsiste explique peut-être pourquoi la présente méthode a été si souvent négligée. Quand une personne relaxe au point de se défaire de toute tension résiduelle, sa respiration perd ses légères irrégularités, son pouls revient à la normale, sa température et sa tension artérielle tombent, le mouvement réflexe du genou diminue ou disparaît en même temps que les mouvements réflexes de la gorge. Quand un tel niveau de détente est atteint, l'oesophage relaxe complètement en même temps que toute activité mentale et émotive diminue ou disparaît pendant de brèves périodes. Le sujet repose alors tranquillement. Tous ses membres sont mous. Aucune trace de raideur n'est perceptible nulle part. Il n'y a pas de mouvement réflexe pour avaler la salive. Pour la première fois, les paupières se calment. Elles ne bougent plus. Le visage a un air inexpressif particulier. Si la personne tremblait, elle ne tremble plus, ou beaucoup moins. Les petits mouvements du tronc ou des membres ou même des doigts cessent. Tous les sujets s'accordent à dire que la sensation qui résulte de cette relaxation complète est agréable et reposante. Si l'état de relaxation persiste, il devient la forme la plus reposante du sommeil naturel. Aucun sujet d'expérience, qu'il soit un de nos étudiants ou un malade, ne considéra jamais la relaxation comme la conséquence de technique de suggestion, comme un état hypnotique ou un état de transe. Tous estimèrent que la relaxation était un état parfaitement naturel. Seule une personne qui n'a de la relaxation qu'une connaissance livresque pourrait mettre ce point en doute.

L'hypertension nerveuse, présente lorsqu'un individu est très tendu ou fait des mouvements excessifs ou exagérés de ses muscles volontaires, est présumément sujette au contrôle volontaire. Toute personne, au moins dans une certaine mesure, relaxe ses muscles quand elle va se reposer. Il serait dès lors étrange si cette fonction naturelle ne pouvait pas se développer pour contrecarrer les excès d'activité et apporter une détente au système nerveux. C'est, je le répète, l'objectif de ma méthode.

Comme il est facile de le noter, une personne surmenée, tout comme une personne névrosée, a généralement perdu l'habitude naturelle et la faculté de relaxer. D'habitude, elle ne sait même pas quel muscle elle est en train de contracter. Elle est incapable de déterminer précisément si elle est relaxée ou non. Elle ne se rend pas bien compte qu'elle devrait relaxer et ne sait pas comment y arriver. Il faut développer cette faculté ou l'acquérir de nouveau. Il est donc inutile de dire à une personne tendue de relaxer ou de lui conseiller de pratiquer certains exercices physiques. Un malade peut sembler "relaxer" au lit pendant des jours et des jours et rester tracassé, angoissé ou énervé de quelque autre façon. On peut donc penser à tort qu'un patient se repose quand on néglige les mouvements volontaires et les activités locales réflexes toujours présentes, comme je l'ai décrit plus haut. Il est indispensable de détecter ces manifestations pour établir un diagnostic juste et pour conseiller le malade de façon à ce qu'il puisse trouver une véritable détente nerveuse ou mentale.

Selon mes soixante-dix ans d'expérience clinique et de travail en laboratoire, le malade qui a appris à relaxer ses muscles volontaires a plus tard tendance à décontracter sans le savoir d'autres organes dont le coeur, les vaisseaux sanguins et le côlon. Quand il relaxe, les émotions tendent à se calmer. Il semble y avoir ici comme un cercle vicieux. L'hyperactivité nerveuse viscérale semble exciter le système nerveux central qui, à son tour excite encore plus le système viscéral. L'un de ces systèmes doit se calmer pour que l'autre puisse, lui aussi, devenir calme. Dans certains cas chroniques, la relaxation devient donc un processus graduel, la formation d'une habitude qui demande parfois des mois. Divers stimuli qui se produisent durant la douleur, l'inflammation ou dans le cas de dérèglement des sécrétions glandulaires, par exemple pour le goitre toxique, provoquent parfois un spasme des muscles viscéraux et en cela peuvent contrarier la relaxation. Il est traditionnel de supposer — et les patients l'affirment souvent — qu'un individu "ne peut pas" relaxer dans ces cas difficiles. En fait, il serait bien ardu de prouver qu'il ne le peut effectivement pas. Une réponse réflexe à une douleur ou à tout autre stimulus, comme on le montrera plus tard, ne constitue pas en soi la preuve que le réflexe "n'aurait pu" être relaxé. C'est précisément ce qu'il s'agit d'examiner scientifiquement, car les vues subjectives des patients, aussi bien que les *a priori* des médecins, ne peuvent remplacer les tests cliniques et les recherches en laboratoire.

Pour me faire mieux comprendre, il me semble utile de répéter en d'autres termes ce que j'ai déjà dit plus haut. Beaucoup de personnes se demandent: "Comment est-il possible de relaxer l'estomac, les intestins, le coeur et d'autres organes? Peut-on parvenir à excercer sur ces organes un contrôle direct?" L'expérience clinique et des tests de laboratoire offrent une réponse: *si vous relaxez suffisamment vos muscles squelettiques (ceux sur lesquels vous avez le contrôle), les muscles internes tendent à relaxer de la même façon.* Même sans entraînement pratique, vous contrôlez donc, dans une certaine mesure, quoiqu'indirectement, votre dispositif interne. Il y a moyen d'envisager la question autrement: lorsque les muscles viscéraux sont hypertendus, comme dans certains cas d'indigestion nerveuse, de spasmes du côlon, de palpitations et d'autres symptômes internes courants, tout observateur averti constate facilement que les muscles squelettiques sont également hypertendus. Des vérifications électriques viennent étayer cette affirmation. Lorsque les muscles externes (ceux dont vous avez le contrôle) sont suffisamment décontractés, les symptômes de tension musculaire interne excessive diminuent. Les examens indiquent que les muscles internes ne sont plus agités par des spasmes. Ceci suggère clairement qu'une tension excessive ou que les spasmes des muscles viscéraux dépendent plus ou moins d'une tension excessive des muscles squelettiques. Si c'est le cas, la relaxation des muscles squelettiques a un effet positif dans le traitement de certains désordres internes parce qu'elle en fait disparaître la cause ou tout au moins une partie importante de la cause.

J'ai insisté sur la différence entre la relaxation scientifique et la relaxation telle que l'entend l'usage courant. Il est important d'insister aussi sur leurs ressemblances fondamentales. Dans certaines circonstances favorables, des individus non entraînés relaxent, comme l'indiquent les instruments de contrôle et d'enregistrement, quoiqu'en général ils ne parviennent à relaxer aussi complètement qu'après avoir suivi des séances d'initiation à la relaxation scientifique. Les gens que l'on dit calmes ont particulièrement des chances de réussir. On peut cependant présumer, quel que soit le talent naturel de quelqu'un pour la relaxation, qu'il y a beaucoup de choses qu'on peut lui apprendre. Exactement comme celui qui possède naturellement une belle voix peut l'améliorer considérabsède naturellement une belle voix peut l'améliorer considérablement en suivant les cours appropriés. D'après mon expérience, ceux qui n'ont pas appris à relaxer ont beaucoup moins tendance à recourir à la relaxation volontaire au moment où ils ont des problèmes émotifs. Ils n'utilisent pas leur talent naturel, même s'ils le possèdent. Le processus de relaxation, qu'il soit naturel ou appris, est essentiellement le même.

D'après mon expérience, rien n'empêche de prescrire de l'exercice physique en alternance avec des périodes de repos à un convalescent qui n'est pas confiné au lit. L'un prépare l'autre. Le degré et l'étendue de la relaxation augmenteront vraisemblablement après un exercice physique modéré.

Avant d'entraîner à la relaxation quelque patient que ce soit, le médecin retracera bien sûr l'histoire médicale détaillée du malade et lui fera subir des examens physiques approfondis, des tests en laboratoire et des radiographies de façon à pouvoir établir un diagnostic exact. Dans certains cas, le médecin jugera peut-être utile de recourir à la chirurgie, à un traitement pharmaceutique ou à des mesures hygiéniques en plus de faire pratiquer à son client la relaxation progressive. Il est important de supprimer, dans la mesure du possible, les causes physiques et mentales de difficulté et d'énervement. Toutefois, c'est souvent impossible. La relaxation aura dès lors pour objectif de réduire les réactions nerveuses, même si les causes restent présentes.

Si la relaxation se pratique dans un but expérimental et non en vue d'un traitement comme tel, il faut exclure dans la mesure du possible les autres formes de thérapie. D'ailleurs, même en ne considérant que l'intérêt du patient, il vaut mieux dans bon nombre de cas exclure les mesures de thérapie additionnelles jusqu'à ce que l'on ait pu tester en profondeur les effets de la relaxation. Autrement, si l'état du malade s'améliore, il est impossible de déterminer ce qui en est responsable et, par conséquent, on risque de choisir la mauvaise thérapie et de continuer de l'appliquer.

Pour les mêmes raisons, il vaut souvent mieux laisser le patient poursuivre sa vie quotidienne au travail et dans ses relations sociales et lui apprendre à relaxer en présence même de ses difficultés. Si l'on allège son programme d'activités pendant qu'on lui apprend à relaxer et s'il finit par guérir, il n'y aura aucun moyen de déterminer dans quelle mesure le bénéfice de la guérison doit être attribuable à la relaxation seule. De plus, le patient lui-même risque de donner à la relaxation trop ou trop peu de crédits. Dans le second cas, il négligera de continuer ses exercices quand il se sentira mieux et il pourra connaître une rechute.

On ne saurait trop insister sur l'importance de la pratique quotidienne des exercices de relaxation pour quiconque veut durablement en acquérir l'habitude, que ce soit au repos ou au cours de ses activités quotidiennes. Si on en néglige la pratique, on risque de perdre une bonne part de ce qui était acquis jusque-là.

Quand la relaxation se limite à un groupe musculaire particulier ou à une partie du corps, par exemple au bras, on l'appellera *locale;*

quand il s'agira de relaxer pratiquement tout le corps, en position couchée, on l'appellera *générale*.

J'emploie le terme de relaxation "progressive" pour trois raisons: 1) le sujet relaxe graduellement un groupe de muscles, par exemple les muscles qui commandent le bras droit, de plus en plus, chaque minute; 2) il apprend à relaxer l'un après l'autre les principaux groupes musculaires de son corps. En même temps qu'un nouveau groupe de muscles, il continue de relaxer les groupes musculaires qu'il avait appris à relaxer précédemment; 3) au fur et à mesure de ses pratiques quotidiennes, d'après mon expérience, le patient acquiert de plus en plus l'habitude de la décontraction, jusqu'à parvenir à un état où il est automatiquement et habituellement détendu. Par opposition, l'individu qui vit sans cesse sous pression se rend lui-même vulnérable à une augmentation de son excitation nerveuse.

Il est très important d'apprendre comment dépenser son énergie. Chaque fois qu'on contracte un muscle, on dépense de l'énergie, mais il arrive qu'on raidisse un muscle ou qu'on bouge sans même en être conscient. La pratique clinique montre que certaines personnes gaspillent ainsi fréquemment et habituellement leur énergie sans même sans rendre compte. Il faut donc commencer par s'observer. La capacité d'observer ses propres tensions est bien sûr d'un précieux secours lorsqu'il s'agit de s'en défaire. Il ne faut pas craindre que cette attention que vous vous porterez vous conduise à ne vous soucier de façon morbide que de vous-même. D'après mon expérience, c'est plutôt le contraire qui se passe.

Lorsque je dis d'une personne qu'elle est tendue, je veux dire exactement la même chose que l'expression populaire: "C'est un paquet de nerfs". Lorsque je dis qu'un muscle est tendu, je veux dire qu'il est contracté, c'est-à-dire que ses fibres sont rétrécies. Dans ce livre, j'emploie également le terme "tendu" dans un troisième sens. Lorsque vous vous allongez dans une chambre tranquille et, après quelques minutes de repos, faites quelques mouvements lentement et fermement, vous parvenez avec de l'entraînement à noter une sensation dans le muscle qui se contracte. Par convention, j'appelle cette expérience: "tendre" un muscle. Je conviens également de donner le même nom à cette tension, où qu'elle se produise dans le corps et quelle que soit son intensité. Je ne vous demande pas de devenir médecin ou physiologue pour apprendre à relaxer. Je ne m'attends donc pas à ce que vous appreniez où se trouvent chacun de vos muscles ou que vous sachiez précisément comment ils agissent. Par contre, il vous est nécessaire d'apprendre à reconnaître en vous la tension. Cela vous permet de savoir quand et où vous êtes tendu et de corriger la situation si elle présente un caractère excessif.

Je l'ai dit plus haut, les tensions musculaires forment la trame même de la vie. Elles interviennent à chaque instant. Parler, marcher, respirer ou se livrer à quelque activité que ce soit implique une série de tensions compliquées et précises de divers muscles. Se défaire de façon permanente de ces tensions serait aussi se défaire de la vie elle-même. Ce n'est pas mon objectif. J'estime cependant que nous avons besoin de contrôler ces tensions à l'occasion et que la relaxation permet d'y parvenir.

Il est utile d'apprendre à reconnaître et à localiser les sensations de tension musculaire mais ce n'est pas toujours indispensable. La relaxation se produit souvent de façon automatique, sans que vous ayez à vous en soucier. Si vous surveillez vos sensations, si vous vous observez constamment pour déterminer si vous relaxez ou si vous le faites au mauvais moment, vous resterez tendu. Par contre, selon mon expérience, il est difficile de relaxer complètement certains groupes de muscles à moins d'apprendre à localiser les tensions que l'on éprouve. Il faut donc trouver un compromis et tâcher, avec un minimum d'attention, de détecter l'origine de la contraction et ensuite de la relaxer. Plus la relaxation devient une question d'habitude, moins il faut porter attention aux muscles. La relaxation procède comme n'importe quel processus d'apprentissage: plus le temps passe, moins il faut lui porter attention. Une fois que vous aurez appris à relaxer, la relaxation deviendra automatique. Vous n'aurez plus, ou presque plus, à y faire attention — et cela vaudra mieux!

Chapitre 17

Comment relaxer en position couchée

À partir de maintenant, l'objectif du contrôle de la tension neuro-musculaire sera d'apprendre à passer, en quelques minutes ou même moins, de l'état de tension qui caractérise habituellement la vie moderne à un état de relaxation marquée. Il s'agira de répéter le processus jusqu'à ce que la relaxation devienne une habitude.

Beaucoup de personnes prendront des semaines, des mois, peut-être des années, à assimiler complètement mon enseignement. On ne change pas ses habitudes à la même vitesse qu'on avale une pilule ou qu'on achète un billet de théâtre. La matière à acquérir n'est cependant pas aussi difficile qu'elle peut sembler l'être. En fait, elle n'est pas difficile du tout; c'est même la chose la plus facile à apprendre. Pour vous en persuader, soulevez un objet assez lourd, le bras tendu. Vos muscles se contractent. Vous vous rendez compte que vous faites un effort et qu'il est difficile de soulever cet objet. Supposez maintenant que vous ne leviez rien du tout, que vous vous contentiez de laisser vos muscles relaxer. C'est le contraire de l'effort, le contraire de la difficulté. Rien n'est plus facile. Mais tant de personnes ont pris l'habitude, chaque fois qu'elles font quelque chose, de faire un effort, de contracter un muscle ou un autre, qu'elles les contractent même quand elles essaient de relaxer. Elles rendent difficiles les choses les plus naturelles. C'est ce que j'appelle de "mauvais efforts".

Comme je l'ai déjà dit, il vaut mieux pour les maladies graves s'adresser à un médecin. Il est capable de déterminer le traitement le plus approprié, que ce soit la relaxation ou une autre forme de thérapie. Le médecin qui connaît les méthodes de relaxation observe le patient et le traite par périodes successives d'environ une heure. Il répète les séances aussi souvent qu'il lui semble nécessaire. Si le malade est fort fatigué, s'il est incapable de dormir ou surexcité mais qu'il n'est pas dans cet état-là depuis longtemps, quelques jours ou quelques semaines, quelques séances peuvent suffire pour qu'il revienne à l'état où il était avant l'apparition du désordre aigu. Si la maladie dure depuis des années, il n'est pas réaliste de s'attendre à des résultats rapides. La technique de la relaxation n'est pas un procédé magique. La relaxation ne vise pas, comme l'hypnose ou les techniques de suggestion, à obtenir des résultats en une nuit. Dans le cas de maladies chroniques, le médecin doit voir le patient une fois par mois ou plus. Chaque séance dure environ une heure. Le médecin montre au patient comment reconnaître les tensions et comment relaxer les différentes parties du corps. Quand le patient a bien appris à relaxer en position couchée, on lui apprend à relaxer au travail.

De plus, le patient doit pratiquer la relaxation, seul, une à deux heures chaque jour. Cette pratique quotidienne est indispensable, exactement comme pour apprendre à conduire une automobile, à danser ou à parler une langue étrangère. Les directives aident le malade à assurer lui-même sa propre guérison. Le médecin qui utilise les méthodes de relaxation ne compte donc absolument pas sur la suggestion pour amener le patient à croire qu'il va mieux. Au contraire, il ne serait même pas acceptable de se fonder uniquement sur les allégations du patient qui assure qu'il se sent guéri. Le seul moyen d'être vraiment certain d'une amélioration est de procéder à des observations objectives et à des tests en laboratoire. En d'autres termes, le médecin, aussi bien que le malade, peut rester relativement sceptique quant aux résultats sans nuire au bon déroulement de la méthode, dans la mesure où les directives pour apprendre à relaxer sont toujours consciencieusement données.

Pour vérifier par soi-même ce que l'on peut faire seul, il faut choisir une pièce relativement calme. Il est parfois nécessaire de fermer la porte à clé pour éviter toute intrusion. Il faudrait éviter les interruptions en cours de pratique, comme le téléphone, la sonnette de la porte d'entrée ou tout autre dérangement. Chaque séance demande environ une heure de solitude.

Choisissez un divan ou un lit confortable, assez large pour pouvoir étendre les bras de part et d'autres du corps sans qu'ils ne le touchent. On utilise en général un oreiller pour supporter la tête, mais ça n'est pas indispensable. Certaines personnes préfèrent s'en passer. Il s'agit seulement de s'assurer que la tête ne tombe pas vers l'arrière et n'étire pas les nerfs du cou, ce qui produirait de la fatigue. À cette fin, il faut utiliser au moins un mince coussin. Les personnes qui souffrent de rhumatismes ont également intérêt à glisser de petits coussins sous les genoux et les reins pour éviter la douleur.

Jusqu'au moment l'on devient expert en relaxation, la meilleure position consiste à se coucher à plat sur le dos, le visage tourné vers le plafond. Il vaut mieux ne pas se coucher sur le côté ou sur le ventre. En général, ces positions impliquent une tension dans certaines parties du corps. Toute la longueur de chaque bras repose directement sur le lit. Les mains doivent se trouver au moins à quelques centimètres des jambes. On évite de croiser les mains parce que les sensations de contact au niveau de la peau s'avèrent souvent légèrement incommodantes. C'est pour la même raison que l'on ne croise pas les jambes. Le lit supporte donc directement chaque partie du corps.

Le débutant devrait, au moins au départ, adopter cette position. Il est bon de souligner toutefois que l'on peut atteindre un état de relaxation dans n'importe quelle position. Les personnes qui apprennent à relaxer couchées sur le dos ne doivent pas hésiter à s'endormir dans une autre position s'ils en ont l'habitude.

Première séance

Reposez calmement sur le dos pendant trois ou quatre minutes. Fermez graduellement les yeux afin de permettre un relâchement graduel des muscles. Il ne faudrait ni parler ni que l'on vous adresse la parole. Après cette détente préliminaire, repliez votre main droite vers l'arrière au niveau du poignet. En faisant ce geste, ne levez pas l'avant-bras droit ni le coude droit. L'avant-bras et le coude devront reposer sur le lit pendant toute la séance, exactement comme vous pouvez le voir sur la figure 1. Maintenez la main pliée, les yeux fermés et tâchez d'identifier la sensation de tension diffuse dans la partie supérieure de l'avant-bras droit. Cette sensation est très légère. Pour vous familiariser avec elle, continuez de plier fermement la main pendant quelques minutes. Cette sensation est caractéristique. Toutes les autres tensions du corps lui ressemblent. Il faut que vous puissiez l'identifier. Cela pourra vous être très utile dans la vie de tous les jours. Aussi légère que soit cette sensation de tension, apprenez à la reconnaître et à la distinguer des autres sensations. Ainsi, vous saurez à tout moment quand et où vous êtes tendu.

Ne confondez pas cette légère sensation de tension avec une autre sensation qui se manifeste à l'articulation lorsque la main est ainsi repliée et que j'appelle "sensation d'effort". Les sensations d'effort sont le résultat passif des efforts que l'on fait. En général, on les perçoit plus facilement que les sensations en provenance des muscles, connues sous le nom de tensions. Les sensations d'effort masquent souvent les tensions musculaires, pourtant plus importantes à détecter.

La sensation que l'on ressent quand un muscle se contracte s'appelle donc tension. On la ressent faiblement. Elle est à peine perceptible. La tension diffère qualitativement de la douleur produite en pinçant un muscle, du chatouillement, du contact de la ouate sur la peau et des sensations de chaud et de froid. Si vous vous griffez avec une aiguille ou un stylo, il vous est facile d'identifier la sensation que vous éprouvez. Quand un muscle est tendu par contre, les limites de la sensation de contraction sont généralement mal définies. L'expérience reste diffuse. Légère, la tension n'est ni agréable ni désagréable mais particulièrement difficile à distinguer et dépourvue de caractéristiques spécifiques. Si l'on veut apprendre à relaxer, il est extrêmement important de se familiariser avec ce que l'on éprouve au moment d'une tension musculaire de façon à pouvoir la reconnaître dans toute partie du corps.

Pendant les premières séances, on s'exercera encore et encore à identifier les sensations musculaires. Dès le second ou le troisième jour, il est possible que vous soyez capable de noter du premier coup ce qui vous semblait extrêmement vague et incertain au début. Quand vous estimerez percevoir assez clairement la sensation de tension que vous éprouverez en repliant la main vers l'arrière, vous serez à même de vous dire: "C'est moi qui crée cette tension!" Il s'agit maintenant de faire tout simplement le contraire, c'est-à-dire: *ne pas* créer de tension. Cessez de replier la main. Elle retombera sous son propre poids. La tension que vous aviez remarquée diminuera ou disparaîtra de la région de l'avant-bras. Entendons-nous pour appeler cette disparition ou cette absence de tension "relaxation". Voilà donc définis les principaux termes que nous aurons à employer pendant que vous apprendrez à relaxer.

Lorsque vous relaxez les muscles que vous aviez tendus en repliant votre main, vous êtes à même de percevoir clairement *ce qu'il ne faut pas faire.* Vous devez vous rendre compte que la relaxation n'est pas une action subjective mais *simplement le contraire de l'action.* Relaxez votre bras pendant quelques minutes pour bien saisir ce point. Ensuite, repliez la main une autre fois et relaxez-la de nouveau. Observez cette fois que la relaxation ne demande aucun effort: vous n'avez pas eu à contracter votre bras ni aucune autre partie de votre corps pour relaxer votre avant-bras. Ce sont des points importants à apprendre. En effet, l'individu non entraîné qui ne parvient pas à relaxer contracte divers autres muscles quand il essaye en vain d'en relaxer un. *Soyez sûr de ne pas baisser précipitamment la main vers le lit au lieu de la laisser simplement retomber. Ne la bougez pas non plus, même légèrement, une fois qu'elle repose à plat, pour lui trouver une position plus confortable.* Le débutant fait souvent des mouvements du genre. Il croit qu'il relaxe, mais ces mouvements ne sont pas nécessaires. Ils sont même vraiment contraires aux techniques de la relaxation.

Si vous repliez de nouveau la main, vous noterez que ce mouvement représente un *effort.* Par contre, cesser de la plier, la relaxer au vrai sens du terme n'implique aucun effort. La relaxation n'est jamais difficile et ne peut pas l'être. Il est important de s'en rendre compte. On est relaxé ou pas, un point c'est tout!

Une fois ces choses comprises, repliez la main de nouveau, puis décontractez-la. Si vous cessez complètement de la plier, la main retombera d'elle-même. *Ne faites pas de mouvement volontaire pour la remettre à plat. Beaucoup commettent l'erreur de baisser la main au lieu de la laisser simplement retomber.*

Comme vous pouvez facilement le comprendre, *plier le bras n'est pas un exercice de relaxation.* Plier le poignet ou poser n'importe quel geste ne produit pas la relaxation. Ces gestes reproduits sur les photos ne sont là que pour vous montrer ce qu'il ne faut pas faire quand on essaye de relaxer. La contraction n'augmente pas la relaxation présente dans le muscle avant que vous ne le contractiez. L'exercice physique est le contraire de la relaxation. L'exercice, musculairement parlant, signifie faire quelque chose, poser un geste. La relaxation (le mouvement musculaire négatif) en est l'opposé.

Après ces tentatives préliminaires d'identification de la sensation de tension, livrez-vous pendant environ une demi-heure à la relaxation continue. *Pendant cette période, ne contractez pas vos muscles de temps en temps* ou vous détruiriez les bénéfices de votre relaxation. Après avoir contracté vos muscles plusieurs fois au début de la séance, consacrez tout ce qu'il reste de votre heure de pratique à éviter tout mouvement. Prenez garde cependant de ne pas vous forcer à rester tranquille.

Une fois que vous avez identifié la sensation de contraction dans un groupe musculaire donné, vous êtes capable de vous entraîner à relaxer complètement ces muscles. Vous devrez apprendre à identifier la contraction dans les diverses parties de votre corps et ce, dans un ordre bien précis, en commençant par les muscles les plus gros, parce que les sensations qui en proviennent sont plus évidentes. Lorsque vous relaxerez un nouveau groupe de muscles, vous aurez à relaxer *simultanément* tous les groupes musculaires que vous aurez déjà appris à relaxer auparavant.

Deuxième séance

Il est bon de prévoir une seconde séance d'entraînement le lendemain de la première. Comme la première fois, étendez les bras à plat le long du corps de telle sorte qu'ils ne touchent pas les vêtements que vous portez. Commencez par laisser votre corps devenir le plus mou possible de façon à pouvoir reconnaître les sensations musculaires, même les plus légères, qui autrement pourraient être cachées par d'autres genres de sensations. Restez ainsi pendant dix minutes environ. Gardez d'abord les yeux ouverts, puis fermez-les au bout d'un certain temps. Repliez votre main gauche vers l'arrière comme vous l'aviez fait la veille pour la main droite (figure 1). Notez la sensation que vous éprouvez dans les muscles de la partie supérieure de l'avant-bras gauche. Cessez de plier la main. Laissez reposer le muscle entièrement pendant quelques minutes. Après cette révision de la séance précédente, pliez la main gauche vers l'intérieur au niveau du poignet (figure 2). Gardez la main pliée sans interruption pendant que vous essayez de localiser la sensation de tension. Elle peut vous échapper au début, mais continuez votre observation. *Ne faites pas de mouvement de va-et-vient. Maintenez la position de façon continue.* Vous finirez par détecter la tension dans la partie inférieure de l'avant-bras gauche, comme l'indique la flèche (figure 2). Laissez-vous la possibilité de la trouver par vous-même avant d'aller regarder l'illustration. Soyez sûr de distinguer la sensation de tension et la sensation d'effort dans la région du poignet.

Observez la tension pendant environ une minute. Maintenez la main pliée tout ce temps-là. Ensuite, cessez de la plier. Relâchez les muscles. J'insiste bien: ne faites aucun effort pour remettre votre main dans sa position initiale. Un tel effort ne serait pas de la relaxation. Au contraire, il provoquerait une tension. *Tout effort que l'on fait pour relaxer provoque immanquablement l'échec de la relaxation.*

Pendant cette seconde heure de pratique, le deuxième jour, vous aurez à plier votre main trois fois, pas plus. Chaque fois, vous maintiendrez le geste de façon constante pendant près d'une minute pour vous permettre de bien observer. Entre chaque mouvement, laissez un intervalle d'environ trois minutes pendant lequel vous laisserez relaxer l'avant-bras.

Après avoir plié la main une troisième et dernière fois, relaxez pendant tout le reste de la séance votre avant-bras et tout le corps. Évitez de plier de nouveau la main. Laissez vos muscles relaxer aussi complètement que vous en êtes capable pendant toute la dernière demi-heure de la séance.

Troisième séance

Les directives de la troisième séance sont plus simples. Commencez comme la fois précédente, couché sur le dos, les yeux ouverts pendant quelques minutes; ensuite laissez-les se refermer graduellement et ne les ouvrez plus. Il ne vous faut, en effet, provoquer aucune espèce de tension. Votre objectif d'aujourd'hui est de garder votre bras gauche relaxé, rien de plus. Ceci exige de vous que vous puissiez remarquer à tout moment la naissance éventuelle d'une tension dans la partie supérieure du bras gauche. Si une telle tension se produit, vous serez en mesure de la détecter, si légère et imperceptible soit-elle, et de la relaxer, parce que c'est *vous* qui agissez. Vous êtes responsable de toute tension qui naît et, quelles que soient vos excuses, il vous faut l'éviter. Vous mériterez une bonne note si vous réussissez à suivre mes directives, si simples soient-elles.

Quatrième séance

Commencez la quatrième séance comme les précédentes. Une fois que vos yeux sont fermés, répétez les mouvements que vous avez faits au cours de la première et de la seconde séance en les séparant par un bref intervalle. Repliez la main gauche vers l'arrière au niveau du poignet pendant environ une minute et observez attentivement, une fois de plus, la sensation de tension présente dans la partie supérieure de l'avant-bras gauche. Ne la confondez pas avec la sensation d'effort au niveau du poignet et dans la partie inférieure de l'avant-bras gauche. Vous êtes maintenant capable de distinguer "tension" et "effort". Relâchez le muscle. La main devrait retomber mollement. Maintenez la relaxation pendant quelques minutes. Ensuite, repliez la main gauche vers l'intérieur. Observez la sensation de tension dans la partie inférieure de l'avant-bras gauche. Ne la confondez pas avec la sensation d'effort dans le poignet ou dans la partie inférieure de l'avant-bras gauche. Après avoir bien observé, relaxez pendant quelques minutes.

En suivant mes directives, n'essayez pas de chronométrer de façon précise vos périodes de tension et vos périodes de relaxation. S'il vous faut replier la main pendant une minute et la relaxer ensuite pendant plusieurs minutes, ne vérifiez pas sur une horloge ou sur votre montre pour voir si vous vous conformez exactement au temps indiqué. Estimez le temps de façon approximative. Il ne sert à rien dans ce cas-ci d'être absolument précis.

Autre précaution: ne révisez pas plus de trois sensations de tension différentes par heure d'entraînement. Si vous tendez continuellement un groupe de muscles après l'autre, vous ne parviendrez pas à apprendre à relaxer. Votre heure d'entraînement à la relaxation deviendra essentiellement une heure d'exercices physiques.

Après la révision habituelle, passez à l'étape suivante. Comme sur la figure 3, repliez votre bras gauche au niveau du coude en formant un angle d'environ 30°. Laissez la main pendre mollement . Faites attention de ne pas soulever le coude. Rappelez-vous de garder les paupières fermées pendant toute l'heure d'entraînement, sauf les premières minutes.

Une fois le bras gauche plié, observez la sensation diffuse de tension à l'avant de la partie supérieure du bras, là où se trouve le biceps.

Si vous avez du mal à reconnaître la tension, c'est probablement que vous vous attendez à une sensation très distincte. Elle est légère. Vous devrez vous y habituer. Ne cherchez pas une sensation de pincement comme celle que provoque la douleur ou même l'effort. Si vous préférez, demandez à quelqu'un de pousser votre avant-bras vers l'arrière pendant que vous le pliez. Cela intensifiera la sensation dans la région du biceps. Mais entraînez-vous à discerner les sensations musculaires sans recourir à de semblables renforcements.

Lorsque vous aurez discerné la tension dans le bras pendant deux ou trois minutes — ou même si vous n'y êtes pas parvenu — laissez aller le bras. L'avant-bras, y compris la main, devrait retomber mollement sur le lit comme si vous étiez une poupée de chiffon. Relâchez le muscle pendant environ trois minutes. Ensuite, repliez le bras encore une fois pendant environ une minute pour vous permettre d'observer, puis laissez-le retomber de nouveau. Gardez-le relaxé de la sorte pendant le reste de l'heure.

Cinquième séance

Pendant la cinquième période (le cinquième jour), suivez la façon de procéder illustrée sur la figure 4. Votre poignet doit reposer sur un livre ou deux, à une hauteur d'environ 10 centimètres (4 pouces) ou un peu plus. Les livres peuvent rester en place pendant toute l'heure. Cette fois, vous pouvez vous dispenser de revoir les tensions observées au cours des séances précédentes.

Commencez la cinquième séance les yeux ouverts comme d'habitude. Laissez-les refermer graduellement. Une fois de plus, gardez les yeux fermés pendant tout le reste de l'heure. Après quelques minutes, pressez doucement le poignet contre le livre. Remarquez la sensation de tension à l'arrière de la partie supérieure du bras. Ne la confondez pas avec la sensation d'effort dans l'avant-bras ou le coude.

Procédez dans le même ordre que les fois précédentes. Observez la sensation de tension pendant quelques minutes ou moins, trois fois en tout. Laissez aller après chaque observation. Consacrez la seconde moitié de la séance (comme toutes les séances précédentes) uniquement à la relaxation. Cessez de faire quelque mouvement que ce soit.

Sixième séance

La sixième séance, comme la troisième, est consacrée entièrement dès le début à la relaxation; gardez-vous alors de provoquer de façon délibérée quelque tension que ce soit.

Septième séance

Au moment d'aborder cette septième séance, les sensations émanant des principaux groupes musculaires du bras gauche vous sont sans doute devenues familières. Voici donc le moment venu d'expérimenter une tension qui n'a besoin d'aucun mouvement pour être graduellement relaxée. Gardez votre bras à plat sur le lit. Ne le bougez pas. Contractez les muscles du bras graduellement jusqu'à ce que le bras soit complètement raide. Augmentez la contraction progressivement pendant environ trente secondes. Après avoir atteint un maximum, relâchez la contraction petit à petit, jusqu'au moment où votre bras vous semble parfaitement relaxé. Essayez même d'aller encore plus loin. Voilà exactement ce que je voulais dire quand j'employais l'expression "action négative". Le processus est typique de la relaxation progressive. Il vaut pour toutes les régions musculaires. Au premier stade de votre entraînement, chaque fois que vous pensez être parvenu à relaxer complètement l'une ou l'autre partie de votre corps, vous pouvez sans grand risque d'erreur présumer que vous vous trompez et que l'ensemble des muscles en question est encore un peu tendu. Un certain degré de tension résiduelle subsiste sans nul doute. Il faut apprendre à vous en défaire complètement. Après avoir raidi le bras et l'avoir relaxé à un point qui vous semble le maximum que vous êtes capable d'atteindre, n'arrêtez-pas! *Quoi que vous ayez fait jusque-là, essayez de relaxer encore davantage.*

Une partie de la procédure exposée plus haut ne devra pas être reprise par la suite. En effet, une des règles de la relaxation est de ne pas raidir le bras ou de ne pas s'engager dans quelque contraction musculaire que ce soit avant de relaxer. Il faut commencer à relaxer en partant du point de contraction où se trouve le muscle. Des enregistrements graphiques ont révélé que certains sujets ne parviennent pas à atteindre un degré de relaxation extrême parce qu'ils contractent le muscle avant de le relaxer. Puisqu'il est mauvais de contracter un muscle juste avant de le relaxer, certaines précautions doivent être prises pour éviter que les méthodes facilitant l'apprentissage ne deviennent par la suite de mauvaises habitudes. En conséquence, gardez-vous au cours des séances trois et six, mais aussi au cours des séances neuf, douze, quinze et au cours de toutes les séances multiples de trois, de faire quelque contraction musculaire que ce soit.

Autre mise en garde importante: n'essayez pas de vous faciliter l'apprentissage de la relaxation en vous répétant des phrases comme: "Je sens maintenant mes bras s'engourdir!" ou "Mes jambes deviennent lourdes!" ou "Cela me fait du bien!" Vous n'êtes pas en train d'apprendre l'autosuggestion mais la relaxation. La relaxation s'apprend exactement comme la natation ou la danse.

Si vous êtes parvenu à bien reconnaître les tensions, vous pouvez, lors de la septième séance, ou un peu plus tard, vous familiariser avec ce que, pour être bref, j'appelerai ici *la réduction progressive de la tension.* Vous pliez le bras, tel qu'indiqué sur la figure 3, et vous notez une sensation de tension dans le biceps. Vous répétez le mouvement mais à moitié; puis de nouveau, mais cette fois la moitié de la moitié et ainsi de suite. Vous atteignez rapidement un point où le mouvement du bras est à peine esquissé. Un observateur aurait du mal à le remarquer. Si vous êtes toujours capable de noter la tension, pliez de nouveau le bras mais encore un peu moins. Extérieurement, aucun mouvement ne sera perceptible. Les patients rapportent (et les vérifications électriques le confirment) que la sensation de contraction musculaire est chaque fois considérablement réduite. Si vous éprouvez une sensation de contraction, si légère soit-elle, pliez le bras, mais toujours un peu moins que la fois précédente, jusqu'à ce que toute sensation de tension disparaisse.

Personne ne peut apprendre à contrôler sa relaxation s'il ne connaît pas la différence entre ce que j'appelle "sensation de tension" et "sensation d'effort". La confusion est fréquente quand, par exemple, vous pliez votre main gauche vers l'arrière pour localiser la tension musculaire. L'erreur commune consiste à penser que la tension se trouve dans le haut du poignet, où une sorte de raideur ou de pression attire l'attention, et du même coup à passer à côté de la sensation plus réduite de tension musculaire présente dans la partie supérieure de l'avant-bras (voir figure 1). Si vous commettez cette erreur, gardez la main gauche relaxée pendant que quelqu'un la tire vers l'arrière. Vous remarquerez alors la même pression ou raideur au poignet que lorsque vous pliez vous-même la main vers l'arrière. Si vous êtes observateur, vous serez d'accord pour reconnaître que ces sensations au poignet n'ont rien à voir avec ce que nous nous accordons à appeler tension musculaire. Elles ont un caractère plus défini que la tension. Elles sont plus clairement circonscrites. En général, la "sensation d'effort" et la "sensation de tension" diffèrent exactement comme les sensations de chaleur et de froid, comme le toucher et le chatouillement ou comme la douleur diffère des autres sensations mentionnées. Il est donc important de distinguer ce type de sensation que l'on a noté près du poignet en lui donnant un nom différent, celui de "sensation d'effort". Pendant que quelqu'un replie votre main vers l'arrière, sans que vous-même n'ayez à faire d'effort, essayez de relaxer cette sorte de pression au poignet. Vous n'y parviendrez pas. Cette pression ne dépend pas de ce que *vous faites*, même si elle est souvent présente dans vos gestes et si, dans certaines circonstances favorables, elle peut disparaître au moment où vous relaxez. Si quelqu'un replie votre main vers l'arrière et que vous fournissez un effort supplémentaire pour la replier encore plus, vous sentirez naître la tension dans le haut de votre avant-bras. Cela devrait vous permettre de faire clairement la distinction. Quand vous relaxez votre main, la tension fait place à la relaxation, mais la sensation de raideur au poignet continue lorsque la personne qui vous aide garde votre main pliée vers l'arrière.

Vous découvrez donc que les sensations de tension passent souvent inaperçues à cause de leur relative légèreté. Ces sensations sont parfois "inconscientes", dans le sens qu'on néglige habituellement d'y porter attention, mais elles peuvent sans aucun doute être relaxées.

Il faut également apprendre à faire la distinction entre les sensations que l'on éprouve par suite de *tensions musculaires mobiles* et les sensations provenant de *tensions musculaires fixes,* c'est-à-dire les contractions provenant de mouvements musculaires par opposition aux contractions provenant du raidissement des muscles. La flexion du bras est un exemple de tension mobile. Le raidissement du bras est un exemple de tension fixe.

D'autres groupes musculaires devraient recevoir le même entraînement pratique avec des variantes selon vos besoins spécifiques. Exercez le bras droit de la même manière que vous avez exercé le gauche. Il est possible que vous ayez terminé l'entraînement de vos bras après douze séances environ, mais il vaudrait mieux y consacrer vingt à trente séances. Quand vous aurez appris à reconnaître la tension dans n'importe quel groupe musculaire, par exemple les biceps, donnez-vous quelques jours de répit pendant lesquels vous pratiquerez la relaxation d'un seul groupe musculaire. En même temps, lorsqu'il vous arrivera de plier le bras en vaquant à vos occupations habituelles, notez la sensation de contraction et localisez-la. Cela ne vous prendra que peu de temps et vous bénéficierez ainsi de nombreuses répétitions. À force de revoir toujours le même point, vous vous familiariserez graduellement avec les sensations de tension dans chacun de vos muscles et serez capable de les reconnaître avec un minimum d'effort et d'attention, même dans leurs manifestations les plus imperceptibles.

Relaxation des jambes

Pour chaque jambe, vous devrez apprendre à reconnaître la tension dans six groupes de muscles différents. Si vous pliez le pied ou les orteils vers le haut, vous ressentirez une tension, non à la cheville ou au coup-de-pied, mais dans la partie antérieure de la jambe, un peu au-dessous du genou (figure 5). Si vous pliez les orteils ou le pied vers le bas, la tension se produira non pas près de la cheville, mais dans le mollet (figure 6). Pour produire clairement la sensation de tension dans la cuisse, aux seizième et dix-septième séances, étendez-vous de façon à ce que votre jambe gauche pende librement sur le côté du lit tout au long de l'heure, sauf bien sûr au moment où vous tendrez la jambe pour provoquer la tension. Si votre lit (ou votre divan) est relativement haut, votre pied ne touchera pas le sol. Étendez la jambe comme sur la figure 7. Gardez le pied mou à la cheville. Faites attention, car vous aurez tendance à le raidir. Maintenez la position jusqu'à ce que vous identifiez clairement la sensation de tension dans la partie antérieure de la cuisse. Si vous pliez la jambe gauche, comme sur la figure 8, une sensation de tension naîtra dans la partie arrière de la cuisse. Si vous repliez la cuisse vers le haut, vous éprouverez la tension profondément dans l'abdomen, dans la région des hanches (figure 9). Pour parvenir à bien l'identifier, relaxez la jambe au genou. Déplacez mollement le talon le long du lit en repliant la cuisse. Si vous baissez la cuisse en l'appuyant sur une pile de livres posée sur le lit, les sensations de tension naîtront très haut dans la région des fesses. Les patients ont souvent du mal à l'identifier (figure 10).

Si vous avez du mal à relaxer, à ce stade ou à n'importe quel autre, ou si vous vous "efforcez" d'y arriver, soyez sûr que c'est parce que vous êtes en train de contracter des muscles quelque part. Vous commettez probablement "l'erreur des débutants": vous faites un effort pour relaxer. Si, par ailleurs, vous commencez à aimer vous laisser aller à la détente, c'est signe de progrès.

Ceux qui participent aux séances d'initiation à la relaxation rapportent souvent que la relaxation complète ne s'accompagne d'aucune sensation consciente particulière. Les sensations, disent-ils, semblent plutôt disparaître d'une région musculaire donnée quand on commence à la relaxer totalement. L'une de ces personnes explique: "Au bout d'un certain temps, je n'ai plus conscience de l'endroit où se trouvent mes bras par rapport à mon corps. Mon sens de la localisation par rapport à moi-même s'est évanoui."

Par ailleurs, si vous vous sentez comme "séparé de votre corps" au cours de l'entraînement ou éprouvez quelque autre sensation étrange, agréable ou non, c'est que vous ne relaxez pas au sens où j'essaie de vous l'apprendre ici. Vous feriez mieux d'arrêter et de recommencer l'exercice le lendemain.

Relaxation du tronc

Venons-en maintenant au tronc. Vous devrez rentrer les muscles abdominaux, ce qui aura pour effet de produire une sensation de tension diffuse, facile à noter sur toute la partie avant de l'abdomen (figure 11). La même sensation se produit au même endroit si, couché sur le dos, vous redressez le tronc vers l'avant et le haut; si vous repliez le tronc vers l'arrière en arquant le dos (voir figure 12), vous ressentirez une tension le long de l'épine dorsale de part et d'autre de la colonne vertébrale. Vous devrez relaxer pendant une demi-heure avant d'essayer de localiser la tension dans les muscles respiratoires (figure 13). À ce moment-là, en continuant de respirer tranquillement comme à l'ordinaire, notez la légère sensation de tension sur toute la paroi du thorax. Cette tension se manifeste uniquement quand vous inspirez. Quand vous expirez, elle est absente. Certains pensent parfois, à tort, n'éprouver la tension provoquée par la respiration que sous la cage thoracique et seulement quand ils gardent l'air dans leurs poumons. La relaxation de la poitrine ressemble exactement à la relaxation du bras. Il suffit de laisser l'air contenu dans les poumons s'en aller de soi-même. Ma méthode ne recourt pas au "contrôle de la respiration" pour atteindre la relaxation. Il s'agit plutôt de libérer la respiration de toute influence volontaire.

Diverses pratiques et diverses religions orientales, dont le yoga, insistent sur le contrôle de la respiration. Ces pratiques sont mystiques ou religieuses bien plus que scientifiques. D'après moi, les personnes qui se soucient avant tout de leur santé devraient les éviter. Les techniques orientales comportent souvent des états hypnotiques. Leurs adeptes, même sincères, ne comprennent pas toujours ce qu'ils sont en train de faire du point de vue psychologique. On pratique la suggestion et l'autosuggestion sans que l'individu en ait clairement conscience. Il peut en résulter des traumatismes psychiques. Ces pratiques entravent souvent la régulation autonome des énergies, ce qui est l'objectif essentiel de ce volume.

Relaxation des épaules

Après avoir pratiqué la relaxation des muscles de la respiration, on en arrive aux épaules. Pour chaque épaule, vous aurez à identifier des tensions musculaires dans trois régions différentes. Si vous tendez les bras vers l'avant ou latéralement, vous éprouverez une tension dans la partie antérieure de la poitrine près des bras. Si vous ramenez les épaules vers l'arrière en direction de la colonne vertébrale, vous ferez naître une tension entre les omoplates. Si vous haussez les épaules, la tension se manifestera à leur sommet et sur les côtés du cou.

Relaxation du cou

Pour identifier les tensions dans le cou, vous inclinez la tête vers la gauche (figure 14), puis vers la droite, puis en avant et en arrière. Notez les tensions qui se manifesteront successivement (et essentiellement) dans la partie gauche du cou, dans la partie droite, à l'avant du cou et sur les côtés et, enfin, à l'arrière du cou. Après avoir localisé chacune de ces tensions en début de séance, consacrez le reste du temps à faire disparaître la contraction, même si elle est très faible. Gardez votre tête aussi inerte que s'il s'agissait d'une balle de caoutchouc.

Relaxation des yeux

La facilité à relaxer les yeux, y compris les sourcils et les paupières, constitue un test révélateur. La plupart des gens remarquent facilement la tension musculaire qu'ils éprouvent en plissant le front (figure 15). Ils la ressentent directement sous les plis de la peau. Après avoir identifié cette tension, on laisse le front redevenir parfaitement lisse. Certains patients rapportent parfois qu'ils sont capables de distinguer sur une période de plusieurs minutes la décontraction graduelle de la région frontale. On procède ensuite de la même façon pour les sourcils. Après les avoir froncés (figure 16), on laisse graduellement la peau redevenir parfaitement lisse. Prenez garde de ne pas plisser le front lorsque vous essayerez de relaxer les sourcils. Si vous commettez cette erreur, vous devrez recommencer l'exercice. Souvenez-vous qu'il *n'est pas nécessaire de bouger pour relaxer.* Ensuite, serrez très fort les paupières en gardant les yeux fermés. Notez la tension dans les paupières (figure 17). Relâchez graduellement les paupières jusqu'à ce que le mouvement réflexe de les cligner disparaisse, ou tout au moins se fasse moins fréquent. Lors de la séance suivante, tout en gardant les paupières fermées, tournez les yeux vers la gauche et notez les tensions dans la région du globe oculaire (figure 18). Observez de nouveau les tensions, cette fois en tournant les yeux vers la droite, puis vers le haut, puis vers le bas. Regardez droit devant vous et notez la tension fixe dans la région du globe oculaire. Répétez chaque mouvement jusqu'à ce que vous discerniez clairement la sensation de contraction musculaire. Par la suite, décontractez complètement les yeux, *exactement comme quand vous laissiez tomber le bras.* Essayez de ne regarder dans aucune direction. Si vous ne parvenez pas à relaxer la région des yeux, raidissez votre bras droit. Ensuite laissez graduellement votre bras et vos yeux relaxer ensemble. Généralement, plusieurs répétitions sont nécessaires.

Quand vous estimerez être bien capable de parvenir à identifier les tensions dans la région des yeux, ouvrez-les. Observez à présent ce qui se passe dans la région des yeux quand vous regardez successivement vers le haut et le bas. Vous éprouverez une sensation passagère de tension. Répétez le mouvement des yeux plusieurs fois de façon à devenir tout à fait conscient de ce qui se passe dans vos muscles. Vos yeux vous servent à voir. Si vous parvenez à détecter les tensions qu'implique tout mouvement du regard, vous saurez quelle quantité d'énergie vous dépensez chaque fois que vous vous servez de vos yeux.

Il y a de bonnes raisons de vous y intéresser. Vous vous êtes toujours servi de vos yeux sans connaître la quantité d'énergie musculaire que vous dépensiez chaque fois. Si vous voulez éviter de les surmener, il faut d'abord vous familiariser avec la tension musculaire présente chaque fois que vous les utilisez, que cette tension soit forte ou minime. Si vous êtes d'accord avec les objectifs de ce livre et si vous en suivez les directives, vous cherchez à ne pas gaspiller inutilement votre énergie de façon à pouvoir la consacrer aux choses de la vie qui en valent vraiment la peine. En ce sens, les yeux méritent une attention spéciale. Ce sont eux qui déterminent la quantité d'énergie que dépense le reste de votre corps. Ce que l'on voit (ou croit voir) détermine en effet pour une bonne part ce que l'on fait.

Tâchez donc de vous familiariser avec la tension que représente tout mouvement des yeux. Notez également la *tension fixe* présente quand vous regardez un point immobile à cinq ou dix pieds de vous. Distinguez bien la sensation de tension de la sensation de picotement ou de fatigue des yeux. Ces sensations sont plus faciles à reconnaître mais elles ne résultent pas d'une action volontaire de votre part. Elles sont passives, aussi passives que ce que vous éprouvez quand vous avez le bras cassé. La tension musculaire est plus importante parce qu'elle résulte de *votre* façon d'agir.

Chaque fois que avez du mal à identifier une tension musculaire, que ce soit dans les yeux ou dans toute autre région, pliez de nouveau votre main vers l'arrière à hauteur du poignet. Notez une fois de plus la sensation que vous éprouvez dans la partie supérieure de l'avant-bras. C'est cela que nous connaissons sous le nom de tension. La tension musculaire dans l'avant-bras vous aidera à identifier les autres tensions.

Relaxation de l'activité du cerveau

Beaucoup se plaignent du fait que leur esprit continue à fonctionner même quand ils s'étendent pour relaxer et que cela les rend incapables de trouver la détente. Certains, avant de commencer les cours de relaxation, se demandent si la relaxation musculaire parviendra à calmer leur esprit. À partir de vos propres observations, il vous revient de trouver la réponse. Évitez les préjugés. *Il ne faudrait à aucun moment faire un effort pour cesser de penser ou pour "vous vider l'esprit". Tout au long du cours, votre seul objectif doit être de relaxer progressivement les muscles et de laisser les autres effets se produire d'eux-mêmes.*

Vous aurez besoin d'une pièce particulièrement calme pour les exercices qui suivent. Il ne faudra même pas que vous puissiez y être dérangé par des bruits aussi légers que, par exemple, des froissements de papier. Après quinze minutes environ de relaxation complète, ou presque, de toutes les régions musculaires que vous vous êtes exercé à relaxer jusqu'à présent, tout en gardant les yeux fermés, imaginez que vous regardiez d'abord le plafond et ensuite le plancher de la pièce où vous êtes couché. Si vous y parvenez, vous noterez des sensations de tension dans la région des yeux, identiques à celles que vous éprouviez lorsque vous regardiez vraiment du plancher au plafond, en gardant les yeux ouverts. Ces sensations sont parfois facilement perceptibles. Dans beaucoup de cas cependant, elles sont si réduites qu'il faut de fréquentes répétitions pour les détecter. Après avoir exécuté mentalement le mouvement des yeux comme je viens de l'indiquer, il faudra relaxer complètement les yeux de cinq à quinze minutes. Imaginez ensuite que vous voyiez le mur de droite et tout de suite après, celui de gauche. Observez la sensation de tension. Pratiquez ce mouvement imaginaire des yeux jusqu'à ce que vous puissiez observer sans difficulté les tensions qu'un tel mouvement implique. En relaxant les yeux, la visualisation cesse.

Vous commencerez la séance d'entraînement suivante en ménageant de nouveau une période de relaxation au tout début. Puis, imaginez que vous voyiez passer un véhicule automobile. Si vous êtes bon observateur, vous vous rendrez sans doute compte qu'il surgit une image mentale de cette voiture, accompagnée d'une légère sensation de tension dans la région des globes oculaires, exactement comme si les yeux suivaient réellement l'automobile. Si vous ne réussissez pas à observer ce qui se passe en vous, relaxez et répétez l'expérience. Certaines personnes relatent qu'elles ont de la difficulté à voir des images mentales claires. Elles notent une tension, comme si elles suivaient la voiture des yeux, mais elles ne parviennent pas à la voir réellement dans leur tête. Si vous réussissez cette première expérience, vous devrez ensuite imaginer divers autres objets immobiles ou en mouvement. Ménagez entre chaque image mentale une période de relaxation des globes oculaires. Imaginez successivement un train qui passe, un oiseau qui vole, une fleur qui bouge dans le vent, un grand arbre ou une tour, une balle qui roule sur le sol, un triangle, un carré, un cercle, un point, un brin d'herbe ou un voilier qui vogue au loin. À mesure que vous développez votre aptitude à noter des tensions oculaires de plus en plus légères, assignez-vous des observations de tensions musculaires de plus en plus complexes. Observez ce qui se passe quand vous vous rappelez la première page du quotidien que vous avez lu le matin, quand vous résolvez un problème d'arithmétique simple ou encore quand vous réfléchissez à un problème humain ou à une question d'affaires. Généralement, après un bon entraînement à l'observation, la plupart des personnes relatent que leurs images mentales s'accompagnent de sensations musculaires dans les yeux, comme si elles regardaient vraiment l'objet qu'elles sont en train d'imaginer.

Dans la mesure du possible, ne prenez pas pour acquis que je ne me trompe pas lorsque j'affirme que les images mentales s'accompagnent de tensions dans les yeux. Vérifiez par vous-même. Dans la pratique médicale, le médecin ne suggère même pas au patient qu'il doit s'attendre à éprouver des tensions dans la région des yeux quand il imagine certaines choses. Il faut parfois omettre certaines questions importantes quand on souhaite mener une investigation de façon scientifique. Dans le cas présent, même si l'objectif est simplement d'aboutir à certains résultats thérapeutiques, il vaut mieux laisser le patient se baser sur ses propres observations.

La directive est simple à suivre: cessez de bouger les yeux en quelque direction que ce soit; cessez même de regarder devant vous; relaxez les yeux exactement comme vous relaxez les biceps.

Lorsque vous relaxerez complètement vos globes oculaires et éviterez jusqu'aux images mentales qui provoquent de légères tensions, vous vous rendrez vraisemblablement compte que votre esprit cesse d'être actif. Voilà donc la bonne façon de contrôler l'activité de votre esprit.

Venons-en maintenant à d'autres ensembles de muscles. Je vous rappelle encore une fois qu'il ne faut pratiquer qu'un seul ensemble musculaire par séance d'entraînement et que chaque séance devrait durer une heure. Si vous ne parvenez pas à observer la tension dans l'un ou l'autre ensemble de muscles, il vaut mieux relaxer aussi complètement que possible pendant quelques minutes avant de répéter l'expérience.

Relaxation des muscles phonateurs

Si vous serrez fermement les mâchoires, vous noterez une tension qui se prolonge vers le haut, à partir du point où elles se joignent et jusque dans les tempes. Si vous les ouvrez, une tension musculaire se produira en avant des oreilles, assez profondément sous la peau. Si vous montrez les dents, vous noterez une tension dans les joues (à ne pas confondre avec la sensation que vous éprouvez dans les lèvres). Si vous arrondissez les lèvres, comme pour dire "Oh!", vous noterez une sensation de tension dans les lèvres elles-mêmes. Si vous ramenez la langue vers l'arrière, vous ressentirez une tension dans la langue et dans le fond de la bouche, région située derrière le menton.

Après avoir repéré ces tensions, et en vous conformant aux directives que je viens d'émettre, vous êtes prêt à pratiquer la relaxation des muscles phonateurs. Comme d'habitude, commencez chaque séance par cinq à dix minutes de relaxation préliminaire. Ensuite, comptez tout haut jusqu'à dix, suffisamment lentement pour vous permettre d'observer ce qui se passe. Après un nombre suffisant de répétitions, vous devriez percevoir les tensions musculaires dans votre langue, dans vos lèvres, dans la région des mâchoires et de la gorge, ainsi que dans le diaphragme et dans toute la poitrine (quoique beaucoup plus vaguement). Si vous parvenez à bien observer ces tensions, relaxez de nouveau. Ensuite, recommencez à compter à voix haute mais deux fois moins fort que la première fois. Vous noterez que les mêmes tensions reviennent mais qu'elles sont moins fortes. Recommencez à compter une autre fois, mais d'une voix à peine audible. Observez bien ce qui se passe dans les muscles. Après les avoir relaxés de nouveau, recommencez à compter jusqu'à dix d'une voix encore plus faible; puis encore une fois, de façon moins audible encore et une dernière fois, encore moins fort que la précédente. Tous ceux qui ont pratiqué l'exercice ont constaté qu'à la fin, tout se passe comme si on imaginait que l'on compte. Il s'agit maintenant de relaxer les muscles phonateurs complètement, c'est-à-dire les muscles de la langue, des lèvres, des mâchoires, de la gorge, de la poitrine et du diaphragme. Quand vous le ferez, vous vous rendrez compte que votre discours intérieur cesse: vous cessez de vous parler à vous-même.

Relaxation du discours intérieur

Après l'exercice précédent, imaginez que vous êtes en train de parler, par exemple que vous demandez à un garçon de restaurant de vous apporter votre repas ou que vous demandez une information à un chauffeur d'autobus. Un bon observateur rapporte immanquablement qu'il éprouve de légères tensions dans la langue, les lèvres ou la gorge quand il se tient mentalement un discours (parfois la tension se manifeste aussi dans les muscles des mâchoires et dans le fond de la bouche). Il ne manque pas non plus de mentionner des tensions dans la poitrine et l'abdomen à cause du changement de rythme respiratoire. Le temps de pause entre deux inspirations et la longueur de ces inspirations varient en fonction du type de discours mental. On a découvert également qu'imaginer des sons s'accompagne de tensions musculaires, habituellement dans les muscles des yeux, comme si l'on voulait regarder l'endroit d'où proviennent les sons.

L'individu hypernerveux qui a appris à identifier ses tensions musculaires fait toujours état de nombreuses tensions fortes et indéfinies dans diverses régions du corps. Ces sensations sont parfois fugaces et fragmentaires. Tout se passe comme s'il faisait une chose puis une autre, sans coordination ni harmonie. Une série d'actes inachevés. Nous pouvons observer diverses tensions musculaires correspondant aux sensations décrites par la personne hypernerveuse: agitation, mouvements inutiles, grimaces, tics, etc. Ce que vous éprouvez quand vous vous "sentez nerveux", ce sont diverses sensations de tensions musculaires désordonnées, volontaires et involontaires qui caractérisent votre réponse à l'environnement.

Pour diminuer l'activité mentale, il faut parvenir à une relaxation progressive et poussée des muscles des yeux et de l'appareil phonateur. Cela demande beaucoup d'entraînement. Il faut savoir relaxer ces muscles aussi complètement et de la même manière que l'on relâche les muscles du bras quand on le relaxe (voir figure 20).

Si vous vous entraînez selon mes instructions, vous serez capable d'observer ce que vous faites quand vous ne parvenez pas à dormir et quand vous vous sentez mentalement agité, tracassé ou dérangé. Il faut commencer par savoir observer pour pouvoir vous engager sur le chemin qui vous permettra de vous libérer de ces indésirables surcroîts d'activité. Lorsque vous réfléchissez, lorsque vous vous faites du souci, lorsque vous vous excitez, vous voyez en imagination des choses et vous vous parlez à vous-même. De nombreuses observations me permettent d'affirmer que, si vous détectez les régions musculaires tendues et si vous les relaxez rapidement, vous supprimez automatiquement — de façon quasi mécanique — le surcroît d'activité qui vous dérange.

Programme de relaxation générale

Une fois que vous aurez appris ce que signifie réellement la pratique de la relaxation, je vous recommande d'adopter un programme de relaxation des diverses parties de votre corps. Je vous propose ici le résumé d'un tel programme.

Comme je l'ai décrit plus haut, il vous faut trouver une position relativement confortable sur un lit ou un divan assez large et ensuite procéder comme suit:

Bras droit: pratiquez une heure ou plus chaque jour pendant environ six jours.

Bras gauche: continuez à pratiquer la relaxation du bras droit, mais en même temps relaxez également le bras gauche une heure ou plus chaque jour pendant environ six jours.

Jambe droite: continuez de pratiquer la relaxation des deux bras. En même temps, pratiquez la relaxation de la jambe droite pendant neuf jours.

Jambe gauche: continuez de pratiquer la relaxation de tous les groupes musculaires énumérés plus haut. En même temps, pratiquez la relaxation de la jambe gauche pendant neuf jours.

Tronc: pratique additionnelle pendant trois jours.

Cou: pratique additionnelle pendant deux jours.

Front: un jour.

Sourcils: un jour.

Paupières: un jour.

Yeux: pratiquez la relaxation des yeux tous les jours pendant une semaine.

Images mentales: tous les jours pendant une semaine.

Joues: un jour.

Mâchoires: deux jours.

Lèvres: un jour.

Langue: deux jours.

Muscles phonateurs: trois jours.

Discours intérieur: tous les jours, pendant une semaine.

Mise en garde: Ne consacrez pas plus que la première partie de chaque séance à apprendre à identifier les tensions musculaires. Conformez-vous aux techniques illustrées. Consacrez le reste du temps à pratiquer la relaxation complète. Ne contractez jamais un ensemble de muscles pour les décontracter. *Évitez d'avoir recours au mouvement pour vous aider* quand vous essayez d'atteindre la relaxation. Évitez également de tendre légèrement l'ensemble de votre corps pour vous forcer à rester immobile. Ce n'est pas de la relaxation mais un simple semblant de relaxation qui ne sert à rien.

Celui qui, en commencant, affirme ne rien ressentir là où pointent les flèches des photos, se trompe. Chaque fois qu'on bouge, on éprouve ces sensations. Le débutant les ressent aussi, même s'il n'est pas capable de les identifier. Tout malade a besoin d'apprendre à reconnaître quand il est tendu et quels muscles il contracte au moment où il est tendu.

Chapitre 18

Comment relaxer tout en restant actif

Apprendre à relaxer signifiait originellement pour M. Doe qu'il devait s'étendre et se reposer à intervalles plus ou moins réguliers. Il ne comprenait pas bien en quoi un médecin pouvait l'aider à respecter une telle prescription. Pendant les premières semaines de traitement, le médecin entreprit sérieusement de lui enseigner à décontracter chaque ensemble de muscles l'un après l'autre. M. Doe, étendu sur le lit, se demandait ce que tout cela pouvait bien signifier. Il s'interrogeait aussi sur l'utilité de toute cette procédure. Par moments, il avait la tentation de remettre en doute le bon sens du médecin et même sa sincérité. Tout cela différait tellement des traitements qu'on appliquait habituellement aux malades qui souffraient de la même maladie que lui. On leur conseillait en général de prendre des sédatifs. Le médecin leur prodiguait des conseils et leur tenait des propos encourageants. M. Doe se sentait par moments malade et découragé. Son médecin continuait imperturbablement à lui enseigner la relaxation, étape après étape. Il semblait comprendre les plaintes de son patient mais éludait ses tentatives d'en discuter. À d'autres moments, M. Doe se sentait mieux. Il attribuait alors l'amélioration de son état au traitement en cours. Il fut un peu surpris que son médecin réagisse à son enthousiasme avec autant de froideur qu'il en avait montré devant les commentaires défavorables de son patient. Le médecin se contentait de l'encourager à rester vigilant, lui conseillant de ne pas sauter aux conclusions et d'attendre, avant d'émettre un jugement, d'être capable d'observer par lui-même. M. Doe devait par-dessus tout pratiquer les techniques de relaxation chaque jour. L'ensemble de la méthode lui faisait penser à son séjour à l'école. Il était en train d'apprendre comment se comporter quand il était couché. Ce cours différait néanmoins de tous ceux qu'il avait suivis jusque-là. Toutes les directives, en effet, étaient négatives. On lui enseignait ce qu'il lui fallait éviter quand il essayait de se reposer. Après tout, c'était simple.

Le médecin ne fit aucune prédiction quant aux résultats de la méthode. M. Doe se rendait pourtant compte qu'il commencait à mieux se reposer, certaines nuits du moins. Il s'en aperçut à peu près au moment où il apprit à bien relaxer les yeux. Il remarquait parfois, quand il s'estimait bien relaxé, que les symptômes dont il avait souffert jusque-là diminuaient. Il lui sembla avoir accompli un progrès intéressant quand, pour la première fois, on lui demanda de relaxer aussi fort qu'il en était capable en position assise. Les muscles du dos et de certaines régions devaient rester tendus pour garder la position en même temps que d'autres muscles devaient être relaxés. (C'est la raison pour laquelle ce type de relaxation s'appelle "relaxation différentielle".) M. Doe souhaitait poser de nombreuses questions sur la relaxation différentielle, mais son médecin l'encouragea à observer par lui-même. Dans ce livre, je ne ferai pas comme ferait un médecin traitant. Aussi, j'essaierai de répondre à certaines des questions que se posait M. Doe.

Il devait se dire à peu près ceci: "Avant d'entreprendre le traitement que je suis en train de suivre, lorsque j'entendais ou lisais le mot "relaxation", je pensais immanquablement au golf, au billard, au cinéma ou à quelque autre forme de divertissement. J'ai appris maintenant que la meilleure façon pour moi de soulager mes nerfs est de m'allonger et de détendre complètement mes muscles, selon les techniques de relaxation progressive. Si je le faisais régulièrement une heure ou deux par jour, il ne fait aucun doute qu'à la longue je deviendrais plus calme et plus détendu. Je ne crois pas me tromper en pensant que je dors mieux qu'avant de commencer à suivre les leçons de relaxation. J'ai pourtant du mal à comprendre ce que je pourrais faire de plus et pourquoi je devrais maintenant apprendre à relaxer autrement que couché."

Le médecin a l'habitude de ce genre de questions. Elles émanent parfois de personnes (même de médecins) qui ne souhaitent pas faire face à l'évidence. Ces gens sont sûrs qu'apprendre à relaxer n'est d'aucun secours pour surmonter la tension nerveuse ou traiter d'autres maladies, sauf si le patient *croit* qu'il va en tirer profit. Il vaut souvent mieux ne pas discuter avec de telles personnes. On peut toujours se consoler en pensant à Aristote. Il disait qu'il vaut mieux réserver ses arguments pour ceux qui doutent et cherchent réellement la vérité plutôt que d'essayer de convaincre ceux qui ont surtout besoin de se penser plus malins que les autres. John Doe appartient à la première catégorie. Le médecin, dès lors, lui rappellera combien de fois déjà il a agi sur le coup de l'excitation nerveuse alors qu'il aurait pu faire la même chose calmement. Ce calme devant les événements, on pourrait l'appeler "relaxation différentielle". Peut-être, après quelque perte en Bourse ou quelque revers de fortune, M. Doe a-t-il essayé de cacher ses sentiments tout en étant très agité intérieurement (des tests électriques sont capables de détecter ce genre d'émotions). Si M. Doe avait réagi à ses revers, quels qu'ils soient, avec un calme raisonnable, *intérieur* autant qu'*apparent,* il serait le vivant exemple de celui qui pratique la relaxation différentielle.

John Doe rétorque:

— Je comprends un peu mieux ce que vous dites, mais pourriez-vous me donner quelques exemples plus convaincants?

— Apprendre à danser, répond le médecin, présente de bonnes analogies avec l'apprentissage de la relaxation. Au début, vous vous déplacez avec raideur. Vous faites beaucoup de gestes inutiles. Ensuite, au fur et à mesure que vous progressez, vous répétez les mêmes pas mais vous laissez vos jambes et votre tronc relaxer davantage. Voilà un bon exemple de relaxation différentielle progressive.

J'aimerais, en plus de tout ce que j'ai dit jusqu'ici, parler des résultats de tests effectués auprès d'étudiants de niveau universitaire pendant qu'ils étaient en train de lire ou d'écrire. Il s'agissait de vérifier ce qui se produit dans l'organisme quand on se livre à des activités propices à la relaxation. On découvrit que le mouvement réflexe du genou diminuait à mesure que l'étudiant se plongeait dans son travail. C'était signe que ses jambes étaient en état de relaxation (le mouvement réflexe du genou est le tressaillement qu'on produit en heurtant le tendon sous la rotule à l'aide d'un maillet de caoutchouc; il faut toutefois que la cuisse repose sur un support et que la jambe et le pied pendent librement). Les mêmes tests, effectués sur des sujets entraînés à relaxer, indiquèrent que, pendant les périodes où on leur demandait effectivement de relaxer, ces individus (qui étaient en train de lire ou d'écrire) relaxaient plus profondément le bas des jambes que pendant les périodes où on ne leur demandait rien. Ces recherches prouvent qu'un certain degré de relaxation se produit habituellement chez les personnes normales placées dans des conditions favorables pendant qu'elles lisent, écrivent ou s'adonnent à quelque autre activité familière. Cette relaxation peut être développée si on le souhaite.

On procéda à une série de mesures électriques sur un groupe de jeunes femmes, en étudiant particulièrement les muscles des jambes. Au cours d'une première expérience, leurs jambes pendaient librement pendant qu'elles lisaient des revues. On leur apprit ensuite à relaxer les jambes en sept périodes de traitement. Après deux mois, on répéta les mêmes tests. Bien qu'elles aient reçu les directives de la relaxation en position couchée, on constata néanmoins un décroissement marqué de la tension musculaire quand elles étaient assises à lire les revues. Elles s'étaient donc habituées à relaxer davantage leurs jambes pendant qu'elles lisaient. D'autres sujets, utilisés comme groupe de contrôle, ne reçurent aucun entraînement et furent testés de la même manière. Chez ces derniers, on ne constata aucune baisse de tension. En conclusion, l'entraînement à la relaxation avait donc eu des effets positifs. Ces recherches nous portent à croire qu'un entraînement à la relaxation peut contribuer à une économie d'énergie musculaire pendant la lecture et pendant d'autres activités.

Dans diverses disciplines artistiques, on a essayé d'atteindre un type particulier de relaxation, même si avant nos recherches, personne n'appelait la relaxation par son nom. Les professeurs d'art oratoire et de chant, de même que les professeurs de bel canto, ont toujours consacré beaucoup de temps à apprendre à leurs élèves la relaxation des muscles de la gorge, du larynx et des organes respiratoires. Les chanteurs ont appris très vite qu'une voix forte n'est pas obligatoire pour se faire entendre des dernières rangées d'une salle de concert qui est dotée d'une bonne acoustique. Ce n'est pas seulement l'intensité du son qui donne de la force à la voix, mais aussi le fait de savoir bien la poser. Il y a moyen de pousser un soupir de façon à ce qu'il soit audible tout au fond de la salle. Une voix bien posée dépend évidemment d'un bon degré de relaxation. On apprend généralement à l'étudiant à accroître le volume de sa respiration dans la partie inférieure du thorax (de la poitrine). Quand les lèvres, la langue et les mâchoires sont bien placées, la partie inférieure de la poitrine ne doit expulser qu'un minimum d'air. On apprend essentiellement à l'étudiant à chanter en relaxant le plus possible la gorge et les muscles des mâchoires. Il ne doit pas chanter ou parler "de la bouche" sinon sa voix ne portera pas. Une bonne relaxation affecte également le timbre de la voix. Ce qu'on appelle un ton d'arrière-gorge — et qui peut gâcher un récital — est dû à une tension excessive de la gorge et des muscles du larynx. En général, les professeurs de chant ne connaissent malheureusement pas bien l'anatomie ni la physiologie. Ils auraient intérêt à les étudier. Cela pourrait grandement leur faciliter la tâche.

La relaxation joue également un rôle évident dans le ballet et la danse artistique. Le danseur raide rate ses effets. Il faut répéter chaque figure jusqu'à ce que le mouvement devienne gracieux. Cela signifie utiliser les seuls muscles nécessaires à l'action sans excès de tension musculaire ni dans ces muscles ni dans les autres. Delsarte entreprit de prouver que la relaxation servait de base à la sculpture et, en fait, à tout art physique. Pour parvenir à ses fins, il mit au point ce qu'il appelait des exercices de décomposition. Certains travaux philosophiques sur l'art semblent plus ou moins confirmer ses assertions, mais aucun ne propose d'énoncés clairs et bien définis.

En agissant, une personne peut donc être plus ou moins excitée et plus ou moins tendue dans divers groupes musculaires. Nous disons de celle qui agit sans tension excessive qu'elle est en état de "relaxation différentielle". *Ce terme désigne donc le minimum de tension musculaire requis pour un acte, en même temps qu'on garde relaxé l'ensemble des autres muscles.* Il y a moyen de trouver dans la vie quotidienne une grande variété d'exemples de relaxation différentielle. Un annonceur bien entraîné ne se fatigue pas la voix après un effort prolongé, à condition de garder la gorge en état de relaxation différentielle. Un joueur de billard trop tendu rate les coups difficiles. Un golfeur ou un joueur de tennis doivent leurs meilleurs coups à une certaine relaxation. L'étudiant inquiet ou tendu a du mal à se concentrer. Le vendeur énervé ne parvient pas à convaincre son client. Le bon acrobate donne une impression de grâce et d'aisance parce qu'il relaxe les muscles dont il n'a pas besoin. Pour obtenir un effet comique, le comédien relaxe souvent à l'extrême certaines parties de son corps alors qu'il tend et agite les autres. Il semble juste de dire que tout processus d'apprentissage comporte l'acquisition de certaines tensions et des relaxations correspondantes. Les manuels de psychologie illustrent souvent les premières étapes de l'apprentissage en les comparant avec ce qui se passe lorsqu'un enfant apprend le piano. Au début, il peine et se tortille. Il tire parfois la langue. Quand il a acquis une certaine habileté, ces tensions disparaissent; c'est donc qu'un certain degré de relaxation différentielle prend place.

Avec un peu d'attention, il vous sera facile d'observer les excès de tension chez les gens qui vous entourent. Certaines personnes gesticulent inutilement, parlent trop vite ou d'un ton suraigu. D'autres bougent ou se tortillent à l'excès, plissent le front ou froncent les sourcils trop souvent, bougent les yeux sans raison ou manifestent d'autres signes d'énervement et d'excitation. Au cinéma, dans presque toutes les comédies, les acteurs imitent assez bien les personnes surexcitées. L'art dramatique, pour imiter la vie réelle, reproduit la totalité des activités musculaires, tensions autant que relaxations.

En médecine, il est apparu plus simple et plus pratique d'entraîner d'abord le patient à la relaxation en position couchée avant de lui montrer la relaxation différentielle. Pour les maladies chroniques, les deux types d'entraînement sont nécessaires. En effet, l'individu qui reste excité quand il s'adonne à ses activités quotidiennes ne relaxe pas vraiment quand il s'étend. Les tensions musculaires ont des effets cumulatifs. Par exemple, d'après l'expérience acquise à ce jour, il faut apprendre à celui qui souffre d'insomnie depuis plusieurs années non seulement à se détendre la nuit, mais aussi à se débarrasser de toute excitation inutile pendant le jour. À l'inverse, il faut montrer à l'individu nerveux et excitable non seulement comment relaxer quand il s'adonne à ses activités, mais aussi à chasser son manque de calme nocturne pour que son sommeil devienne profond et réparateur.

Pour cela, il faut continuer l'entraînement quotidien à la relaxation en position couchée tout en apprenant à relaxer en vaquant à ses occupations habituelles. Un bon moyen pratique d'y parvenir est de relaxer d'abord couché sur un divan pendant quinze ou trente minutes et ensuite de se diriger doucement, les bras ballants et la tête pendante, vers une chaise voisine. Il s'agit dès lors de relaxer autant que possible toutes les parties du corps dans cette nouvelle position, en gardant les yeux fermés. Il faut maintenir le dos assez raide pour ne pas tomber de la chaise, mais sans plus.

Première séance

Il s'agit maintenant d'apprendre, en position assise, exactement les mêmes choses que vous avez apprises en position couchée. Il faut procéder dans le même ordre. Certaines personnes nerveuses désirent au début le support d'un oreiller; il faudrait toutefois s'en passer dès que possible. Gardez les yeux fermés et pliez votre bras gauche. Vous devriez maintenant être capable d'identifier clairement la sensation de tension dans la partie antérieure du haut du bras, même si personne ne vous aide en tirant votre bras vers l'arrière et même si vous ne le pliez que très légèrement (voir figure 21). Une fois la tension identifiée, laissez tomber le bras gauche sur le côté, de façon à ce qu'il repose relativement confortablement sur la chaise. Les séances d'entraînement à la relaxation différentielle durent également une heure, comme les autres. Pendant le reste de l'heure, tâchez de garder votre bras aussi mou que possible.

Seconde séance

Le lendemain, entreprenez l'étape suivante de la même façon. Étendez le bras comme sur la figure 4, mais de préférence sans vous servir de livres. Si votre avant-bras repose sur le bras de votre chaise, pliez le coude et bougez le poignet (en gardant la main molle) de façon à ce que le bras se raidisse doucement. Cela vous permettra d'observer la sensation de tension à l'arrière du haut du bras quand le triceps se contracte. Il y a de fortes chances que votre entraînement soit meilleur si vous consacrez la première partie de chaque séance à identifier la sensation que provoque une contraction musculaire particulière et si, pendant le reste de la séance, vous vous efforcez de relaxer cette contraction précise. Jour après jour, vous aurez à répéter en position assise les contractions musculaires dans le même ordre qu'au chapitre précédent.

À ce stade, un observateur expérimenté peut sans difficulté vous dire si vous n'êtes pas bien relaxé. Si c'est le cas, il remarquera que votre tête n'est que partiellement détendue. Vos paupières clignent parfois comme si vous réfléchissiez et certains de vos membres paraissent quelque peu raides. Vous pouvez, de temps en temps, changer de position si vous n'êtes pas tout à fait confortable, mais vous n'éprouverez généralement pas ce besoin si vous parvenez à bien relaxer. Si vous n'êtes pas bien relaxé, la fatigue vous empêchera probablement de poursuivre votre entraînement jusqu'à la fin de l'heure. Si vous vous sentez fatigué en essayant de relaxer, il ne fait aucun doute que vous n'avez pas bien suivi mes directives.

Relaxation du dos et du cou

Pour vous préparer à relaxer le dos, asseyez-vous bien droit et notez la sensation de tension de chaque côté de la colonne vertébrale. Vous aurez par la suite à détendre ces régions. Relâchez vos muscles aussi fort que vous le pouvez. Ne maintenez que la tension requise pour ne pas tomber ou ne pas pencher inconfortablement vers l'avant ou vers l'arrière. Lorsque vous arriverez aux muscles du cou, vous devrez noter non seulement la tension qu'implique tout mouvement ou toute inclinaison de la tête, mais aussi la légère tension statique présente quand vous gardez la tête droite. Lorsqu'on laisse pendre la tête pendant une période prolongée de relaxation en position assise, on souffre généralement de douleur dans le cou. Cette douleur provient des ligaments qui ont été distendus. Il ne faudrait pas vous en faire. Après une semaine ou plus d'entraînement, le cou s'habitue et la douleur diminue ou disparaît.

Avant de commencer à apprendre la relaxation, les patients nerveux se plaignent souvent de fréquentes et sourdes douleurs à l'arrière du cou ou juste un peu plus haut, à l'arrière de la tête. Il n'est pas rare qu'un patient, après avoir appris à identifier la sensation de contraction musculaire, admette que la douleur provient du fait qu'il contracte continuellement les muscles de cette région. Un autre type de malaise ou de douleur oppressante dû à la contraction musculaire chronique s'appelle "migraine nerveuse". La douleur semble parfois localisée au sommet de la tête. Quand le malade apprend à relaxer les muscles du front et les sourcils, la douleur peut disparaître et cela, sans que le médecin suggère au patient qu'elle va effectivement disparaître et sans qu'il lui en indique les causes possibles. Il se peut que vous ayiez déjà eu mal dans les régions que j'ai mentionnées ou ailleurs. Pourtant, même si vous apprenez à relaxer ces muscles et que votre douleur s'efface, restez prudent quand vous tirerez des conclusions sur l'origine réelle de ces douleurs. Dans des circonstances semblables, un médecin prudent fait également toujours attention quand il tire ses conclusions.

Il est particulièrement important de répéter en position assise les tensions musculaires des yeux et des organes phonateurs, pour les relaxer ensuite. Selon ce que rapportent de nombreux sujets, cet exercice entraîne une diminution de l'activité mentale et émotive pour un temps. L'objectif est d'essayer de changer vos habitudes, de vous "conditionner", comme disent certains, à rester le plus calme et le moins nerveux possible quand vous êtes assis.

Relaxation des tensions musculaires permanentes

Il est possible que vous ayez besoin d'un entraînement spécial pour relaxer des tensions musculaires permanentes. Même un individu bien entraîné peut garder certains muscles tendus alors qu'il les croit relativement bien relaxés. Apprendre à identifier ces tensions sourdes et permanentes et à s'en défaire graduellement marque une étape importante dans l'apprentissage de la relaxation.

La position de quelqu'un qui maîtrise les techniques de relaxation est typique (voir figure 22). Ses jambes sont plus ou moins écartées. Si quelqu'un les pousse, elles bougent mollement et les bras ont l'air flasque. La tête penche, comme si elle était inerte. Le buste peut être penché dans n'importe quelle direction. La respiration est régulière et calme. Aucune trace de mouvement, pas même des doigts. Les paupières ne clignent pas pendant une longue période. Le visage a l'air inexpressif ou absent. Il ne faut pas confondre ce stade de relaxation-ci avec ce qui se produit quand quelqu'un garde les paupières immobiles pendant un long laps de temps, puis se met à les cligner vigoureusement. Même si l'on regarde attentivement la personne assise en état de relaxation, on est incapable de percevoir aucun mouvement du globe oculaire. Pour que vous fassiez l'exercice comme il faut, quelqu'un devra vous aider et devra apprendre à bien vous observer, de façon à pouvoir vous critiquer.

Relaxation des yeux

Si vous avez réussi jusqu'à présent, il faut maintenant apprendre la relaxation partielle des yeux. Vous avez précédemment appris à les décontracter complètement de telle sorte qu'ils ne regardent nulle part, mais il est impossible de le faire, paupières ouvertes, pendant une période prolongée. L'absence de clignement et d'humidification adéquate des yeux provoque une sensation de brûlure. Comme nouvel exercice, vous laisserez donc vos yeux regarder dans le vague, sans les relaxer tout à fait. Il se produira des clignements de paupière modérés qui préviendront l'inconfort et vous assureront une détente relative. Si vous pratiquez chaque jour la relaxation complète des yeux, paupières fermées, et la relaxation partielle des yeux, paupières ouvertes, vous vous rendrez compte tôt ou tard que vos yeux semblent plus reposés. Ne vous fiez cependant pas à vos impressions subjectives. Faites-les confirmer par un examen chez un oculiste consciencieux. Je ne cherche pas ici à vous aider à vous débarrasser de vos lunettes, comme le promettent certains livres. Ces ouvrages font de fausses affirmations et, de plus, ne proposent aucune méthode pour relaxer les yeux au maximum.

Les techniques exposées plus haut pour reposer les yeux peuvent s'appliquer à divers moments pendant la journée. Si vous avez à lire pendant de longues périodes, il est sans doute excellent de prendre l'habitude de reposer ainsi vos yeux à intervalles plus ou moins réguliers.

Lire et relaxer

Diverses séances d'entraînement portent sur la lecture. Vous allez maintenant apprendre à lire en relaxant les jambes et le dos, dans la mesure où la position assise le permet; la poitrine, dans la mesure où il est possible de la relaxer pendant que le discours intérieur se poursuit et les bras, autant qu'il est possible quand il faut tenir un livre ou une revue. Si vous relaxez complètement le front et les yeux vous serez bien sûr incapable de lire. Apprenez à relaxer ces régions en tenant entre les mains le texte que vous voulez lire. Vous vous familiariserez ainsi avec une forme extrême de relaxation différentielle. Introduisez d'abord un tout petit peu de tension musculaire, juste assez pour lire les mots, mais en gardant les yeux et les autres parties de votre corps aussi relaxés que possible. Vous vous rendrez peut-être compte que vous suivez les mots des yeux mais que vous êtes incapable d'en trouver le sens. Cela signifie que vous êtes trop relaxé. Recommencez votre lecture. Contractez un peu plus vos muscles, juste assez pour saisir clairement le sens des mots mais rien de plus (figure 23). Ces pratiques requièrent l'acquisition d'un savoir-faire considérable. La présence d'un observateur critique expérimenté est sans aucun doute essentielle pour obtenir de meilleurs résultats. Cependant, si vous augmentez votre efficacité, ne serait-ce que légèrement, considérez que vous avez bien utilisé votre temps.

Un tel entraînement, comme on peut le vérifier sous surveillance médicale (c'est-à-dire au moyen de divers tests), a pour effet de calmer les nerfs pendant la lecture, l'écriture et d'autres occupations sédentaires (figure 24). Selon les rapports, la fatigue diminue. Le manque de détente, même si on ne le remarque pas, interfère apparamment avec l'attention et la mémoire. C'est peut-être la raison pour laquelle une contraction musculaire généralisée empêche de penser de façon ordonnée. Certains patients, après avoir appris la relaxation, se déclarent capables de travailler dans le bruit et dans le désordre alors qu'auparavant ils se seraient sentis dérangés et n'auraient absolument pas pu se concentrer. D'autres se sentent moins fatigués après avoir travaillé. D'autres encore s'estiment beaucoup plus efficaces. Nous n'avons pas encore vérifié en laboratoire l'exactitude de ces affirmations. Selon mes impressions cliniques (qui n'ont pas valeur de preuve mais qui peuvent servir à des recherches ultérieures), le maintien et l'expression de ceux qui apprennent la relaxation changent au fil des semaines ou des mois. Leurs gestes deviennent moins saccadés, moins rapides. Leur voix devient plus calme et leur débit ralentit. Les signes de peur deviennent moins marqués. L'air anxieux ou tracassé disparaît. L'expression du visage est plus sereine et plus détendue.

Lorsque vous lisez ou écrivez, ou lorsque vous vous livrez à quelque autre occupation, certaines activités musculaires sont évidemment essentielles. On les appelle les *activités primaires.* Au nombre de celles-ci, il y a les contractions musculaires nécessaires pour maintenir votre position, pour tenir votre livre ou votre stylo, pour bouger les yeux afin de mieux suivre le texte et, pour la plupart des gens, le mouvement de la langue et des lèvres pour répéter les mots du discours intérieur. Toutes ces activités primaires concourent à la réalisation d'une tâche donnée. Cependant, chez l'individu moyen, on peut observer certaines autres activités musculaires qui apparemment ne contribuent en rien à la réalisation de la tâche, mais qui au contraire lui nuisent. On les appelle *activités secondaires.* Elles ne sont pas du tout nécessaires pour faire ce que l'on a à faire. Par exemple, une personne qui lit tournera la tête si un bruit survient dans la pièce voisine. Toute vision ou tout son distrayant risque de provoquer cette activité secondaire. L'individu moyen, en train de lire ou de faire autre chose, est très souvent sujet à un processus de pensée sous-jacente qui le distrait: soucis, réflexions, souvenirs qui n'ont aucune pertinence, intentions de faire ceci ou cela; parfois même il fredonne silencieusement, souvent même sans arrêt, des chansons ou des airs de musique. Beaucoup de personnes lisent ainsi. Seules quelques rares personnes, qui ont atteint ou sont en voie d'atteindre un savoir-faire éminent dans leur domaine, sont capables de porter parfaitement attention au livre qu'elles lisent ou à la tâche qui les occupe.

Il faut appliquer la relaxation aux activités primaires autant qu'aux activités secondaires. Les activités primaires sont parfois trop intenses pour l'objectif que l'on poursuit. Par exemple, une personne peut chanter trop fort, serrer le poing trop vigoureusement pendant qu'elle parle, regarder avec trop d'attention, s'épuiser à étudier. Les résultats seraient meilleurs si l'on se forçait moins et si l'on relaxait pendant les activités primaires. Toutefois, il ne faudrait pas pousser la relaxation pendant les activités primaires au-delà du point où l'efficacité maximum en serait affectée, sinon la relaxation interférerait avec l'objectif poursuivi. Ce n'est pas le cas pour les activités secondaires, puisqu'elles sont inutiles et qu'il s'agit alors de se relaxer au maximum.

Je vais tâcher de résumer rapidement la substance de ce chapitre. En principe, une certaine économie dans les dépenses d'énergie nerveuse et musculaire n'empêche pas d'être actif. Au contraire, l'économie d'énergie favorise l'action. Il est de plus en plus certain qu'une personne normale, dont les organes sont sains mais qui est nerveusement irritable et excitée, peut apprendre, en relaxant, à contrôler sa nervosité tout en vaquant à ses occupations habituelles. En conséquence, beaucoup de personnes qui souffrent de ce qu'on appelle communément une dépression nerveuse peuvent guérir sans avoir besoin d'abandonner temporairement leurs affaires. La relaxation leur évite les soucis supplémentaires et les pertes qu'elles encouraient quand on leur prescrivait l'ancienne cure de repos ou quand on leur conseillait de quitter la ville pour se changer les idées.

Programme de relaxation différentielle

Une fois que vous vous serez familiarisé avec la notion de relaxation différentielle, je vous recommande d'adopter un programme de pratique régulière afin de relaxer le plus possible les diverses parties de votre corps tout en restant assis sur une chaise. Voici, en bref, ce que devrait comporter votre programme et le temps à allouer à chaque groupe musculaire.

Bras gauche: pratiquez une heure ou plus chaque jour pendant environ six jours.

Bras droit et autres parties: voir Programme de relaxation générale, chapitre 17.

Assis, les yeux ouverts: relaxez les yeux le plus possible jusqu'à ce que se produise une sensation de brûlure; ensuite, fermez-les. Répétez. Un jour de pratique.

Assis, les yeux ouverts: relaxez les yeux partiellement; regardez dans le vague. Pratiquez deux jours de suite.

La lecture: pratiquez deux jours ou plus.

L'écriture: pratiquez deux jours ou plus.

La conversation: pratiquez deux jours ou plus.

En plus de votre pratique quotidienne d'une heure, essayez de garder à l'esprit que votre objectif est de relaxer pendant que vous vous adonnez à vos tâches habituelles. Pratiquez donc la relaxation différentielle toute la journée, sans toutefois que votre efficacité en souffre. Voyez en quoi la relaxation peut vous aider à améliorer votre façon de jouer au golf. Appliquez ce que vous avez appris et tâchez d'éviter la tension et la fatigue dans les bras et les jambes pendant que vous conduisez votre véhicule. Si vous êtes vendeur, entraînez-vous à garder les bras et les jambes décontractés lorsque vous rencontrez des clients. Si vous avez découvert que vous contractiez inutilement certains muscles quand vous travaillez, essayez de les relaxer.

Chapitre 19

L'entraînement sous surveillance médicale ou professionnelle

Bien que cet ouvrage s'adresse essentiellement aux individus en bonne santé et aux personnes qui n'ont pas l'occasion de consulter un médecin pour des problèmes de tension et de relaxation, nous allons maintenant nous interroger sur les circonstances qui peuvent motiver le recours à un médecin ou à un instructeur professionnel.

Généralement, au cours d'un traitement par la relaxation, comme au cours de n'importe quel type de traitement, des symptômes de maladie surgissent de temps en temps. Ces symptômes requièrent un diagnostic, particulièrement pour déterminer si la relaxation peut contribuer à les traiter adéquatement. Il est évident que de telles questions nécessitent l'attention d'un médecin compétent même si, avant d'entreprendre la relaxation, le patient a subi un examen physique approfondi.

Mais ce n'est pas tout. Les prétentions de tout manuel de relaxation devraient être modestes. N'importe quelle pratique physique s'apprend mal dans un livre. Prenons le cas d'une personne qui apprend seule à jouer du piano ou du violon. Elle peut y parvenir, mais il est vraisemblable que sa technique restera inférieure et que ses succès seront limités. Le même phénomène se produit quand on apprend à relaxer. Il faut un médecin pour souligner au patient où et quand ses tensions se produisent, pour lui montrer ce qu'il devrait relaxer en priorité et pour lui dire s'il y parvient ou s'il échoue (pour le déterminer, les vérifications électriques sont importantes). Après l'entraînement, le patient est à même d'observer ces points par lui-même, mais il doit d'abord se défaire de ses vieilles habitudes. En général, pour y parvenir, il faut une aide extérieure. Il est difficile en outre d'apprendre seul et ces difficultés risquent de provoquer des tensions supplémentaires. Si le lecteur se conforme avec soin et patience aux directives énoncées dans ce livre, il pourra développer son habileté à reconnaître ses tensions et à les localiser, mais tout le monde n'est pas capable de réussir seul, ni surtout les personnes déprimées ou énervées. Le bon sens et le contrôle que peuvent exercer sur eux-mêmes les gens qui souffrent de troubles nerveux sont souvent réduits au point où une aide professionnelle devient indispensable. La plupart des gens n'ont pas trop de mal à identifier les sensations de contraction musculaire, mais les manifestations plus ténues de ces contractions, d'un si grand secours quand il s'agit d'accéder à la relaxation véritable, sont plus facilement identifiables grâce à un enseignement personnalisé.

La plupart des patients ont du mal à réussir même les gestes simples qu'illustrent les photos du chapitre dix-sept, à moins de recevoir des directives répétées. Ils continuent, par exemple, à garder le poignet raide en pliant le bras droit. Bien entendu, ils ne parviennent pas à ne contracter qu'un seul groupe musculaire. Quand on leur demande de cesser de contracter le bras, beaucoup ramènent la main sur le lit en contractant un autre groupe de muscles plutôt que de relâcher simplement les muscles qu'ils avaient contractés. Il est évident qu'un médecin expérimenté a plus de chances de corriger ce genre d'erreurs. On pourrait mentionner beaucoup d'autres détails techniques du même genre qui entravent les progrès du patient qui apprendrait la relaxation en se fiant à ce seul manuel. Il y a aussi bien sûr la possibilité que l'individu, distrait par quelque autre sujet, néglige ses propres tensions et abandonne tout le processus dans un mouvement d'impatience.

Une sieste quotidienne est bien sûr préférable à l'absence complète de repos mais, de toute évidence, en me fondant sur mon expérience clinique, je suis en mesure d'affirmer que la sieste a des limites thérapeutiques bien définies. Pourtant, on la conseille très souvent pour contrôler les désordres nerveux et mentaux, l'insomnie, les colites, l'hypertension artérielle et d'autres maladies graves. Dans beaucoup de cas, les patients qui ont fait la sieste tous les jours pendant des années reviennent voir leur médecin parce qu'ils souffrent d'hypertension nerveuse ou des symptômes de l'une ou l'autre des maladies mentionnées plus haut. En fait, même le malade qu'on a forcé à garder le lit pendant des années peut être hyperémotif et tendu. Il semble donc très incertain que le fait de s'étendre chaque jour dans l'espoir d'en tirer une détente équivaille à un traitement méthodique par la relaxation.

L'enseignement que dispense un médecin ou un instructeur diffère, au moins sous un aspect important, de l'auto-apprentissage à l'aide du présent manuel. Le médecin, en règle générale, n'indique pas d'avance où se produira la tension. L'étudiant effectue la contraction et lui dit où il pense avoir observé une tension. Quand on apprend, on se trompe souvent. Le professeur peut alors demander de contracter de nouveau le même muscle, sans dire où il faudrait ressentir la tension. Il vaut mieux que l'élève trouve par lui-même, sans l'aide du médecin ni d'aucune autre source. Si l'élève ne réussit pas, le professeur lui dira finalement où regarder. Un autre obstacle à l'auto-enseignement est le fait que le patient ne possède aucune norme objective pour juger de ses progrès ou de ses rechutes. Il ne peut se fier à ses opinions. Il est possible qu'il soit d'un enthousiasme exagéré ou particulièrement déprimé à un moment donné. Ses façons de voir ont des chances de changer. S'il se fie à son propre jugement et à sa seule mémoire, il est vraisemblable que le malade oublie certains de ses symptômes antérieurs ou en exagère l'importance. Les opinions émises à propos de sa maladie par les membres de sa famille et ses amis ont à peine plus de crédibilité. Les témoignages ne doivent pas entrer en ligne de compte. En médecine, ils ne représentent rien de sérieux, pas plus que les prétentions des pratiques pseudo-religieuses. Ce qu'il faut, c'est poursuivre une méthode scientifique avec rigueur. Le médecin peut témoigner d'un intérêt raisonnable pour ce que le malade lui rapporte de ses propres symptômes, mais pour être sûr d'une amélioration véritable, il doit faire des vérifications objectives, procéder à des tests électriques, faire passer des rayons X ou tout autre examen que requiert l'état particulier du malade.

Pendant son apprentissage, le médecin aide le patient et le corrige quand il se trompe. Il l'encourage d'un "C'est bien!" quand il réussit. J'ai constaté que, sans cela, le malade se trompait souvent. Il ne savait pas quand il avait réussi et risquait donc de prendre de mauvaises habitudes de tension ou de se décourager sans raison. De telles choses se produisent dans tout apprentissage. Les commentaires du professeur constituent des directives.

Pour réussir à surmonter l'hypertension nerveuse, le patient doit progresser grâce à ses propres efforts. Cela ne signifie cependant pas, comme certains pourraient être portés à le croire, que la science n'a rien à lui apporter. Cela se passe de façon analogue lorsqu'on apprend les mathématiques ou une langue étrangère. L'étudiant a besoin de faire lui-même des efforts. Il faut toujours encourager l'indépendance, mais cela ne signifie pas que les professeurs sont inutiles. Un enseignement bien donné tire avantage de la connaissance et du savoir-faire acquis dans le passé. À la longue, l'étudiant doit devenir capable d'agir par lui-même mieux que s'il avait toujours été son seul professeur.

Cette façon de procéder diffère bien sûr de la méthode Coué et des pratiques pseudo-religieuses qui enseignent à celui qui souffre à se répéter "Tout va bien!" quel que soit son état. Un traitement par la relaxation fait face à la réalité telle qu'elle est. L'objectif n'est pas de pallier les inévitables désagréments de la vie, mais de les identifier clairement et de vivre bien en apprenant à tenir compte des difficultés. Je n'essaie aucunement de décrire de façon optimiste ce qui provoque la misère. J'essaie plutôt de réduire les excès d'émotion de façon à ce que chacun puisse s'ajuster avec calme aux difficultés et qu'elles ne puissent affecter sérieusement sa santé ou son efficacité.

Les malades qui comptent trop sur leur médecin sont en général des élèves difficiles. Ils ont du mal à apprendre à relaxer. Ils préfèrent s'appuyer sur leur docteur plutôt que de se conformer soigneusement à ses directives. Ils quêtent des encouragements et demandent d'être rassurés sur la gravité de leur maladie et l'amélioration de leur état. Que doit faire le médecin qui désire éviter les techniques d'encouragement et de suggestion? J'ai pris l'habitude, quand un malade se faisait des soucis du genre, de lui demander de vérifier s'il ne tendait pas certains muscles au moment où il était tracassé et, si oui, d'essayer de les relaxer. *On n'insistera jamais assez sur le fait que la présente méthode se limite à des instructions susceptibles de relaxer les muscles. Elle n'essaie pas d'arriver à des résultats par la suggestion ou le réconfort.*

La méthode décrite ici ne cherche pas à séduire le patient. Elle ne comporte aucun romantisme. Il n'y a pas de réunions d'adeptes pendant lesquelles on fait dramatiquement bouger les verres ou les cruches. La guérison, quand elle est obtenue, est le résultat d'un progrès graduel que certains malades souhaiteraient souvent plus rapide. Penser qu'il ne faut pas beaucoup de temps pour aller mieux relève fréquemment d'un voeu pieux. Il n'existe aucune voie royale qui permette d'acquérir facilement des habitudes de vie décontractées, même pour ceux qui en ont le plus besoin.

Certains malades sont particulièrement difficiles à soigner: ceux qui, sous surveillance médicale, ne comprennent pas les principes sous-jacents à leur traitement et surveillent leurs symptômes de jour en jour et de semaine en semaine pour décider s'il vaut ou non la peine de continuer. Quand ils se sentent mieux, ils décident de continuer. Dès qu'ils se sentent mal ou particulièrement fatigués, ils ont tendance à abandonner. À un stade ultérieur de traitement, de tels patients décident fréquemment qu'ils vont assez bien et que cela ne vaut plus la peine de continuer. C'est alors la responsabilité du médecin de leur expliquer que leur opinion ne se fonde sur rien de tangible.

Je vais vous décrire une attitude plus intelligente. Je connais le cas d'un médecin traité pour surmenage nerveux accompagné de symptômes de colite. Après six mois, il avait appris à relaxer en position couchée mais pas encore en position assise. Il constata néanmoins qu'il n'avait plus aucun de ses symptômes précédents. Il était conscient toutefois que c'était à son docteur de décider, sur la foi d'observations objectives, quand arrêter le traitement. Personne, sauf un médecin compétent, n'est qualifié pour déterminer à quel stade un traitement peut être interrompu sans danger de rechute.

De nos jours, un traitement par la relaxation requiert habituellement une heure de cours par mois. L'étudiant reçoit des cartes d'instructions qui l'informent pratiquement de ce qu'il doit faire chaque jour du mois. Les directives sont simples. On n'essaie pas de convaincre l'étudiant des effets positifs du traitement. Dans la mesure où le malade pratique avec confiance, le scepticisme ne constitue pas un obstacle, excepté dans les cas où il traduit des idées préconçues et indique un manque de compréhension des directives. Un des rôles importants du médecin est d'assurer une certaine "discipline", c'est-à-dire de voir à ce que le malade pratique régulièrement ses séances de relaxation. Certains malades relaxent bien quand on le leur demande (comme le prouvent les vérifications électriques), mais s'excitent en état de stress. Ces gens-là ont besoin de rappels fréquents, jusqu'au moment où la relaxation différentielle devient pour eux une habitude.

Il existe des différences considérables quant à la durée du traitement. Cela dépend des individus, de leur âge, de leurs habitudes, de leur capacité à se conformer aux instructions, de la régularité des séances d'entraînement et, bien sûr, du caractère et de la durée de la maladie. Selon mon expérience, un individu moyennement intelligent qui vient régulièrement à ses rendez-vous apprend à relaxer relativement vite, du moins jusqu'à un point où la relaxation est perceptible. Les enfants assez âgés pour suivre des directives simples sont de bons élèves.

Le ministère fédéral de la Santé et du Bien-être social du Canada a alloué des fonds à l'Institut de réhabilitation de l'Université de Montréal, pour traiter par la relaxation des difficultés de langage chez les enfants de six à dix ans. Des techniques satisfaisantes ont été mises au point, sous ma supervision, dans les années 1962 à 1964.

Mike Marshall et Charles Beach, de l'université d'État du Michigan, ont poursuivi les recherches auprès de jeunes enfants. Ils ont mis au point une méthode d'intégration du contrôle de la tension dans le programme des écoles élémentaires.

Les méthodes de relaxation se sont également avérées valables pour le traitement des personnes du troisième âge, dans la mesure où ces malades voulaient bien coopérer. Lorsqu'on a déjà suivi un cours pour apprendre à danser, à chanter, à jouer du piano, à faire de la gymnastique suédoise, de l'éducation physique ou toute autre activité dans laquelle intervient l'art musculaire, le temps requis pour apprendre à relaxer complètement est beaucoup plus court. Inutile de dire que les maladies qui durent depuis des années requièrent une période de traitement plus longue que celles qui ne durent que depuis peu. Dans les chapitres précédents, j'ai décrit des techniques destinées aux médecins et à leurs patients, mais aussi à l'homme de la rue encore en bonne santé, mais peut-être sur le point de développer des maladies physiques. Dans ce chapitre-ci, j'ai montré que, pour le traitement de certaines maladies, la présence d'un médecin est indispensable si l'on veut obtenir de bons résultats. Sa présence est requise non seulement pour établir un diagnostic, mais aussi pour développer l'habitude de la relaxation. J'ai montré également que les enfants et les adultes en bonne santé peuvent profiter des enseignements d'instructeurs ou de psychologues cliniques et apprendre à préserver leur énergie, leur adénosine triphosphorique.

Je pourrais conclure ainsi le présent chapitre: ce volume est un manuel destiné à celui qui veut s'initier à la relaxation progressive. On peut l'utiliser seul, mais il vaut mieux apprendre la relaxation sous la surveillance d'un médecin ou d'un instructeur qui connaît bien cette technique.

Celui qui veut apprendre par lui-même trouvera dans ce livre toute l'information nécessaire pour relaxer davantage. Je puis raisonnablement escompter que celui qui pratique la relaxation tous les jours en tirera au moins une épargne modérée de son énergie et que sa fatigue, son insomnie et ses autres désordres de digestion ou de tension neuro-musculaire s'en trouveront un peu réduits.

Je ne m'attends pas à ce que l'utilisation de ce manuel, sans aucun recours médical, réduise de façon marquée l'hypertension essentielle. Pour y arriver, il faut faire appel aux services d'un instructeur médicalement bien entraîné. La même chose s'impose d'ailleurs quand on veut soigner comme il faut de graves états d'anxiété ou d'autres maladies sérieuses. Les résultats d'un traitement par la relaxation seront d'autant mieux appréciés que les attentes étaient raisonnables.

Chapitre 20

Comment mesurer les dépenses individuelles d'énergie

La science n'est pas née d'un coup comme Vénus émergeant des vagues. Nous avons *graduellement* acquis une connaissance de la tension neuro-musculaire, même si beaucoup l'ignorent encore. Pour y arriver, il a fallu des siècles de spéculations et de théories erronées. Ces fausses hypothèses ont tendance à persister, même dans l'esprit de certains hommes de science.

Voici un bref historique de ces recherches. Il y a moins d'un siècle, un médecin américain bien connu émettait une théorie selon laquelle les nerfs perdaient parfois leur force. Il désigna cette hypothétique maladie sous le nom de "neurasthénie". Le terme entra dans les diagnostics des médecins du siècle passé et survécut jusqu'à ce siècle. Il écrivit sur la production de la graisse et du sang dans l'organisme. Dans ce livre, il conseillait aux médecins de prescrire, à ceux de leurs malades qui souffraient des nerfs, des périodes d'alitement prolongées et, comme *traitement,* de leur faire manger de grosses quantités d'oeufs (dans certains cas, une douzaine par jour). Ce traitement par la suralimentation au lit constituait la *cure de repos* du Dr. Weir Mitchell. Beaucoup de médecins, même quelques hommes de science, supposèrent à tort que ce qu'il prescrivait dans sa cure de repos était surtout du repos. En fait, il conseillait essentiellement un type particulier de *régime alimentaire copieux* pendant que le malade gardait le lit. À l'époque, le concept d'hypertension neuro-musculaire n'était pas très connu. On ne connaissait pas non plus le besoin généralisé de relaxation progressive. On ne conseillait pas encore aux malades de relaxer. Comme je l'ai dit précédemment, même à l'époque du président Wilson, le corps médical n'avait pas encore découvert la relaxation. Son médecin traitant, dans un ouvrage consacré au repos, n'utilisait même pas le terme "relaxation" qui ne figurait pas non plus dans l'index en fin de volume.

Mais revenons à l'histoire du docteur Weir Mitchell. Ni lui ni ceux qui le suivirent ne parvinrent à prouver que les nerfs perdent leur force et que le meilleur traitement consiste à prescrire un régime particulier pendant que le malade reste couché. Sa théorie est aujourd'hui discréditée.

Il est donc surprenant que des gens qui n'ont jamais lu son livre attribuent au docteur Weir Mitchell quelque chose qu'il n'aurait jamais pu clairement déclarer et au sujet duquel il n'écrivit jamais une ligne, c'est-à-dire la connaissance de la relaxation neuro-musculaire. Il ne parla pas de ce que j'ai appelé la relaxation neuro-musculaire habituelle et ne la mit pas en opposition avec l'hypertension neuro-musculaire habituelle.

D'abord, il n'utilisa jamais le mot "relaxer". De plus, le système musculaire ne l'intéressait même pas. De toute évidence, il n'y connaissait rien. Il ne mentionna nulle part que les muscles comptent pour quarante à cinquante pour cent du poids du corps. Rien ne prouve qu'il connaissait même le nombre de muscles squelettiques de l'organisme. Beaucoup de gens, y compris moi-même, considèrent néanmoins le docteur Weir Mitchell comme le plus grand neurologue de son temps. Il était un homme trop honnête pour revendiquer à tort la connaissance du champ d'études qu'aborde ce livre.

Une autre théorie se répandit vers 1890. Elle n'a plus beaucoup d'adeptes. Elle repose sur l'idée que nous ne savons pas pourquoi nous agissons comme nous le faisons quand nous sommes nerveux. L'origine des maladies nerveuses, prétendent ses partisans, ressemble à un iceberg. Seule une petite partie en est visible. La plus grosse partie de l'iceberg est sous l'eau. Pour découvrir la cause de la maladie, certains analystes doivent pénétrer les secrets des rêves et en explorer la signification cachée. Les partisans de cette doctrine relient invariablement la nervosité à des problèmes sexuels et surtout au type de vie et de développement sexuels qu'ils croient que nous avons vécu inconsciemment durant notre petite enfance.

Le médecin moyen de ce pays est trop occupé par les choses tangibles pour avoir du temps à perdre avec des théories vaseuses ou fantaisistes à propos de la nervosité. L'examen des nerfs et du cerveau des gens nerveux, vivants ou décédés, ne révèle aucune tumeur, aucune inflammation, aucune lésion ni aucune autre altération de structure. Les médecins n'ont donc eu, jusqu'à récemment, aucun fait tangible sur lequel travailler. En l'absence de tels faits et n'éprouvant que peu d'attirance pour les philosophies spéculatives de toutes espèces, beaucoup de médecins ont pensé que la nervosité était un effet secondaire provoqué par d'autres maladies ou encore une sorte de mal imaginaire. Comme le disait récemment un médecin: "C'est seulement un état d'esprit!".

Plusieurs éléments bien connus contredisent ce point de vue. La nervosité n'est pas avant tout l'effet d'autres maladies. Beaucoup d'enfants, par ailleurs en bonne santé, sont extrêmement nerveux. Les adultes n'attrapent pas tous la même maladie de la même façon: certains s'énervent très fort et d'autres sont relativement calmes. Lorsque l'on découvre et enlève les tissus malades (une région d'inflammation ou une tumeur) chez une personne nerveuse, cela ne modifie pas ses habitudes nerveuses de façon permanente. Dans la vie quotidienne, nombre d'évènements provoquent un état de surexcitation mentale sans que cela n'implique de lésion. Parmi ces événements, il y a les accidents d'automobile, les incendies, les blessures corporelles, la maladie ou le décès de personnes chères, les pertes de statut social ou de position, les revers de fortune.

Dans le désordre des théories contradictoires sur la nervosité, les tentatives scientifiques pour essayer de mieux comprendre les faits ont jusqu'ici brillé par leur absence. En ce qui concerne la nervosité, comme d'ailleurs pour tout le reste, il ne faut pas s'attendre à ce que le progrès scientifique naisse d'une prolifération d'hypothèses. Pour progresser, il faut commencer par décrire de façon précise et ordonnée les phénomènes et ensuite, aussitôt que possible, apprendre à les mesurer. J'espérais que cette méthode me ferait avancer quand, il y a environ soixante-dix ans, j'ai commencé à étudier les tressaillements par lesquels certaines personnes, nerveuses ou non, réagissent parfois à un bruit soudain ou à un autre stimulus violent au moment où elles ont l'esprit concentré sur autre chose. C'est bien connu, les personnes extrêmement nerveuses tressaillent souvent en de telles circonstances. Elles relatent parfois avoir éprouvé une sensation de choc. Grâce à un appareil assez rudimentaire attaché à l'arrière du cou, il me fut possible (de façon très primaire à cette époque-là) de mesurer les mouvements du tronc. Les tests que j'effectuai confirmèrent les conceptions populaires. Les personnes qui présentent d'autres symptômes d'excitation nerveuse ont tendance à tressaillir violemment lorsqu'un bruit soudain se produit, particulièrement si quelque autre matière les absorbe profondément.

De plus, lorsqu'on demandait aux sujets assis de raidir les muscles des bras, des jambes, du tronc et de la tête, ils sursautaient en général encore plus fort. On retrouve ce phénomène non seulement chez les personnes extrêmement nerveuses, mais aussi chez les autres. Quand, au contraire, les sujets relaxaient leurs muscles aussi complètement qu'ils le pouvaient, le tressaillement était habituellement beaucoup moins violent. Les sujets de l'expérience rapportaient alors qu'ils n'avaient presque pas éprouvé de sensation de choc. Le bruit semblait perdre son caractère irritant.

Tant de muscles se contractent lorsque quelqu'un tressaille de nervosité qu'il n'est pas encore possible, même aujourd'hui, d'enregistrer comme il faut, par des moyens mécaniques, leurs divers mouvements. En 1924, Mademoiselle Margaret Miller, une étudiante diplômée, et moi-même décidâmes de procéder à une expérience plus facile à étudier. Le sujet se couchait sur un divan les yeux fermés, le bras droit tendu. Ses ongles trempaient dans une petite solution salée à travers laquelle nous pouvions faire passer, quand nous le voulions, une impulsion électrique momentanée mais douloureuse. Nous pouvions contrôler la durée de la décharge et ses autres caractéristiques essentielles. Nous étions également capables de garder constante, l'intensité du courant pour chaque sujet, tout au long des divers tests. Chaque fois que le sujet éprouvait un choc douloureux, il retirait précipitamment la main. Le haut du bras était attaché. Il ne pouvait donc retirer la main qu'en pliant l'avant-bras. Nous enregistrâmes la vitesse et l'étendue de ce mouvement.

Dans une première série de tests, le sujet était couché tranquillement, les yeux fermés. Il reposait comme on se repose d'habitude. Dans la seconde série de tests, qui alternait avec la première, on lui demandait de relaxer au maximum, selon les méthodes que j'ai décrites et auxquelles les participants de l'expérience avaient été entraînés depuis plusieurs mois. Pour presque tous les sujets, les résultats étaient étonnamment différents dans les deux séries de test. Lorsqu'on donnait la directive de relaxer au maximum, la vitesse et l'amplitude du mouvement diminuaient de beaucoup. L'un des sujets, qui était capable de pousser la relaxation très loin (comme en témoignaient d'autres signes), ne retira jamais la main pendant toute la série de tests. C'était une femme. Après coup, elle fut surprise d'apprendre que l'intensité du courant était la même quand elle était relaxée à l'extrême et quand elle reposait moins calmement.

De telles découvertes débouchent sur d'intéressantes perspectives. Les individus qui sursautent sous le coup de chocs soudains essaient naïvement d'expliquer que c'est quelque chose d'extérieur à eux qui provoque leur sursaut, c'est-à-dire le caractère violent du stimulus qui les dérange. Cependant, d'après mes tests, la réaction violente associée à la sensation de choc ne dépend pas seulement du stimulus extérieur mais aussi de l'état des muscles du sujet. Certains individus ne sursautent pas de façon visible mais tous, quand leurs muscles sont modérément tendus, retirent la main si le choc est suffisamment fort. Par ailleurs, comme je l'ai expliqué plus haut, les personnes décontractées à l'extrême n'éprouvent la sensation de choc nerveux que très faiblement, sinon pas du tout. Elles ne tressaillent presque pas et retirent à peine leur main. Ces observations m'ont amené à penser que *toute* irritation ou *toute* sensation subjective de malaise peut être atténuée en état de relaxation. Cette hypothèse reste un phare qui permet d'orienter les expériences et les observations ultérieures. Un psychologue qui travaille dans un autre laboratoire a confirmé ma découverte: la relaxation avancée tend à diminuer l'effet de certains types de douleur.

Les personnes que l'on dit nerveuses ou excitables sursautent particulièrement fort. Le tressaillement est marqué non seulement dans les cas de névroses, mais aussi, comme c'est bien connu, après les opérations et divers types de maladies prolongées. Les gens nerveux ne se laissent pas déranger seulement par les bruits qui interrompent le cours de leur pensée. Beaucoup d'autres genres de stimuli (pas nécessairement soudains et inattendus) les distraient également, alors qu'ils ne dérangeraient pas au même point les gens plus calmes. Certains évènements peu importants, certaines douleurs provenant de changements mineurs dans les tissus sont particulièrement susceptibles de faire naître la détresse chez les individus tendus, au point qu'ils soient incapables de poursuivre utilement leurs occupations. En fait, ces symptômes subjectifs de détresse paraissent s'accroître au fur et à mesure que leur irritabilité ou leur énervement augmentent. Il semble probable que la physiologie sous-jacente à cet état soit un surcroît de tension neuro-musculaire. Cette hypertension serait en grande partie responsable du comportement des individus que l'on dit souffrir de nervosité.

Le déclenchement du mouvement réflexe du genou est sans doute le test le plus employé pour mesurer la nervosité de quelqu'un. On la provoque en heurtant le tendon sous le genou. La cuisse repose sur un support de façon à ce que le pied puisse bouger librement. Il faut attirer l'attention du sujet ailleurs au moment où l'on frappe le tendon, sinon il risque de garder la jambe raide pour essayer d'empêcher le mouvement réflexe. Si la personne se trouve dans un état général d'énervement ou si l'ensemble de ses muscles est modérément contracté, le mouvement réflexe sera prononcé. Par contre, en état de relaxation extrême, à la fois chez les sujets entrainés à relaxer et chez ceux qui sont capables de relaxer à l'extrême sans entraînement, le mouvement réflexe diminue ou est absent, comme Anton J. Carlson et moi-même l'avons montré au cours de nombreux tests.

En utilisant les méthodes décrites plus haut, il y a moyen de provoquer de façon répétée certains mouvements. Dans chaque cas, la perturbation se propage le long des nerfs jusqu'au système nerveux central et se répercute instantanément à travers d'autres nerfs jusqu'aux muscles qui sont amenés à se contracter. Cette action s'appelle un mouvement réflexe. Il est utile de provoquer des mouvements réflexes. Ils peuvent nous aider à mieux étudier la nervosité. En tant que méthode d'investigation scientifique, cette technique a cependant des limites. Elle ne permet aucune mesure adéquate.

J'ai dû faire face à un problème au cours de mes recherches par le passé: certaines personnes couchées ou assises paraissaient extérieurement calmes ou presque, et cependant divers faits cliniques montraient qu'elles étaient nerveusement dérangées. Est-il possible, par exemple, que les muscles d'un bras qui semble immobile à l'oeil nu restent contractés légèrement mais de façon continue?

Un des tous premiers chercheurs dans le domaine de l'électricité animale avait tenté une approche instrumentale du problème. En 1842, Carlo Matteucci travaillait sur les muscles des grenouilles. Il découvrit que, s'il pinçait un muscle ou l'amenait à se contracter, un faible courant électrique était perceptible au moment de la contraction. Depuis, un peu partout dans le monde, les chercheurs de divers laboratoire réputés de physiologie ont confirmé sa découverte. Il semblait probable que des appareils électriques assez sensibles puissent détecter une contraction musculaire prononcée. En 1907, un autre chercheur, H. Piper, étudia pour la première fois dans un laboratoire allemand les contractions musculaires chez l'homme. Sa méthode consistait à demander aux sujets de plier le bras droit relativement vite. Je venais de mettre au point un instrument qui me semblait devoir faciliter cette étude. Je fus particulièrement encouragé, en 1921, quand Alexander Forbes et Catherine Thatcher, deux chercheurs de l'université Harvard, employèrent cet instrument pour étudier les activités musculaires humaines. Au cours des années suivantes, des amplificateurs furent de plus en plus utilisés dans le domaine de l'étude des nerfs et des muscles, mais l'équipement mis au point en 1927 n'était évidemment pas assez sensible pour vérifier si, oui ou non, un muscle apparemment inactif émettait quand même de légères impulsions électriques qui auraient pu indiquer, hors de tout doute, qu'il restait en état de contraction. Je me rendis compte qu'il était nécessaire de construire un appareil capable de mesurer avec précision de très faibles intensités électriques. Il fallait pouvoir déceler jusqu'à un millionième de volt. Les laboratoires de la compagnie Bell Telephone, en tant que service public, collaborèrent très généreusement à mes recherches.

Au début, pour observer les impulsions électriques des muscles au moment des contractions, il fallait insérer des pointes d'iridium de platine dans les muscles du patient. Maintenant on ne s'en sert plus. J'utilise plutôt des électrodes de surface qui sont relativement grosses.

J'ai appelé l'instrument que nous avons au point "neurovoltmètre intégré". Mon laboratoire, au département de physiologie de l'université de Chicago, utilisa les premiers modèles de cet appareil jusqu'en 1936. Des modèles plus perfectionnés furent mis au point par la suite et je les utilisai dans mon laboratoire de physiologie clinique situé en plein coeur de la ville de Chicago. Durant les quarante dernières années, on s'est très fréquemment servi de ces appareils pour prendre des mesures sur des êtres humains. En 1975, nous avons mis au point un petit modèle portatif qui peut servir à d'autres chercheurs.

Le neurovoltmètre intégré et nos autres instruments nous permettent de prendre chaque jour de nouvelles mesures. Elles sont essentielles pour la médecine et les sciences de la vie. Nos sujets d'expérience sont soit des malades qui souffrent d'hypertension neuro-musculaire et d'autres maladies connexes, comme l'hypertension essentielle et les états spasmodiques du système digestif, soit des personnes choisies au hasard dans la population, qui affirment n'avoir à se plaindre de rien et qui sont apparemment en bonne santé. Nous commençons donc à accumuler une grande variété de données statistiques sur ce qui pourrait être appelé l'économie des systèmes organiques humains. Nous enregistrons les performances neuro-musculaires et les autres performances corporelles et les mettons en relation avec les dépenses d'énergie requises pour les accomplir. Ces dépenses d'énergie sont mesurées et on en fait la moyenne pour une unité de temps donnée.

Par exemple, pour chaque période de trente minutes de test, parmi les éléments dont on fait la moyenne à la minute figurent le pouls et la résistance périphérique, la pression systolique et diastolique, les valeurs chimiques des dépenses énergétiques musculaires et le relevé de diverses autres fonctions physiologiques. Notre ordinateur numérique enregistre simultanément chacune des nombreuses fonctions énergétiques mesurées et en fait la moyenne à la minute. Après trente minutes d'observation et de mesure, l'ordinateur dactylographie automatiquement, sous forme de tableau, un compte-rendu des nombreuses moyennes ainsi relevées.

Nous possédons donc une quantité impressionnante de données informatiques. Ces données nous aident à comprendre de façon scientifique et clinique les actions et les contractions musculaires humaines, de même que les impulsions nerveuses et les états de nervosité. Ces données, en même temps que les résultats de recherches qui ont donné lieu à d'autres publications, constituent la base de l'information contenue dans le présent livre de vulgarisation, surtout en ce qui concerne la description des applications scientifiques de la relaxation progressive et la façon d'en vérifier l'acquisition.

Chapitre 21

Relaxation de l'esprit

Dès avant la Première Guerre mondiale, un médecin français, le docteur Laroussinié, avait attiré l'attention sur l'accroissement des cas de maladies nerveuses dans la plupart des pays du globe. Les hôpitaux psychiatriques, publics et privés, étaient en voie de devenir incapables de satisfaire à la demande. Laroussinié attribua cette "épidémie" de maladies nerveuses à l'état d'esprit de la population civile: la poursuite d'un bien-être immédiat, l'accumulation de biens matériels au lieu du patient labeur de nos ancêtres, la danse, l'alcool, les voitures rapides, tout cela contribuait à former de nouvelles générations d'êtres humains manquant d'équilibre et de contrôle, des générations de gens impulsifs et dangeureux pour la société.

Les Nord-Américains sont des gens ardents, toujours à l'affût de nouveaux progrès dans les domaines financier, scientifique, éducatif, artistique et social. Il faut naturellement s'attendre à trouver au sein de la population beaucoup d'esprits hyperactifs. Pour atteindre le degré de développement que nous avons atteint, il a fallu réfléchir beaucoup. Notre société est vigoureuse et en pleine expansion. Elle nous offre de perpétuelles stimulations. Les difficultés du moment et les efforts faits de partout pour rebâtir notre système économique n'ont contribué, si je puis dire, qu'à jeter de l'essence sur nos esprits embrasés. Notre avenir est incertain. Pour que nos libertés survivent, il va falloir affronter le futur avec nos pensées les plus claires et nos efforts les plus complets.

Les changements qui caractérisent notre époque affectent nécessairement la vie de chacun de nous. Les ajustements aux motivations sociales perturbent les gens et ajoutent aux problèmes personnels auxquels ils ont à faire face. Ces changements tendent à augmenter l'hypertension nerveuse. On ne risque pas de se tromper, en affirmant que tout individu actif a déjà un jour été obsédé par des réflexions et des soucis qu'il semblait incapable de résoudre. Dans les précédents chapitres, j'ai déjà suffisamment fait état des divers facteurs de la vie moderne qui provoquent un excès de réflexion et d'émotion. Il faut en venir à se demander quoi faire, s'il y a quelque chose à faire, pour atteindre un certain calme au milieu de toute cette tourmente.

Avant d'apprendre à relaxer, John Doe s'interrogeait ainsi. Il avait commencé à se dire que ses malaises organiques (cette vague douleur qu'il éprouvait parfois dans la région du coeur, son pouls irrégulier, son mal de ventre dû à ce qu'il appelait des "gaz") étaient peut-être causés par des tensions musculaires. Il en vint à se convaincre qu'il se sentirait beaucoup mieux à tous points de vue s'il apprenait réellement à relaxer. Il se rendit compte aussi qu'il se faisait trop de souci. Ces tracas constants étaient, pensait-il, un problème mental et non pas un problème organique. Par moments, John Doe se demandait s'il ne devait pas arrêter de travailler. Il préférait parfois fuir les gens plutôt que de les rencontrer. Il se sentait incapable de se concentrer comme avant et sa mémoire semblait lui faire défaut. Il se sentait trop souvent bouleversé émotivement et commençait même à redouter la panique.

John Doe avait lu dans beaucoup de livres que les désordres mentaux se produisent communément parce que les gens sont incapables d'exprimer leurs émotions. Peut-être, pensait-il, ai-je besoin d'exprimer davantage ce que je ressens. Il ne comprenait pas toujours bien ce que la relaxation pouvait lui apporter.

John Doe avait des idées fausses, mais ce n'est pas étonnant. Tout au long de sa vie, on lui avait appris à faire une distinction entre l'esprit et le corps. Pour lui, il ne faisait aucun doute que les soucis naissaient dans son cerveau. Ils avaient donc une composante organique, mais ils ne touchaient qu'une partie bien particulière de son corps, c'est-à-dire le crâne. Ce qui est vrai pour les soucis, pensait John Doe, est sans doute aussi vrai pour la mémoire, l'attention, les émotions et surtout l'imagination. Il en vint à croire que les activités mentales se produisent dans l'esprit et que la contraction des muscles est l'unique conséquence de ce qui se passe dans le cerveau. Si donc la relaxation pouvait lui faire un bien énorme, John Doe pouvait difficilement s'attendre à ce qu'elle ait quelque influence sur ses maladies mentales. À tous ces arguments, il ajouta une autre objection et une nouvelle difficulté. Il se rendit compte qu'il ne parvenait pas à relaxer quand il était émotivement troublé. Il en conclut donc qu'il n'avait pas assez de volonté pour relaxer et émit une autre objection encore: quand on se sent aussi mal dans sa peau, on ne peut relaxer à moins d'améliorer d'abord son état mental.

John Doe en vint à penser ainsi en toute honnêteté. Il avait hérité des idées de ses aïeux, y compris ceux du dix-neuvième siècle. Il apprit à observer avec précision ce qui se passait en lui quand il se faisait du souci, quand il imaginait des choses, qu'il faisait appel à sa mémoire ou s'adonnait à quelque autre activité mentale. C'est alors que la lumière se fit jour en lui. Ses conceptions se mirent à changer. Il se rendit compte plus exactement de ce qui se passait réellement pendant les moments de souci ou pendant qu'il réfléchissait. L'expérience lui enseigna que l'esprit était différent de ce qu'il en avait pensé jusque-là en se basant sur la seule tradition. John Doe acquit de nouveaux concepts. Après quelques explications, il comprit que son cerveau n'était pas seul responsable de ses soucis. Il se rendit compte qu'il en avait beaucoup moins quand il était relaxé. Et cette découverte le surprit.

Il y a moins de soixante ans, on aurait eu du mal à admettre qu'il y a moyen d'apprendre à quelqu'un à relaxer à tel point que ses soucis et toute autre hyperactivité émotive peuvent diminuer ou disparaître. La plupart des neurologues ne s'intéressaient pas à l'étude scientifique des processus mentaux. À l'époque, en neurologie, la mode était au scepticisme (ce n'est pas encore tout à fait passé) plutôt qu'à la création. Les neurologues résistaient au progrès. Ils n'essayaient pas d'adopter une attitude constructive. De plus, leur scepticisme ne se fondait généralement pas sur de minutieuses études scientifiques dont les résultats auraient été négatifs, mais sur un dogmatisme de principe qui faisait soi-disant autorité. Certains médecins de la vieille école auraient dit que les directives, du genre de celles que j'ai données dans ce livre, étaient en fait des suggestions à l'intention du malade. Les résultats obtenus seraient entièrement attribuables au fait que le malade croit en la méthode. Selon ces médecins, agiter l'orteil droit du patient ou lui donner des pilules de pain pourrait produire le même résultat que la relaxation, à condition que le patient y croie. Sans effectuer aucune recherche, ces médecins auraient été certains qu'une sieste quotidienne, sans aucune espèce de directives, aurait pu produire les mêmes résultats que des séances de relaxation bien dirigées, pourvu que le patient soit persuadé de l'efficacité de la méthode.

Leurs opinions n'ont pas résisté au temps. J'ai prouvé que, dans beaucoup de cas, la relaxation technique a réussi là où le repos quotidien seul n'a pas eu d'effet. Les méthodes de recherche en laboratoire nous gardent de sauter aux conclusions et nous permettent d'exclure du traitement toute espèce de suggestion mentale.

La relaxation musculaire affecte-t-elle la pensée, les émotions et les autres processus intellectuels? Les recherches sur ce problème ont commencé à l'université de Chicago, en 1922, et s'y sont poursuivies jusqu'en 1936. Depuis, je les ai menées dans mon laboratoire de physiologie clinique. J'avais précédemment procédé à des enregistrements cliniques détaillés. Pour les fins de l'étude scientifique, il était nécessaire de ne considérer que des activités mentales simples et faciles à provoquer en laboratoire chaque fois qu'on le désirait. Les sujets étaient entraînés à relaxer et à rendre compte de ce qu'ils éprouvaient pendant qu'ils contractaient leurs muscles.

On sait, depuis Francis Galton (1888) que toute personne recourt nécessairement à certaines images quand elle se met à penser, à éprouver des émotions ou à se livrer à d'autres activités mentales. Si vous imaginez un bâtiment ou quelque autre objet matériel, vous en aurez probablement une image mentale. Chez certains, cette image est relativement claire. Chez d'autres, elle est fragmentaire, vague et floue. Certaines personnes habituées à l'examen scientifique de leurs sensations rapportent que ces images sont rares ou même absentes chez elles. De façon similaire, en imaginant ou en se rappelant certains sons (bruits ou airs de musique), la plupart des personnes constatent qu'il leur semble entendre plus ou moins clairement quelque chose et, peut-être, éprouver une vague sensation dans l'oreille. Si vous imaginez ou si vous vous rappelez certaines saveurs ou certaines odeurs, il est probable que le même type de sensation vague se produise. Les observateurs entraînés s'accordent à dire qu'en imaginant ou en se rappellant un acte musculaire donné, ils éprouvent une sensation qui semble reproduire ou ressembler vaguement à ce qu'ils éprouvent quand ils font effectivement le geste. Nous reproduisons souvent en nous, de façon semblable, d'autres sensations et d'autres impressions. Selon les rapports des experts, les individus diffèrent grandement dans leur habileté à utiliser ces images mentales. Les uns s'en servent plus que les autres, mais chacun y recourt quand il pense. Tout le monde est d'accord là-dessus, même les étudiants qui prétendent qu'à certains moments significatifs notre pensée se passe d'images.

Nous avons donc demandé à nos sujets, étendus dans des conditions favorables à la relaxation, d'imaginer ou de se rappeler certaines choses simples et de nous décrire ce qui se passait en eux à ce moment-là. Aucun sujet n'était informé de ce que disaient les autres. Après de nombreuses observations, ils étaient pratiquement tous d'accord pour admettre qu'ils éprouvaient de légères tensions quand ils pensaient à certaines choses. Tout se passait comme si leurs muscles oculaires se contractaient pour regarder l'objet auquel ils réfléchissaient. Quand ils relaxaient complètement les muscles des yeux, l'image mentale s'estompait ou disparaissait. Quand on leur demandait d'imaginer qu'ils comptaient jusqu'à dix, de se rappeler les mots d'un poème ou encore de se souvenir d'une phrase qu'ils venaient de prononcer, la plupart d'entre eux affirmaient qu'ils éprouvaient des sensations dans la langue, les lèvres et la gorge, comme s'ils parlaient réellement à voix haute. La seule différence était que ces sensations semblaient beaucoup plus faibles et plus brèves. En relaxant complètement les muscles de la langue, des lèvres et de la gorge, la plupart d'entre eux relatèrent qu'ils cessaient d'imaginer ou de se rappeler les chiffres et les mots. Certains disaient qu'en relaxant les organes de la parole, ils continuaient à *visualiser* les nombres et les mots, mais ils admettaient toutefois que leur relaxation était sûrement incomplète, puisqu'ils éprouvaient alors des sensations dans les muscles des yeux. Quand on leur demandait de relaxer complètement les muscles des yeux en même temps que les muscles de la parole, tous les sujets constataient que leur activité mentale diminuait ou cessait. Le chercheur prenait bien garde de ne pas suggérer son point de vue à aucun de ceux qui participaient à l'expérience. Il était évident, dans chaque cas, que les observations étaient authentiques.

Même si le compte-rendu que je viens de donner est simplifié à l'extrême et assez incomplet, il peut donner une idée générale de la manière dont je m'y suis pris et de l'orientation de mes premières recherches. Les lecteurs intéressés à un compte-rendu plus détaillé le trouveront dans mon livre *Progressive Relaxation.*

Il y a moyen, à l'aide d'instruments assez sensibles, de vérifier l'exactitude des observations émises par ceux qui ont participé à nos expériences, même s'ils furent entraînés à bien s'observer. La possibilité de détecter et de mesurer ce qui se passe dans le corps d'un individu quand il pense m'amena à mettre au point l'appareil électrique que j'ai décrit plus haut. Voici une illustration de son utilisation. Le sujet est couché, les yeux fermés, en état de relaxation. On lui demande, à un signal donné, de se livrer à une activité mentale quelconque et, au second signal, de relaxer toutes les tensions musculaires présentes dans son corps. Des fils relient à l'appareil d'enregistrement électrique des électrodes posées sur la peau du sujet, au-dessus des muscles qui actionnent son bras droit.

Comme je l'ai déjà dit, lorsqu'on demande à un sujet bien entrainé de rester en état de relaxation, l'aiguille sur le cadran reste immobile, mais quand on lui demande d'imaginer qu'il soulève un poids avec le bras droit, par exemple, l'aiguille se met à vibrer relativement fort. Les vibrations cessent rapidement quand on lui donne le signal de relaxer. Quand on lui dit: "Imaginez que vous soulevez un poids avec votre bras gauche", ou "Imaginez que vous pliez le pied gauche", aucun changement électrique ne se produit dans le bras droit et l'aiguille reste inerte, comme si le sujet relaxait complètement. Elle reste immobile également pendant les divers autres tests que l'on appelle tests de contrôle.

Si l'on demande au sujet d'imaginer qu'il donne deux coups de marteau de la main droite, il se produit généralement deux séries de vibrations. Entre ces deux séries, l'aiguille ne bouge pas pendant un court laps de temps. On obtient de beaux tracés quand on demande au sujet d'imaginer ou de se rappeler certains gestes rythmés. Pour enregistrer ce qui se passe quand on imagine visuellement quelque chose, on place les électrodes de surface (que des fils relient au neurovoltmètre intégré) au-dessus et au-dessous, ou bien à gauche et à droite de l'oeil. Lorsque l'oeil se tourne vers le haut par exemple, l'appareil enregistre un graphique particulier. On obtient également des graphiques caractéristiques lorsqu'on demande au sujet d'imaginer certains objets précis. Le tracé, par exemple, est le même lorsqu'il imagine la tour Eiffel et lorsqu'il regarde vers le haut. Il semble donc juste de conclure que les muscles des yeux se contractent quand on imagine des choses, de la même façon qu'ils se contractent quand on regarde vraiment quelque chose, mais plus légèrement. Tout se passe donc comme si l'on regardait vraiment en direction de l'objet que l'on imagine. De plus, exactement comme il y a moyen d'exercer un contrôle sur ce que l'on voit en décidant de diriger le regard dans tel sens ou dans tel autre, il y a moyen de contrôler l'imagination et le cours des pensées, au moins en ce qui a trait aux images mentales.

Au cours d'autres recherches, nous avons relié les électrodes à la langue, aux lèvres et à la région des cordes vocales pour tester les muscles phonateurs pendant diverses formes de pensée. Lorsque le sujet s'imagine qu'il raconte quelque chose ou se souvient d'un poème ou d'une chanson, on enregistre immédiatement un tracé particulier dans chaque cas. Même s'il pense à certaines notions abstraites, comme par exemple le mot "infini", la plupart du temps ses organes phonateurs bougent (mais de façon brève et atténuée) comme s'il prononçait vraiment le mot.

Au début des années 1930, j'ai donc prouvé que nos processus mentaux, en plus d'images mentales et peut-être d'autres éléments, se fondaient essentiellement sur une activité musculaire légère et atténuée. D'autres chercheurs ont confirmé cette découverte. Nos études cliniques et leurs recherches ont prouvé qu'en relaxant cette activité musculaire, le processus entier de la pensée cesse pratiquement, aussi longtemps que l'état de relaxation persiste.

Quand un patient se tracasse ou se livre à une activité mentale qui le trouble, on peut lui demander — s'il a appris à rendre compte de ce qu'il ressent — ce qui se passe en lui. Il fera toujours état d'images mentales qui ont un rapport avec la cause de son problème. Il dira qu'il éprouve de légères sensations de tension musculaire dans les yeux, au moment où il voit et se représente ce qui le dérange. Il y a tout lieu de croire que de tels compte-rendus sont exacts. Les méthodes électriques ont en effet confirmé la présence de contractions musculaires pendant ce type d'activité mentale, comme j'ai pu le tester jusqu'en 1976. Si quelqu'un se fait un souci excessif, souffre d'angoisse ou d'un malaise émotif général, le chercheur qui lui pose des électrodes au-dessus d'un nerf ou d'un muscle a toutes les chances de constater que ce nerf ou ce muscle se trouve en état d'hypertension (techniquement parlant, il y a moyen de détecter une action potentielle prononcée). Comme le confirment les compte-rendus mentionnés plus haut, deux voies semblent ouvertes dans la pratique clinique pour aider le patient à surmonter ses soucis et les autres processus mentaux qui le troublent. La première est de l'entraîner à relaxer l'ensemble de son organisme; l'autre est de l'entraîner à relaxer les tensions particulières et spécifiques qui se produisent à cause de ses soucis ou de ses autres problèmes. Dans la relaxation complète, il y a moyen d'atteindre un stade où, comme on peut le noter, les yeux cessent de regarder, les paupières closes cessent de cligner et paraissent détendues, les lèvres, les joues et les mâchoires semblent immobiles et inertes, la respiration est régulière. Le patient qui a appris à relaxer de la sorte constate que, pendant ses séances de relaxation, ses problèmes cessent en même temps que toute espèce d'imagerie mentale. D'innombrables patients, qui ne savaient pas au départ à quel résultat s'attendre, l'ont confirmé. Certains se sont dit surpris des résultats. Ils n'avaient pas réussi jusque-là à comprendre quelle incidence pouvait avoir la relaxation de leurs muscles sur leurs problèmes mentaux. Si la relaxation complète réussit à réduire considérablement les problèmes et peut-être à les éliminer, il semble raisonnable de s'attendre à ce que le soulagement devienne quasi permanent avec la répétition et une pratique constante. Le professeur Anton J. Carlson a dit que cette démarche était l'inverse de la méthode de formation d'habitudes étudiée par Pavlov et ses assistants en Russie. Leur travail consistait à former de nouvelles habitudes, alors qu'ici nous essayons au contraire de nous défaire de nos anciennes habitudes.

Pour entraîner un patient à se libérer de ses angoisses ou de tout autre problème, il faut d'abord lui apprendre à s'observer et à savoir rendre compte exactement de ce qu'il ressent. Il doit ensuite pratiquer la relaxation des tensions musculaires qui caractérisent son trouble, en même temps qu'il continue à vaquer à ses occupations habituelles. C'est, je le répète, la relaxation différentielle. Une personne, par exemple, peut se rendre compte qu'elle garde toujours en tête les circonstances au cours desquelles elle a perdu beaucoup d'argent. Cette idée fixe lui nuit dans son travail. Si l'on constate que cette personne, chaque fois qu'elle pense à ses ennuis, revoit dans sa tête des images de ce qui les a provoqués et en même temps contracte les muscles des yeux comme pour regarder, on lui donnera l'instruction de relaxer ces tensions sans fermer les yeux et sans cesser d'être active.

Reprenons la réponse à la question: "Qu'est-ce que les tensions musculaires ont à voir avec les soucis, l'angoisse ou les autres problèmes mentaux?" D'après les tests, lorsqu'on imagine, que l'on pense ou que l'on réfléchit à quelque chose, on contracte des muscles quelque part, comme si l'on regardait, on parlait ou on agissait vraiment. La seule différence réside dans l'intensité de la contraction. En relaxant ces tensions, on cesse d'imaginer, de se souvenir ou de réfléchir à la cause d'un problème par exemple. *Il y a moyen de relaxer aussi bien en étant actif et en s'adonnant à ses activités quotidiennes qu'en s'étendant sur un lit ou sur un divan.*

Beaucoup de laboratoires ont confirmé les résultats de nos recherches sur l'électrophysiologie des activités mentales. La plupart des universités et des collèges américains enseignent actuellement nos principes et nos méthodes de relaxation progressive appliquées à l'éducation ainsi qu'à la psychologie expérimentale et clinique.

Il est important de se rendre compte que, depuis les années 1930, nos mesures et nos expériences ont prouvé la présence constante de tensions musculaires au moment où un individu s'adonne à une activité mentale. Depuis lors, notre laboratoire et divers autres chercheurs ont presque quotidiennement confirmé ce fait. *La nature périphérique de toute activité mentale est donc établie.* Ce n'est donc plus un simple concept théorique.

En d'autres termes, mes mesures ont permis d'établir que ce qu'on appelle "l'esprit" est une fonction du cerveau à laquelle participe aussi le système neuro-musculaire. L'esprit est le résultat de l'activité d'une partie du corps, exactement comme la digestion et la circulation sont le résultat de l'activité des systèmes digestif et circulatoire. La nature de l'esprit n'est donc plus une énigme philosophique. La science a remplacé la spéculation.

Aujourd'hui, de nombreux psychologues utilisent mon livre dans leur enseignement. Ce paragraphe s'adresse de façon particulière à ces hommes de science et à ces professeurs. Pour éviter toute mauvaise interprétation, je souhaite insister sur le fait que mon savoir et mes recherches n'ont jamais prouvé rien qui puisse favoriser ce qu'ils appellent "une théorie mécaniste de la conscience". Ils entendent par là que les impulsions qui courent le long des nerfs et stimulent les activités du cerveau ne deviennent conscientes qu'à condition d'être suivies d'impulsions qui partent du cerveau et aboutissent aux muscles. Je ne connais aucun moyen spécifique de tester cette théorie et je n'y ai jamais porté intérêt. Au contraire, elle m'a toujours paru hautement spéculative. Mes premières recherches établissaient l'importance des sensations en provenance des articulations, des tendons et des autres tissus organiques (ce que les psychologues appellent des sensations proprioceptives). Personne ne doute que les images et autres représentations groupées sous le nom d'"association" jouent un rôle dans nos activités cérébrales. Je prends pour acquis que la conscience chez l'homme comprend à la fois, et de façon inextricable, des impulsions qui se rendent au cerveau, des activités qui se passent dans le cerveau même et des impulsions qui en viennent. Je déplore donc que divers manuels de psychologie considèrent mes mesures d'activité cérébrale comme des preuves contribuant à authentifier "la théorie de la conscience motrice". Depuis 1907, j'ai toujours été opposé à cette théorie que je trouvais purement spéculative et sans aucun fondement physiologique. À l'époque, j'étais étudiant diplômé à Harvard, dans le département d'Hugo Munsterberg qui, lui, défendait la théorie de la conscience motrice avec laquelle j'étais déjà ouvertement en complet désaccord.

Table des matières

Ouvrages parus chez les éditeurs du groupe Sogides

* Pour l'Amérique du Nord seulement
** Pour l'Europe seulement
Sans * pour l'Europe et l'Amérique du Nord

ANIMAUX

* **Art du dressage, L'**, Chartier Gilles
Bien nourrir son chat, D'Orangeville Christianz
Cheval, Le, Leblanc Michel
Chien dans votre vie, Le, Swan Marguerite
Éducation du chien de 0 à 6 mois, L', DeBuyser Dr Colette et Dr Dehasse Joël
Encyclopédie des oiseaux, Godfrey W. Earl
Guide de l'oiseau de compagnie, Le, Dr R. Dean Axelson
Mammifère de mon pays,, Duchesnay St-Denis J. et Dumais Rolland
* **Mon chat, le soigner, le guérir**, D'Orangeville Christian
Observations sur les mammifères, Provencher Paul
Papillons du Québec, Les,Veilleux Christian et PrévostBernard
Petite ferme, T.1,
Les animaux, Trait Jean-Claude
Vous et vos petits rongeurs, Eylat Martin
Vous et vos poissons d'aquarium, Ganiel Sonia
Vous et votre berger allemand, Eylat Martin
Vous et votre boxer, Herriot Sylvain
Vous et votre caniche, Shira Sav
Vous et votre chat de gouttière, Gadi Sol
Vous et votre chow-chow, Pierre Boistel
Vous et votre collie, Ethier Léon
Vous et votre doberman, Denis Paula
Vous et votre fox-terrier, Eylat Martin
Vous et votre husky, Eylat Marti
Vous et vos oiseaux de compagnie, Huard-Viau Jacqueline
Vous et votre schnauzer, Eylat Martin
Vous et votre setter anglais, Eylat Martin
Vous et votre siamois, Eylat Odette
Vous et votre teckel, Boistel Pierre
Vous et votre yorkshire, Larochelle Sandra

ARTISANAT/ARTS MÉNAGER

Appareils électro-ménagers, Prentice-Hall du Canada
* **Art du pliage du papier**, Harbin Robert
Artisanat québécois, T.1, Simard Cyril
Artisanat québécois, T.2, Simard Cyril
Artisanat québécois, T.3, Simard Cyril
Artisanat québécois, T.4, Simard Cyril, Bouchard Jean-Louis

Bon Fignolage, Le, Arvisais Dolorès A.
Coffret artisanat, Simard Cyril
* **Construire des cabanes d'oiseaux,** Dion André
Construire sa maison en bois rustique, Mann D. et Skinulis R.
Crochet Jacquard, Le, Thérien Brigitte
Cuir, Le, Saint-Hilaire Louis et Vogt Walter
Dentelle, T.1, La, De Seve Andrée-Anne
Dentelle, T.2, La, De Seve Andrée-Anne
Dessiner et aménager son terrain, Prentice-Hall du Canada
Encyclopédie de la maison québécoise, Lessard Michel
Encyclopédie des antiquités, Lessard Michel
Entretien et réparation de la maison, Prentice-Hall du Canada
Guide du chauffage au bois, Flager Gordon
J'apprends à dessiner, Nassh Joanna
Je décore avec des fleurs, Bassili Mimi
J'isole mieux, Eakes Jon
Mécanique de mon auto, La, Time-Life
Outils manuels, Les, Prentice Hall du Canada
Petits appareils électriques, Prentice-Hall du Canada
Piscines, Barbecues et patio
Taxidermie, La, Labrie Jean
Terre cuite, Fortier Robert
Tissage, Le, Grisé-Allard Jeanne et Galarneau Germaine
Tout sur le macramé, Harvey Virginia L.
Trucs ménagers, Godin Lucille
Vitrail, Le, Bettinger Claude

ART CULINAIRE

À table avec soeur Angèle, Soeur Angèle
Art d'apprêter les restes, L', Lapointe Suzanne
Art de la cuisine chinoise, L', Chan Stella
Art de la table, L', Du Coffre Marguerite
Barbecue, Le, Dard Patrice
Bien manger à bon compte, Gauvin Jocelyne
Boîte à lunch, La, Lambert Lagacé Louise
Brunches & petits déjeuners en fête, Bergeron Yolande
100 recettes de pain faciles à réaliser, Saint-Pierre Angéline
Cheddar, Le, Clubb Angela
Cocktails & punchs au vin, Poister John
Cocktails de Jacques Normand, Normand Jacques
Coffret la cuisine
Confitures, Les, Godard Misette
Congélation de A à Z, La, Hood Joan
Congélation des aliments, Lapointe Suzanne
Conserves, Les, Sansregret Berthe
Cornichons, Ketchups et Marinades, Chesman Andrea
Cuisine au wok, Solomon Charmaine
Cuisine aux micro-ondes 1 et 2 portions, Marchand Marie-Paul
Cuisine chinoise, La, Gervais Lizette
* **Cuisine chinoise traditionnelle, La,** Chen Jean
* **Cuisine créative Campbell, La,** Cie Campbell
Cuisine de Pol Martin, Martin Pol
* **Cuisine du monde entier avec Weight Watchers,** Weight Watchers
Cuisine facile aux micro-ondes, Saint-Amour Pauline
Cuisine joyeuse de soeur Angèle, La, Soeur Angèle
Cuisine micro-ondes, La, Benoît Jehane
Cuisine santé pour les aînés, Hunter Denyse
Cuisiner avec le four à convection, Benoît Jehane
Cuisinez selon le régime Scarsdale, Corlin Judith
Cuisinier chasseur, Le, Hugueney Gérard
Entrées chaudes et froides, Dard Patrice
Faire son pain soi-même, Murray Gill Janice
Faire son vin soi-même, Beaucage André
Fine cuisine aux micro-ondes, La, Dard Patrice
Fondues & flambées de maman Lapointe, Lapointe Suzanne
Fondues, Les, Dard Partice
Menus pour recevoir, Letellier Julien
Muffins, Les, Clubb Angela
Nouvelle cuisine micro-ondes, La, Marchand Marie-Paul et Grenier Nicole
Nouvelle cuisine micro-ondes II, La, Marchand Marie-Paul et Grenier Nicole
Pâtés à toutes les sauces, Les, Lapointe Lucette
Patés et galantines, Dard Patrice
Pâtisserie, La, Bellot Maurice-Marie
Poissons et fruits de mer, Dard Patrice
Poissons et fruits de mer, Sansregret Berthe
Recettes au blender, Huot Juliette
Recettes canadiennes de Laura Secord, Canadian Home Economics Association
Recettes de gibier, Lapointe Suzanne
Recettes de maman Lapointe, Les, Lapointe Suzanne
Recettes Molson, Beaulieu Marcel
Robot culinaire, le, Martin Pol
Salades des 4 saisons et leurs vinaigrettes, Dard Patrice
Salades, sandwichs, hors d'oeuvre, Martin Pol
Soupes, potages et veloutés, Dard Patrice

BIOGRAPHIES POPULAIRES

Daniel Johnson, T.1, Godin Pierre
Daniel Johnson, T.2, Godin Pierre
Daniel Johnson - Coffret, Godin Pierre
Dans la fosse aux lions, Chrétien Jean
* **Dans la tempête,** Lachance Micheline
Duplessis, T.1 - L'ascension, Black Conrad
Duplessis, T.2 - Le pouvoir, Black Conrad
Duplessis - Coffret, Black Conrad
Dynastie des Bronfman, La, Newman Peter C.
Establishment canadien, L', Newman Peter C.
* **Maître de l'orchestre, Le,** Nicholson Georges
Maurice Richard, Pellerin Jean
Mulroney, Macdonald L.I.
Nouveaux Riches, Les, Newman Peter C.
Prince de l'Église, Le, Lachance Micheline
Saga des Molson, La, Woods Shirley
* **Une femme au sommet - Son excellence Jeanne Sauvé,** Woods Shirley E.

DIÉTÉTIQUE

Combler ses besoins en calcium, Hunter Denyse
Contrôlez votre poids, Ostiguy Dr Jean-Paul
* **Cuisine sage,** Lambert-Lagacé Louise
* **Diète rotation, La,** Katahn Dr Martin
Diététique dans la vie quotidienne, Lambert-Lagacé Louise
Livre des vitamines, Le, Mervyn Leonard
* **Maigrir en santé,** Hunter Denyse
* **Menu de santé,** Lambert-Lagacé Louise
Oubliez vos allergies, et... bon appétit, Association de l'information sur les allergies
Petite & grande cuisine végétarienne, Bédard Manon
* **Plan d'attaque Weight Watchers, Le,** Nidetch Jean
Plan d'attaque plus Weight Watchers, Le, Nidetch Jean
Recettes pour aider à maigrir, Ostiguy Dr Jean-Paul
* **Régimes pour maigrir,** Beaudoin Marie-Josée
Sage bouffe de 2 à 6 ans, La, Lambert-Lagacé Louise
Weight Watchers - cuisine rapide et savoureuse, Weight Watchers
Weight Watchers-Agenda 85 -Français, Weight Watchers
Weight Watchers-Agenda 85 -Anglais, Weight Watchers

DIVERS

* **Acheter ou vendre sa maison,** Brisebois Lucille
* **Acheter et vendre sa maison ou son condominium,** Brisebois Lucille
* **Acheter une franchise,** Levasseur Pierre
* **Bourse, La,** Brown Mark
* **Chaînes stéréophoniques, Les,** Poirier Gilles
* **Choix de carrières, T.1,** Milot Guy
* **Choix de carrières, T.2,** Milot Guy
* **Choix de carrières, T.3,** Milot Guy
* **Comment rédiger son curriculum vitae,** Brazeau Julie
* **Comprendre le marketing,** Levasseur Pierre
Conseils aux inventeurs, Robic Raymond
* **Devenir exportateur,** Levasseur Pierre
* **Dictionnaire économique et financier,** Lafond Eugène
* **Faire son testament soi-même,** Me Poirier Gérald, Lescault Nadeau Martine (notaire)
* **Faites fructifier votre argent,** Zimmer Henri B.
Finances, Les, Hutzler Laurie H.
* **Gérer ses ressources humaines,** Levasseur Pierre
* **Gestionnaire, Le,** Colwell Marian
* **Guide de la haute-fidélité, Le,** Prin Michel
* **Je cherche un emploi,** Brazeau Julie
* **Lancer son entreprise,** Levasseur Pierre
Leadership, Le, Cribbin, James J.
Livre de l'étiquette, Le, Du Coffre Marguerite
* **Loi et vos droits, La,** Marchand Me Paul-Émile
Meeting, Le, Holland Gary
Mémo, Le, Reimold Cheryl
Notre mariage (étiquette et planification), Du Coffre, Marguerite
Patron, Le, Reimold Cheryl
Relations publiques, Les, Doin Richard, Lamarre Daniel
* **Règles d'or de la vente, Les,** Kahn George N.
* **Roulez sans vous faire rouler, T.3,** Edmonston Philippe
Savoir vivre aujourd'hui, Fortin Jacques Marcelle
Séjour dans les auberges du Québec, Cazelais Normand et Coulon Jacques
Stratégies de placements, Nadeau Nicole
Temps des fêtes au Québec, Le, Montpetit Raymond
Tenir maison, Gaudet-Smet Françoise
* **Tout ce que vous devez savoir sur le condominium,** Dubois Robert
Univers de l'astronomie, L', Tocquet Robert
Vente, La, Hopkins Tom
* **Votre argent,** Dubois Robert
Votre système vidéo, Boisvert Michel et Lafrance André A.
* **Week-end à New York,** Tavernier-Cartier Lise

ENFANCE

* **Aider son enfant en maternelle,** Pedneault-Pontbriand Louise
* **Aider votre enfant à lire et à écrire,** Doyon-Richard Louise
Alimentation futures mamans, Gougeon Réjeanne et Sekely Trude
Années clés de mon enfant, Les, Caplan Frank et Theresa
Art de l'allaitement maternel, L', Ligue internationale La Leche
* **Autorité des parents dans la famille,** Rosemond John K.
Avoir des enfants après 35 ans, Robert Isabelle
Bientôt maman, Whalley J., Simkin P. et Keppler A.
Comment amuser nos enfants, Stanké Louis
* **Comment nourrir son enfant,** Lambert-Lagacé Louise
Deuxième année de mon enfant, La, Caplan Frank et Theresa
* **Développement psychomoteur du bébé,** Calvet Didier
Douze premiers mois de mon enfant, Les, Caplan Frank
* **En attendant notre enfant,** Pratte-Marchessault Yvette
* **Encyclopédie de la santé de l'enfant** Feinbloom Richard
Enfant stressé, L', Elkind David
Enfant unique, L', Peck Ellen
Évoluer avec ses enfants, Gagné Pierre Paul
Femme enceinte, La, Bradley Robert A.
Fille ou garçon, Langendoen Sally et Proctor William
* **Frères-soeurs,** Mcdermott Dr. John F. Jr.
Futur Père, Pratte-Marchessault Yvette
Jouons avec les lettres, Doyon-Richard Louise
Langage de votre enfant, Le, Langevin Claude
Maman et son nouveau-né, La, Sekely Trude
Manuel Johnson et Johnson des premiers soins, Le, Dr Rosenberg Stephen N.
Massage des bébés, Le, Auckette Amédia D.
Merveilleuse histoire de la naissance, La, Gendron Dr Lionel
Mon enfant naîtra-t-il en bonne santé? Scher Jonathan et Dix Carol
Pour bébé, le sein ou le biberon? Pratte-Marchessault Yvette
Pour vous future maman, Sekely Trude
Préparez votre enfant à l'école, Doyon-Richard Louise
Psychologie de l'enfant, Cholette-Pérusse Françoise
Respirations et positions d'accouchement, Dussault Joanne
Soins de la première année de bébé, Kelly Paula
Tout se joue avant la maternelle, Ibuka Masaru
Un enfant naît dans la chambre de naissance, Fortin Nolin Louise
Viens jouer, Villeneuve Michel José
Vivez sereinement votre maternité, Vellay Dr Pierre
Vivre une grossesse sans risque, Fried Dr Peter A.

ÉSOTÉRISME

Coffret - Passé - Présent - Avenir
Graphologie, La, Santoy Claude
Hypnotisme, L', Manolesco Jean
Lire dans les lignes de la main, Morin Michel
Prévisions astrologiques 1985, Hirsig Huguette
Vos rêves sont des miroirs, Cayla Henri
* **Votre avenir par les cartes,** Stanké Louis

HISTOIRE

Arrivants, Les, Collectif
* **Civilisation chinoise, La,** Guay Michel

INFORMATIQUE

* **Découvrir son ordinateur personnel,** Faguy François
Guide d'achat des micro-ordinateurs, Le, Blanc Pierre
Informatique, L', Cone E. Paul

PHOTOGRAPHIE (ÉQUIPEMENT ET TECHNIQUE)

* **Apprenez la photographie avec Antoine Desilets,** Desilets Antoine
Chasse photographique, Coiteux Louis
8/Super 8/16, Lafrance André
Initiation à la Photographie, London Barbara
Initiation à la Photographie-Canon, London Barbara
Initiation à la Photographie-Minolta, London Barbara
Initiation à la Photographie-Nikon, London Barbara
Initiation à la Photographie-Olympus, London Barbara
Initiation à la Photographie-Pentax, London Barbara
* **Je développe mes photos,** Desilets Antoine
* **Je prends des photos,** Desilets Antoine
* **Photo à la portée de tous,** Desilets Antoine
Photo guide, Desilets Antoine

PSYCHOLOGIE

Âge démasqué, L', De Ravinel Hubert
* **Aider mon patron à m'aider,** Houde Eugène
* **Amour de l'exigence à la préférence,** Auger Lucien
Au-delà de l'intelligence humaine, Pouliot Élise
Auto-développement, L', Garneau Jean
Bonheur au travail, Le, Houde Eugène
Bonheur possible, Le, Blondin Robert
Chimie de l'amour, La, Liebowitz Michael
Coeur à l'ouvrage, Le, Lefebvre Gérald
Coffret psychologie moderne Colère, La, Tavris Carol
* **Comment animer un groupe,** Office Catéchèsse
* **Comment avoir des enfants heureux,** Azerrad Jacob
* **Comment déborder d'énergie,** Simard Jean-Paul
Comment vaincre la gêne, Catta Rene-Salvator
* **Communication dans le couple, La,** Granger Luc
* **Communication et épanouissement personnel,** Auger Lucien
Comprendre la névrose et aider les névrosés, Ellis Albert
* **Contact,** Zunin Nathalie
* **Courage de vivre, Le,** Kiev Docteur A.
Courage et discipline au travail, Houde Eugène
Dynamique des groupes, Aubry J.-M. et Saint-Arnaud Y.
Élever des enfants sans perdre la boule, Auger Lucien
* **Émotivité et efficacité au travail,** Houde Eugène
Enfant paraît... et le couple demeure, L', Dorman Marsha et Klein Diane
Enfants de l'autre, Les, Paris Erna
* **Être soi-même,** Corkille Briggs D.
* **Facteur chance, Le,** Gunther Max
* **Fantasmes créateurs, Les,** Singer Jérôme
Infidélité, L', Leigh Wendy
Intuition, L', Goldberg Philip
* **J'aime,** Saint-Arnaud Yves
Journal intime intensif, Progoff Ira
Miracle de l'amour, Un, Kaufman Barry Neil
* **Mise en forme psychologique,** Corrière Richard
* **Parle-moi... J'ai des choses à te dire,** Salome Jacques
Penser heureux, Auger Lucien
* **Personne humaine, La,** Saint-Arnaud Yves
* **Plaisirs du stress, Les,** Hanson Dr Peter G.
* **Première impression, La,** Kleinke Chris, L.
Prévenir et surmonter la déprime, Auger Lucien
* **Prévoir les belles années de la retraite,** D. Gordon Michael
* **Psychologie dans la vie quotidienne,** Blank Dr Léonard
* **Psychologie de l'amour romantique,** Braden Docteur N.
* **Qui es-tu grand-mère? Et toi grand-père?** Eylat Odette
* **S'affirmer et communiquer,** Beaudry Madeleine
* **S'aider soi-même,** Auger Lucien
* **S'aider soi-même d'avantage,** Auger Lucien
* **S'aimer pour la vie,** Wanderer Dr Zev
* **Savoir organiser, savoir décider,** Lefebvre Gérald
* **Savoir relaxer et combattre le stress,** Jacobson Dr Edmund
* **Se changer,** Mahoney Michael
* **Se comprendre soi-même par des tests,** Collectif
* **Se concentrer pour être heureux,** Simard Jean-Paul
Se connaître soi-même, Artaud Gérard
* **Se contrôler par le biofeedback,** Ligonde Paultre
* **Se créer par la Gestalt,** Zinker Joseph
* **S'entraider,** Limoges Jacques
* **Se guérir de la sottise,** Auger Lucien
Séparation du couple, La, Weiss Robert S.
Sexualité au bureau, La, Horn Patrice
Syndrome prémenstruel, Le, Shreeve Dr Caroline
* **Vaincre ses peurs,** Auger Lucien
Vivre à deux: plaisir ou cauchemar, Duval Jean-Marie
* **Vivre avec sa tête ou avec son coeur,** Auger Lucien
Vivre c'est vendre, Chaput Jean-Marc
* **Vivre jeune,** Waldo Myra
* **Vouloir c'est pouvoir,** Hull Raymond

JARDINAGE

Culture des fleurs, des fruits, Prentice-Hall du Canada
Encyclopédie du jardinier, Perron W.H.
Guide complet du jardinage, Wilson Charles
J'aime les violettes africaines, Davidson Robert
Petite ferme, T. 2 - Jardin potager, Trait Jean-Claude
Plantes d'intérieur, Les, Pouliot Paul
Techniques du jardinage, Les, Pouliot Paul
* **Terrariums, Les,** Kayatta Ken

JEUX/DIVERTISSEMENTS

Améliorons notre bridge, Durand Charles
* **Bridge, Le,** Beaulieu Viviane
Clés du scrabble, Les, Sigal Pierre A.
Collectionner les timbres, Taschereau Yves
* **Dictionnaire des mots croisés, noms communs,** Lasnier Paul
* **Dictionnaire des mots croisés, noms propres,** Piquette Robert
* **Dictionnaire raisonné des mots croisés,** Charron Jacqueline
Finales aux échecs, Les, Santoy Claude
Jeux de société, Stanké Louis
* **Jouons ensemble,** Provost Pierre
Livre des patiences, Le, Bezanovska M. et Kitchevats P.
* **Ouverture aux échecs,** Coudari Camille
Scrabble, Le, Gallez Daniel
Techniques du billard, Morin Pierre

LINGUISTIQUE

* **Anglais par la méthode choc, L',** Morgan Jean-Louis
* **J'apprends l'anglais,** Silicani Gino
Petit dictionnaire du joual, Turenne Auguste
Secrétaire bilingue, La, Lebel Wilfrid

LIVRES PRATIQUES

Bonnes idées de maman Lapointe, Les, Lapointe Lucette
Chasse-taches, Le, Cassimatis Jack
* **Maîtriser son doigté sur un clavier,** Lemire Jean-Paul
* **Se protéger contre le vol,** Kabundi Marcel et Normandeau André
Temps c'est de l'argent, Le, Davenport Rita

MUSIQUE ET CINÉMA

* **Guitare, La,** Collins Peter
Piano sans professeur, Le, Evans Roger
Wolfgang Amadeus Mozart raconté en 50 chefs-d'oeuvre, Roussel Paul

NOTRE TRADITION

Coffret notre tradition Écoles de rang au Québec, Les, Dorion Jacques
Encyclopédie du Québec, T.1, Landry Louis
Encyclopédie du Québec, T.2, Landry Louis
Histoire de la chanson québécoise, L'Herbier Benoît
Maison traditionnelle, La, Lessard Micheline
Moulins à eau de la vallée du Saint-Laurent, Adam Villeneuve
Objets familiers de nos ancêtres, Genet Nicole
* **Sculpture ancienne au Québec, La,** Porter John R. et Bélisle Jean
Vive la compagnie, Daigneault Pierre

ROMANS/ESSAIS

Adieu Québec, Bruneau André
Baie d'Hudson, La, Newman Peter C.
Bien-pensants, Les, Berton Pierre
Bousille et les justes, Gélinas Gratien
Coffret Joey
C.P., Susan Goldenberg
Commettants de Caridad, Les, Thériault Yves
Deux Innocents en Chine Rouge, Hébert Jacques
Dome, Jim Lyon
* **Frères divorcés, Les,** Godin Pierre
IBM, Sobel Robert
Insolences du Frère Untel, Les, Untel Frère
ITT, Sobel Robert
J'parle tout seul, Coderre Emile
Lamia, Thyraud de Vosjoli P.L.
Mensonge amoureux, Le, Blondin Robert
Nadia, Aubin Benoît
Oui, Lévesque René
Premiers sur la lune, Armstrong Neil
* **Sur les ailes du temps (Air Canada),** Smith Philip
Telle est ma position, Mulroney Brian
Terrosisme québécois, Le, Morf Gustave
* **Trois semaines dans le hall du Sénat,** Hébert Jacques
Un doux équilibre, King Annabelle
* **Un second souffle,** Hébert Diane
Vrai visage de Duplessis, Le, Laporte Pierre

SANTÉ ET ESTHÉTIQUE

Allergies, Les, Delorme Dr Pierre
Art de se maquiller, L', Moizé Alain
* **Bien vivre sa ménopause,** Gendron Dr Lionel
Cellulite, La, Ostiguy Dr Jean-Paul
Cellulite, La, Léonard Dr Gérard J.
Être belle pour la vie, Meredith Bronwen
Exercices pour les aînés, Godfrey Dr Charles, Feldman Michael
Face lifting par l'exercice, Le, Runge Senta Maria
Grandir en 100 exercises, Berthelet Pierre
Hystérectomie, L', Alix Suzanne
Médecine esthétique, La, Lanctot Guylaine
Obésité et cellulite, enfin la solution, Léonard Dr Gérard J.
Perdre son ventre en 30 jours H-F, Burstein Nancy et Matthews Roy
Santé, un capital à préserver, Peeters E.G.
Travailler devant un écran, Feeley Dr Helen
Coffret 30 jours
30 jours pour avoir de beaux cheveux, Davis Julie
30 jours pour avoir de beaux ongles, Bozic Patricia
30 jours pour avoir de beaux seins, Larkin Régina
30 jours pour avoir un beau teint, Zizmor Dr Jonathan
30 jours pour cesser de fumer, Holland Gary et Weiss Herman
30 jours pour mieux organiser, Holland Gary
30 jours pour perdre son ventre (homme), Matthews Roy, Burnstein Nancy
30 jours pour redevenir un couple amoureux, Nida Patricia K. et Cooney Kevin
30 jours pour un plus grand épanouissement sexuel, Schneider Alan et Laiken Deidre
* **Vos yeux,** Chartrand Marie et Lepage-Durand Micheline

SEXOLOGIE

Adolescente veut savoir, L', Gendron Lionel
Fais voir, Fleischhaner H.
Guide illustré du plaisir sexuel, Corey Dr Robert E.
Helg, Bender Erich F.
* **Ma sexualité de 0 à 6 ans,** Robert Jocelyne
* **Ma sexualité de 6 à 9 ans,** Robert Jocelyne
* **Ma sexualité de 9 à 12 ans,** Robert Jocelyne
Plaisir partagé, Le, Gary-Bishop Hélène
* **Première expérience sexuelle, La,** Gendron Lionel
* **Sexe au féminin, Le,** Kerr Carmen
* **Sexualité du jeune adolescent,** Gendron Lionel
* **Sexualité dynamique, La,** Lefort Dr Paul
* **Shiatsu et sensualité,** Rioux Yuki

SPORTS

100 trucs de billard, Morin Pierre
Le programme pour être en forme
Apprenez à patiner, Marcotte Gaston
Arc et la chasse, L', Guardon Greg
* **Armes de chasse, Les**, Petit Martinon Charles
* **Badminton, Le**, Corbeil Jean
* **Canadiens de 1910 à nos jours, Les**, Turowetz Allan et Goyens Chrystian
* **Carte et boussole**, Kjellstrom Bjorn
* **Chasse au petit gibier, La**, Paquet Yvon-Louis
Chasse et gibier du Québec, Bergeron Raymond
Chasseurs sachez chasser, Lapierre Lucie
* **Comment se sortir du trou au golf**, Brien Luc
* **Comment vivre dans la nature**, Rivière Bill
* **Corrigez vos défauts au golf**, Bergeron Yves
Curling, Le, Lukowich E.
Devenir gardien de but au hockey, Allair François
Encyclopédie de la chasse au Québec, Leiffet Bernard
Entraînement, poids-haltères, L', Ryan Frank
Exercices à deux, Gregor Carol
Golf au féminin, Le, Bergeron Yves
Grand livre des sports, Le, Le groupe Diagram
Guide complet du judo, Arpin Louis
* **Guide complet du self-defense**, Arpin Louis
Guide d'achat de l'équipement de tennis, Chevalier Richard et Gilbert Yvon
Guide de l'alpinisme, Le, Cappon Massimo
Guide de survie de l'armée américaine
Guide des jeux scouts, Association des scouts
Guide du judo au sol, Arpin Louis
Guide du self-defense, Arpin Louis
Guide du trappeur, Le, Provencher Paul
Hatha yoga, Piuze Suzanne
* **J'apprends à nager**, Lacoursière Réjean
* **Jogging, Le**, Chevalier Richard
Jouez gagnant au golf, Brien Luc
Larry Robinson, le jeu défensif, Robinson Larry
Lutte olympique, La, Sauvé Marcel
* **Manuel de pilotage**, Transport Canada
* **Marathon pour tous**, Anctil Pierre
Maxi-performance, Garfield Charles A. et Bennett Hal Zina
* **Médecine sportive**, Mirkin Dr Gabe
Mon coup de patin, Wild John
Musculation pour tous, Laferrière Serge
Natation de compétition, La, Lacoursière Réjean
Partons en camping, Satterfield Archie et Bauer Eddie
Partons sac au dos, Satterfield Archie et Bauer Eddie
Passes au hockey, Champleau Claude
Pêche à la mouche, La, Marleau Serge
Pêche à la mouche, Vincent Serge-J.
Pêche au Québec, La, Chamberland Michel
* **Planche à voile, La**, Maillefer Gérald
* **Programme XBX**, Aviation Royale du Canada
Provencher, le dernier coureur des bois, Provencher Paul
Racquetball, Corbeil Jean
Racquetball plus, Corbeil Jean
Raquette, La, Osgoode William
* **Rivières et lacs canotables**, Fédération québécoise du canot-camping
* **S'améliorer au tennis**, Chevalier Richard
Secrets du baseball, Les, Raymond Claude
Ski de fond, Le, Roy Benoît
* **Ski de randonnée, Le**, Corbeil Jean
Soccer, Le, Schwartz Georges
Stratégie au hockey, Meagher John W.
Surhommes du sport, Les, Desjardins Maurice
* **Taxidermie, La**, Labrie Jean
Techniques du billard, Morin Pierre
* **Technique du golf**, Brien Luc
Techniques du hockey en URSS, Dyotte Guy
* **Techniques du tennis**, Ellwanger
* **Tennis, Le**, Roch Denis
Tous les secrets de la chasse, Chamberland Michel
Vivre en forêt, Provencher Paul
Voie du guerrier, La, Di Villadorata
Volley-ball, Le, Fédération de volley-ball
Yoga des sphères, Le, Leclerq Bruno

ANIMAUX

Guide du chat et de son maître, Laliberté Robert
Guide du chien et de son maître, Laliberté Robert
Poissons de nos eaux, Melançon Claude

ART CULINAIRE ET DIÉTÉTIQUE

Armoire aux herbes, L', Mary Jean
Breuvages pour diabétiques, Binet Suzanne
Cuisine du jour, La, Pauly Robert
Cuisine sans cholestérol, Boudreau-Pagé
Desserts pour diabétiques, Binet Suzanne
Jus de santé, Les, Brunet Jean-Marc
Mangez ce qui vous chante, Pearson Dr Leo
Mangez, réfléchissez et devenez svelte, Kothkin Leonid
Nutrition de l'athlète, Brunet Jean-Marc
Recettes Soeur Berthe - été, Sansregret soeur Berthe
Recettes Soeur Berthe - printemps, Sansregret soeur Berthe

ARTISANAT/ARTS MÉNAGERS

Diagrammes de courtepointes, Faucher Lucille
Douze cents nouveaux trucs, Grisé-Allard Jeanne
Encore des trucs, Grisé-Allard Jeanne
Mille trucs madame, Grisé-Allard Jeanne
Toujours des trucs, Grisé-Allard Jeanne

DIVERS

Administrateur de la prise de décision, Filiatreault P. et Perreault Y.G.
Administration, développement, Laflamme Marcel
Assemblées délibérantes, Béland Claude
Assoiffés du crédit, Les, Féd. des A.C.E.F.
Baie James, La, Bourassa Robert
Bien s'assurer, Boudreault Carole
Cent ans d'injustice, Hertel François
Ces mains qui vous racontent, Boucher André-Pierre
550 métiers et professions, Charneux Helmy
Coopératives d'habitation, Les, Leduc Murielle
Dangers de l'énergie nucléaire, Les, Brunet Jean-Marc
Dis papa c'est encore loin, Corpatnauy Francis
Dossier pollution, Chaput Marcel
Énergie aujourd'hui et demain, De Martigny François
Entreprise et le marketing, L', Brousseau
Forts de l'Outaouais, Les, Dunn Guillaume
Grève de l'amiante, La, Trudeau Pierre
Hiérarchie ethnique dans la grande entreprise, Rainville Jean
Impossible Québec, Brillant Jacques
Initiation au coopératisme, Béland Claude
Julius Caesar, Roux Jean-Louis
Lapokalipso, Duguay Raoul

Lune de trop, Une, Gagnon Alphonse
Manifeste de l'Infonie, Duguay Raoul
Mouvement coopératif québécois, Deschêne Gaston
Obscénité et liberté, Hébert Jacques
Philosophie du pouvoir, Blais Martin
Pourquoi le bill 60, Gérin-Lajoie P.
Stratégie et organisation, Desforges Jean et Vianney C.
Trois jours en prison, Hébert Jacques
Vers un monde coopératif, Davidovic Georges
Vivre sur la terre, St-Pierre Hélène
Voyage à Terre-Neuve, De Gébineau comte

ENFANCE

Aidez votre enfant à choisir, Simon Dr Sydney B.
Deux caresses par jour, Minden Harold
Être mère, Bombeck Erma
Parents efficaces, Gordon Thomas
Parents gagnants, Nicholson Luree
Psychologie de l'adolescent, Pérusse-Cholette Françoise
1500 prénoms et significations, Grisé Allard J.

ÉSOTÉRISME

* **Astrologie et la sexualité, L',** Justason Barbara
Astrologie et vous, L', Boucher André-Pierre
* **Astrologie pratique, L',** Reinicke Wolfgang
Faire se carte du ciel, Filbey John
Grand livre de la cartomancie, Le, Von Lentner G.
* **Grand livre des horoscopes chinois, Le,** Lau Theodora
Graphologie, La, Cobbert Anne
* **Horoscope et énergie psychique,** Hamaker-Zondag
Horoscope chinois, Del Sol Paula
Lu dans les cartes, Jones Marthy
* **Pendule et baguette,** Kirchner Georg
* **Pratique du tarot, La,** Thierens E.
Preuves de l'astrologie, Comiré André
Qui êtes-vous? L'astrologie répond, Tiphaine
Synastrie, La, Thornton Penny **Traité d'astrologie,** Hirsig Huguette
Votre destin par les cartes, Dee Nerys

HISTOIRE

Administration en Nouvelle-France, L', Lanctot Gustave
Histoire de Rougemont, Bédard Suzanne
Lutte pour l'information, La, Godin Pierre
Mémoires politiques, Chaloult René
Rébellion de 1837, Saint-Eustache, Globensky Maximillien
Relations des Jésuites T.2
Relations des Jésuites T.3
Relations des Jésuites T.4
Relations des Jésuites T.5

JEUX/DIVERTISSEMENTS

Backgammon, Lesage Denis

LINGUISTIQUE

Des mots et des phrases, T. 1,, Dagenais Gérard
Des mots et des phrases, T. 2, Dagenais Gérard
Joual de Troie, Marcel Jean

NOTRE TRADITION

Ah mes aïeux, Hébert Jacques

Lettre à un Français qui veut émigrer au Québec, Dubuc Carl

OUVRAGES DE RÉFÉRENCE

Petit répertoire des excuses, Le, Charbonneau Christine et Caron Nelson

Règles d'or de la vente, Les, Kahn George N.

PSYCHOLOGIE

* **Adieu,** Halpern Dr Howard
Adieu Tarzan, Frank Helen
* **Agressivité créatrice,** Bach Dr George
Aimer, c'est choisir d'être heureux, Kaufman Barry Neil
* **Aimer son prochain comme soi-même,** Murphy Joseph
* **Anti-stress, L',** Eylat Odette
Arrête! tu m'exaspères, Bach Dr George
Art d'engager la conversation et de se faire des amis, L', Grabor Don
* **Art de convaincre, L',** Ryborz Heinz
* **Art d'être égoïste, L',** Kirschner Joseph
* **Au centre de soi,** Gendlin Dr Eugène
* **Auto-hypnose, L',** Le Cron M. Leslie
Autre femme, L', Sevigny Hélène
Bains Flottants, Les, Hutchison Michael
* **Bien dans sa peau grâce à la technique Alexander,** Stransky Judith
Ces hommes qui ne communiquent pas, Naifeh S. et White S.G.
Ces vérités vont changer votre vie, Murphy Joseph
Chemin infaillible du succès, Le, Stone W. Clément
Clefs de la confiance, Les, Gibb Dr Jack
Comment aimer vivre seul, Shanon Lynn
* **Comment devenir des parents doués,** Lewis David
* **Comment dominer et influencer les autres,** Gabriel H.W.
Comment s'arrêter de fumer, McFarland J. Wayne
* **Comment vaincre la timidité en amour,** Weber Éric
Contacts en or avec votre clientèle, Sapin Gold Carol
* **Contrôle de soi par la relaxation,** Marcotte Claude
* **Couple homosexuel, Le,** McWhirter David P. et Mattison Andres M.
* **Devenir autonome,** St-Armand Yves
* **Dire oui à l'amour,** Buscaglia Léo
* **Ennemis intimes,** Bach Dr George
États d'esprit, Glasser Dr William**Être efficace,** Hanot Marc
Être homme, Goldberg Dr Herb
Famille moderne et son avenir, La , Richar Lyn
Gagner le match, Gallwey Timothy
Gestalt, La, Polster Erving
Guide du succès, Le, Hopkins Tom
Harmonie, une poursuite du succès, L' Vincent Raymond
* **Homme au dessert, Un,** Friedman Sonya
Homme en devenir, L', Houston Jean
* **Homme nouveau, L', Bodymind,** Dychtwald Ken
Influence de la couleur, L', Wood Betty
* **Jouer le tout pour le tout,** Frederick Carl
Maigrir sans obsession, Orback Suisie
Maîtriser la douleur, Bogin Meg
Maîtriser son destin, Kirschner Joseph
Manifester son affection, Bach Dr George
* **Mémoire, La,** Loftus Elizabeth
* **Mémoire à tout âge, La,** Dereskey Ladislaus
* **Mère et fille,** Horwick Kathleen
* **Miracle de votre esprit,** Murphy Joseph
* **Négocier entre vaincre et convaincre,** Warschaw Dr Tessa
Nouvelles Relations entre hommes et femmes, Goldberg Herb
* **On n'a rien pour rien,** Vincent Raymond
* **Oracle de votre subconscient, L,** Murphy Joseph
Parapsychologie, La, Ryzl Milan
* **Parlez pour qu'on vous écoute,** Brien Micheline
* **Partenaires,** Bach Dr George
* **Pensée constructive et bon sens,** Vincent Dr Raymond
Personnalité, La, Buscaglia Léo
Personne n'est parfait, Weisinger Dr H.
Pourquoi ne pleures-tu pas?, Yahraes Herbert, McKnew Donald H. Jr., Cytryn Leon
Pourquoi remettre à plus tard? Burka Jane B. et Yuen L. M.
Pouvoir de votre cerveau, Le, Brown Barbara
Prospérité, La, Roy Maurice
* **Psy-jeux,** Masters Robert
* **Puissance de votre subconscient, La,** Murphy Dr Joseph
Reconquête de soi, La, Paupst Dr James C.
* **Réfléchissez et devenez riche,** Hill Napoléon
* **Réussir,** Hanot Marc
Rythmes de votre corps, Les, Weston Lee

S'aimer ou le défi des relations humaines, Buscaglia Léo
Se vider dans la vie et au travail, Pines Ayala M.
* **Secrets de la communication,** Bandler Richard
Sous le masque du succès, Harvey Joan C. et Datz Cynthia
* **Succès par la pensée constructive, Le,** Hill Napoléon
Technostress, Brod Craig
* **Thérapies au féminin, Les,** Brunel Dominique
Tout ce qu'il y a de mieux, Vincent Raymond
Triomphez de vous-même et des autres, Murphy Dr Joseph
Univers de mon subsconscient, L', Dr Ray Vincent
Vaincre la dépression par la volonté et l'action, Marcotte Claude
Vers le succès, Kassoria Dr Irène C.
* **Vieillir en beauté,** Oberleder Muriel
Vivre avec les imperfections de l'autre, Janda Dr Louis H.
* **Vivre c'est vendre,** Chaput Jean-Marc
* **Vivre heureux avec le strict nécessaire,** Kirschner Josef
Votre perception extra sensorielle, Milan Dr Ryzl
Votre talon d'Achille, Bloomfield Dr. Harold

ROMANS/ESSAIS

À la mort de mes 20 ans, Gagnon P.O.
Affrontement, L', Lamoureux Henri
Bois brûlé, Roux Jean-Louis
100 000e exemplaire, Le, Dufresne Jacques
C't'a ton tour Laura Cadieux, Tremblay Michel
Cité dans l'oeuf, La, Tremblay Michel
Coeur de la baleine bleue, Le Poulin Jacques
Coffret petit jour, Martucci Abbé Jean
Colin-Maillard, Hémon Louis
Contes pour buveurs attardés, Tremblay Michel
Contes érotiques indiens, Schwart Herbert
Crise d'octobre, Pelletier Gérard
Cyrille Vaillancourt, Lamarche Jacques
Desjardins Al., Homme au service, Lamarche Jacques
De Z à A, Losique Serge
Deux Millième étage, Le, CarrierRoch
D'Iberville, Pellerin Jean
Dragon d'eau, Le, Holland R.F.
Équilibre instable, L', Deniset Louis
Éternellement vôtre, Péloquin Claude
Femme d'aujourd'hui, La, Landsberg Michele
Femme de demain, Keeton Kathy
Femmes et politique, Cohen Yolande
Filles de joie et filles du roi, Lanctot Gustave
Floralie où es-tu, Carrier Roch
Fou, Le, Châtillon Pierre
Français langue du Québec, Le, Laurin Camille
Hommes forts du Québec, Weider Ben
Il est par là le soleil, Carrier Roch
J'ai le goût de vivre, Delisle Isabelle
J'avais oublié que l'amour, Doré-Joyal Yves
Jean-Paul ou les hasards de la vie, Bellier Marcel
Johnny Bungalow, Villeneuve Paul
Jolis Deuils, Carrier Roch
Lettres d'amour, Champagne Maurice
Louis Riel patriote, Bowsfield Hartwell
Louis Riel un homme à pendre, Osier E.B.
Ma chienne de vie, Labrosse Jean-Guy
Marche du bonheur, La, Gilbert Normand
Mémoires d'un Esquimau, Metayer Maurice
Mon cheval pour un royaume, Poulin J.
Neige et le feu, La, Baillargeon Pierre
N'Tsuk, Thériault Yves
Opération Orchidée, Villon Christiane
Orphelin esclave de notre monde, Labrosse Jean
Oslovik fait la bombe, Oslovik
Parlez-moi d'humour, Hudon Normand
Scandale est nécessaire, Le, Baillargeon Pierre
Vivre en amour, Delisle Lapierre

SANTÉ

Alcool et la nutrition, L', Brunet Jean-Marc
Bruit et la santé, Le, Brunet Jean-Marc
Chaleur peut vous guérir, La, Brunet Jean-Marc
Échec au vieillissement prématuré, Blais J.
Greffe des cheveux vivants, Guy Dr
Guérir votre foie, Jean-Marc Brunet
Information santé, Brunet Jean-Marc
Magie en médecine, Sylva Raymond
Maigrir naturellement, Lauzon Jean-Luc
Mort lente par le sucre, Duruisseau Jean-Paul
40 ans, âge d'or, Taylor Eric
Recettes naturistes pour arthritiques et rhumatisants, Cuillerier Luc
Santé de l'arthritique et du rhumatisant, Labelle Yvan
* **Tao de longue vie, Le,** Soo Chee
Vaincre l'insomnie, Filion Michel,Boisvert Jean-Marie, Melanson Danielle
Vos aliments sont empoisonnés, Leduc Paul

SEXOLOGIE

* **Aimer les hommes pour toutes sortes de bonnes raisons,** Nir Dr Yehuda
* **Apprentissage sexuel au féminin, L',** Kassoria Irene
* **Comment faire l'amour à la même personne pour le reste de votre vie,** O'Connor Dagmar
* **Comment faire l'amour à un homme,** Penney Alexandra
* **Comment faire l'amour ensemble,** Penney Alexandra
Dépression nerveuse et le corps, La, Lowen Dr Alexander
Drogues, Les, Boutot Bruno
* **Femme célibataire et la sexualité, La,** Robert M.
* **Jeux de nuit,** Bruchez Chantal
Magie du sexe, La, Penney Alexandra
* **Massage en profondeur, Le,** Bélair Michel
Massage pour tous, Le, Morand Gilles
Première fois, La, L'Heureux Christine
Rapport sur l'amour et la sexualité, Brecher Edward
Sexualité expliquée aux adolescents, La, Boudreau Yves
Sexualité expliquée aux enfants, La, Cholette Pérusse F.

SPORTS

Baseball-Montréal, Leblanc Bertrand
Chasse au Québec, Deyglun Serge
Chasse et gibier du Québec, Guardon Greg
Exercice physique pour tous, Bohemier Guy
Grande forme, Baer Brigitte
Guide des pistes cyclables, Guy Côté
Guide des rivières du Québec, Fédération canot-kayac
Lecture des cartes, Godin Serge
Offensive rouge, L', Boulonne Gérard
Pêche et coopération au Québec, Larocque Paul
Pêche sportive au Québec, Deyglun Serge
Raquette, La, Lortie Gérard
Santé par le yoga, Piuze Suzanne
Saumon, Le, Dubé Jean-Paul
Ski nordique de randonnée, Brady Michael
Technique canadienne de ski, O'Connor Lorne
Truite et la pêche à la mouche, La, Ruel Jeannot
Voile, un jeu d'enfants, La, Brunet Mario

ROMANS/ESSAIS/THÉATRE

Andersen Marguerite,
De mémoire de femme
Aquin Hubert,
Blocs erratiques
Archambault Gilles,
La fleur aux dents
Les pins parasols
Plaisirs de la mélancolie
Atwood Margaret,
Les danseuses et autres nouvelles
La femme comestible
Marquée au corps
Audet Noël,
Ah, L'amour l'amour
Baillie Robert,
La couvade
Des filles de beauté
Barcelo François,
Agénor, Agénor, Agénor et Agénor
Beaudin Beaupré Aline,
L'aventure de Blanche Morti
Beaudry Marguerite,
Tout un été l'hiver
Beaulieu Germaine,
Sortie d'elle(s) mutante

Beaulieu Michel,
Je tourne en rond mais c'est autour de toi
La représentation
Sylvie Stone
Bilodeau Camille,
Une ombre derrière le coeur
Blais Marie-Claire,
L'océan suivi de Murmures
Une liaison parisienne
Bosco Monique,
Charles Lévy M.S.
Schabbat
Bouchard Claude,
La mort après la mort
Brodeur Hélène,
Entre l'aube et le jour
Brossard Nicole,
Armantes
French Kiss
Sold Out
Un livre
Brouillet Chrystine,
Chère voisine
Coup de foudre
Callaghan Barry,
Les livres de Hogg
Cayla Henri,
Le pan-cul
Dahan Andrée,
Le printemps peut attendre
De Lamirande Claire,
Le grand élixir
Dubé Danielle,
Les olives noires
Dessureault Guy,
La maîtresse d'école
Dropaôtt Papartchou,
Salut Bonhomme
Doerkson Margaret, Jazzy
Dubé Marcel,
Un simple soldat
Dussault Jean,
Le corps vêtu de mots
Essai sur l'hindouisme
L'orbe du désir
Pour une civilisation du plaisir
Engel Marian,
L'ours
Fontaine Rachel,
Black Magic
Forest Jean,
L'aube de Suse
Le mur de Berlin P.Q.
Nourrice!... Nourrice!...
Garneau Jacques,
Difficiles lettres d'amour
Gélinas Gratien,
Bousille et les justes
Fridolinades, T.1 (1945-1946)
Fridolinades, T.2 (1943-1944)
Fridolinades, T.3 (1941-1942)
Ti-Coq
Gendron Marc,
Jérémie ou le Bal des pupilles
Gevry Gérard,
L'homme sous vos pieds
L'été sans retour
Godbout Jacques,
Le réformiste
Harel Jean-Pierre,
Silences à voix haute
Hébert François,
Holyoke
Le rendez-vous
Hébert Louis-Philippe,
La manufacture de machines
Manuscrit trouvé dans une valise
Hogue Jacqueline,
Aube
Huot Cécile,
Entretiens avec Omer
Létourneau
Jasmin Claude,
Et puis tout est silence
Laberge Albert,
La scouine
Lafrenière Joseph,
Carolie printemps
L'après-guerre de l'amour
Lalonde Robert,
La belle épouvante
Lamarche Claude,
Confessions d'un enfant d'un demi-siècle
Je me veux
Lapierre René,
Hubert Aquin
Larche Marcel,
So Uk
Larose Jean,
Le mythe de Nelligan
Latour Chrystine,
La dernière chaîne
Le mauvais frère
Le triangle brisé
Tout le portrait de sa mère
Lavigne Nicole,
Le grand rêve de madame Wagner
Lavoie Gaëtan,
Le mensonge de Maillard
Leblanc Louise,
Pop Corn
37 1/2AA

Marchessault Jovette,
La mère des herbes
Marcotte Gilles,
La littérature et le reste
Marteau Robert,
Entre temps
Martel Émile,
Les gants jetés
Martel Pierre,
Y'a pas de métro à Gélude-La-Roche
Monette Madeleine,
Le double suspect
Petites violences
Monfils Nadine,
Laura Colombe, contes
La velue
Ouellette Fernand,
La mort vive
Tu regardais intensément Geneviève
Paquin Carole,
Une esclave bien payée
Paré Paul,
L'improbable autopsie
Pavel Thomas,
Le miroir persan
Poupart Jean-Marie,
Bourru mouillé
Robert Suzanne,
Les trois soeurs de personneVulpera
Robertson Heat,
Beauté tragique
Ross Rolande,
Le long des paupières brunes
Roy Gabrielle,
Fragiles lumières de la terre
Saint-Georges Gérard,
1, place du Québec Paris VIe
Sansfaçon Jean-Robert,
Loft Story
Saurel Pierre,
IXE-13
Savoie Roger,
Le philosophe chat
Svirsky Grigori,
Tragédie polaire, nouvelles
Szucsany Désirée,
La passe
Thériault Yves,
Aaron
Agaguk
Le dompteur d'ours
La fille laide
Les vendeurs du temple
Turgeon Pierre,
Faire sa mort comme faire l'amour
La première personne
Prochainement sur cet écran
Un, deux, trois
Trudel Sylvain,
Le souffle de l'Harmattan
Vigneault Réjean,
Baby-boomers

COLLECTIFS DE NOUVELLES

Fuites et poursuites
Dix contes et nouvelles fantastiques
Dix nouvelles humoristiques
Dix nouvelles de science-fiction québécoise
Aimer
Crever l'écran

LIVRES DE POCHES 10/10

Aquin Hubert,
Blocs erratiques
Brouillet Chrystine,
Chère voisine
Dubé Marcel,
Un simple soldat
Gélinas Gratien,
Bousille et les justes
Ti-Coq
Harvey Jean-Charles,
Les demi-civilisés
Laberge Albert,
La scouine
Thériault Yves,
Aaron
Agaguk
Cul-de-sac
La fille laide
Le dernier havre
Le temps du carcajou
Tayaout

Turgeon Pierre,
Faires sa mort comme faire l'amour
La première personne

NOTRE TRADITION

Aucoin Gérard,
L'oiseau de la vérité
Bergeron Bertrand,
Les barbes-bleues
Deschênes Donald,
C'était la plus jolie des filles
Desjardins Philémon et Gilles Lamontagne,
Le corbeau du mont de la Jeunesse
Dupont Jean-Claude,
Contes de bûcherons
Gauthier Chassé Hélène,
À diable-vent
Laforte Conrad,
Menteries drôles et merveilleuse
Légaré Clément,
La bête à sept têtes
Pierre La Fève

DIVERS

A.S.D.E.Q.,
Québec et ses partenaires
Qui décide au Québec?
Bailey Arthur,
Pour une économie du bon sens
Bergeron Gérard,
Indépendance oui mais
Bowering George,
En eaux trouble
Boissonnault Pierre,
L'hybride abattu
Collectif Clio,
L'histoire des femmes au Québec
Clavel Maurice,
Dieu est Dieu nom de Dieu
Centre des dirigeants d'entreprise,
Relations du travail
Creighton Donald,
Canada - Les débuts
héroiques
De Lamirande Claire,
Papineau
Dupont Pierre,
15 novembre 76
Dupont Pierre et Gisèle Tremblay,
Les syndicats en crise
Fontaine Mario
Tout sur les p'tits journaux z'artistiques
Gagnon G., A. Sicotte et G. Bourrassa,
Tant que le monde s'ouvrira
Gamma groupe,
La société de conservation
Garfinkel Bernie,
Liv Ullmann Ingmar Bergman
Genuist Paul,
La faillite du Canada anglais
Haley Louise,
Le ciel de mon pays, T.1
Le ciel de mon pays, T.2
Harbron John D.,
Le Québec sans le Canada
Hébert Jacques et Maurice F. Strong,
Le grand branle-bas
Matte René,
Nouveau Canada à notre mesure
Monnet François-Mario,
Le défi québécois
Mosher Terry-Ailsin,
L'humour d'Aislin
Pichette Jean,
Guide raisonné des jurons
Powell Robert,
L'esprit libre
Roy Jean,
Montréal ville d'avenir
Sanger Clyde,
Sauver le monde
Schirm François,
Personne ne voudra savoir
Therrien Paul,
Les mémoires de J.E.Bernier

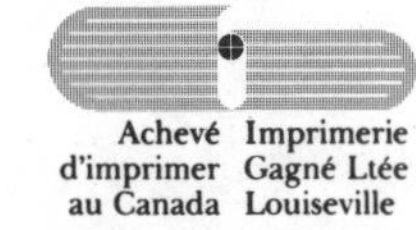
Achevé d'imprimer au Canada
Imprimerie Gagné Ltée Louiseville